Richard David Precht

Jäger, Hirten, Kritiker

GOLDMANN
Lesen erleben

Richard David Precht

Jäger, Hirten, Kritiker

Eine Utopie für die
digitale Gesellschaft

GOLDMANN

Originalausgabe

Sollte diese Publikation Links auf Webseiten Dritter enthalten, so übernehmen wir für deren Inhalte keine Haftung, da wir uns diese nicht zu eigen machen, sondern lediglich auf deren Stand zum Zeitpunkt der Erstveröffentlichung verweisen.

Dieses Buch ist auch als E-Book erhältlich.

Verlagsgruppe Random House FSC® N001967

1. Auflage
Copyright © der Originalausgabe 2018
by Wilhelm Goldmann Verlag, München,
in der Verlagsgruppe Random House GmbH,
Neumarkter Str. 28, 81673 München
Umschlaggestaltung: UNO Werbeagentur, München
Umschlagmotiv: © Bridgeman Images / Die Schlangenbeschwörerin,
1907 (La charmeuse de serpents), (Öl auf Leinwand), Rousseau,
Henri J. F. (Le Douanier) (1844 – 1910) / Musée d'Orsay, Paris, France
Satz: Buch-Werkstatt GmbH, Bad Aibling
Druck und Bindung: GGP Media GmbH, Pößneck
Printed in Germany
JT · Herstellung: Han
ISBN 978-3-442-31501-7
www.goldmann-verlag.de

Besuchen Sie den Goldmann Verlag im Netz

Inhalt

Der erste Kontakt

»Die Wirtschaft der Zukunft funktioniert ein bisschen anders. Sehen Sie, im 24. Jahrhundert gibt es kein Geld. Der Erwerb von Reichtum ist nicht mehr die treibende Kraft in unserem Leben. Wir arbeiten, um uns selbst zu verbessern – und den Rest der Menschheit.«[1]

Mehr als zwanzig Jahre ist es her, da prognostizierte Captain Jean-Luc Picard, Kommandant der USS *Enterprise,* aus der Zukunft des Jahres 2373, was auf die Menschheit zukommt: eine Gesellschaft ohne Geld und Lohnarbeit! Für das 24. Jahrhundert ist nämlich völlig undenkbar, was 1996 noch gängiger Menschheitsalltag ist – sich durch materielle Entlohnung motivieren zu lassen, um etwas für sich und die Gesellschaft zu tun.

Was in *Star Trek VIII – Der erste Kontakt* in der Maske der Zukunft erscheint, ist mehr als eine Science-Fiction-Fantasie. Es ist ein alter Menschheitstraum, geträumt seit dem Heraufdämmern des Kapitalismus und der Lohnarbeit im 16. und 17. Jahrhundert. Schon die Utopien des englischen Gentlemans Thomas Morus, des kalabrischen Mönchs Tommaso Campanella und des technikbegeisterten Lordkanzlers Francis Bacon kennen weder Geld noch goldenen Lohn. Die Frühsozialisten des 19. Jahrhunderts schwärmten von einer Zeit, in der die Maschinen arbeiten und die Arbeiter singen – erreicht durch clevere Automaten. Das »eigentliche Ziel ist der Versuch und Aufbau der Gesellschaft auf einer Grundlage, die die Armut unmöglich macht«[2], gibt Oscar Wilde dem 20. Jahrhundert als Auftrag mit auf den Weg. Erträumt wird das Ende der Lohnarbeit durch »Automation«. Denn nur die freie Zeit ermögliche es den Menschen, sich zu vervollkommnen. Wer die Hände frei hat, kann endlich das leben, worauf es vor allem anderen ankommt: seinen Individualismus!

Berühmter noch ist das Urbild, das Karl Marx und Friedrich Engels entwarfen. Besoffen von ihren Ideen, ihrer noch jungen Freundschaft und reichlich gutem Wein definieren sie 1845 in ihrem Brüsseler Exil das erste Mal, was »Kommunismus« sein soll: eine Gesellschaft, die es jedem ermögliche, *»heute dies, morgen jenes zu tun, morgens zu jagen, nachmittags zu fischen, abends Viehzucht zu treiben, nach dem Essen zu kritisieren, wie ich gerade Lust habe, ohne je Jäger, Fischer, Hirt oder Kritiker zu werden«*.[3] Die »klassenlose Gesellschaft«, träumen die beiden jungen Männer, werde den »totalen Menschen« schaffen. Und aus gesellschaftlicher Arbeit wird »freie Tätigkeit«.

Kommunismus als Individualismus, Pflege des eigenen Bewusstseins, liebevolle Sorge und echte Verantwortung? Wie weit entfernt ist Marx' und Engels' Utopie von den Zerrbildern des stalinistischen Staatskapitalismus! So lange schon hat dieser das Wort »Kommunismus« als Geisel genommen und den Traum vom »totalen Menschen« durch ein totalitäres System ersetzt! Und wie schillernd und zeitbedingt sind die Farben, in denen Menschen sich die passenden Exteriors einer wahrhaft freien Gesellschaft ausmalten: die weißen Gewänder der im Sonnenkult aufgehenden Solarier beim Dominikanermönch Campanella; der Samtjacken-Dandyismus Oscar Wildes; die Schäferromantik der vergangenen Feudalzeit bei

8

Marx und Engels, geträumt im Anblick der Industrieschlote. Und manchmal ist es ein steriles Raumschiff ohne jedes Grün, fantasieverlassen wie ein Atombunker bei Captain Picard.

Wir stehen heute, im Jahr 2018, vor einem Epochenumbruch. Die »Automation«, lang ersehnt, könnte nun zum ersten Mal in der Geschichte der Menschheit tatsächlich ein erfülltes Leben ohne Lohnarbeit für sehr viele ermöglichen. Die alte Arbeitswelt der oft gleichförmigen Dienstleistungsberufe, auf die uns die Schule noch immer abrichtet, bröckelt dahin; nicht anders als in der zweiten Hälfte des 20. Jahrhunderts die schweren körperlichen Arbeiten in Bergwerken und an Stahlkochern. Was lockt, ist ein Leben in selbstbestimmtem Tun ohne Entfremdung, ohne Konditionierung und Eintönigkeit. Doch wie genau werden die Hirten, Jäger und Kritiker der Zukunft leben? Wer sorgt dafür, dass die fantastischen Gewinne, erwirtschaftet von sozialkostenfreien Automaten, ihnen zugutekommen? Wer fördert ihr Talent und ihre Neugier auf ein selbstbestimmtes Leben? Und in welchen Farben werden wir die lebenswerten Räume der Zukunft malen?

Für viele Menschen in Europa, insbesondere in Deutschland, erscheint die Vorstellung einer solch lebenswerten Zukunft bizarr. Befinden sich unsere Welt, unsere Zivilisation und Kultur nicht in der größtmöglichen Krise? Der Klimawandel lässt die afrikanische Steppe verdorren. Während wir uns so oft um unseren eigenen sorgen, übersehen wir den Burn-out des Planeten in sengender Sonne. Die Meeresspiegel steigen, überschwemmen fruchtbares Land und verschlucken ganze Atolle. Der rasante Zuwachs der Bevölkerung lässt Megacitys entstehen und Müllberge hoch wie Wolkenkratzer. Ströme von Geflüchteten fließen wie ein Delta ins Mittelmeer und unterspülen von dort die maroden Bollwerke des europäischen Schutzwalls gegen die Armut, bis dieser eines Tages bricht.

Die Tier- und Pflanzenwelt stirbt dahin, überleben wird nur, was nützlich ist oder possierlich für den Zoo. Im Kampf um die Ressourcen Erdöl, Lithium, Kobalt, Coltan, Seltene Erden und Trinkwasser toben Handelskriege, getarnt als Glaubenskämpfe oder humanitäre Interventionen. Die Großmächte aus der Zeit der fossilen Energien bäumen sich ein letztes Mal auf, begleitet von Endzeiterscheinungen wie Donald Trump, und schlagen die Welt in Scherben, statt sie zu heilen – ein idealer Nährboden für eine Utopie des selbstbestimmten Lebens? Eine Wendezeit? Oder nicht vielmehr eine Endzeit?

Die Lage ist verstörend. Während die Enthusiasten von Technik und Umsatz davon schwärmen, wie »faszinierend« die kommende Revolution sei, fehlt den meisten Menschen in der westlichen Welt der Glaube. »Die Begriffe *Zukunft* und *Kapitalismus* klingen, wenn man sie in einem Atemzug nennt, fremd, als gehörten sie nicht zusammen«, schrieb der Schriftsteller Ingo Schulze schon vor zehn Jahren. Wir träumen nicht mehr von Kolonien auf Mars und Mond und riesigen Städten unter Wasser wie in den Sechzigern und Siebzigern. Die Gesellschaften des Westens haben sich der Gegenwart und dem »Weiter so« verpflichtet, nicht einer verheißungsvollen Entwicklung in der Zukunft. Und doch – während Politiker überall in Europa ihre Wähler in einen Schlafsack aus schönen Worten wie »gemeinsam«, »zuversichtlich« und »uns geht's gut« betten – reißt die Technik gerade den Boden auf und wälzt alle Lebensverhältnisse um. Die gesellschaftsverändernden »Automaten«, so lange erträumt, sind nun da: vernetzte Computer und Roboter, ernährt von Daten, deren Zahl jedes menschliche Vorstellungsvermögen übersteigt, und eine immer autonomer handelnde künstliche Intelligenz. Sie sind das genaue Gegenteil eines »Weiter so«.

Doch wer entwirft die Bilder dieser neuen Gesellschaft?

Wer zeigt auf, was und wie sie zu gestalten ist? Überlassen wir die Zukunft den zu kurz denkenden Gewinnoptimierern wie Google, Amazon, Facebook und Apple? Den unbedarften Trittbrettfahrern der deutschen Liberalen: »Digitalisierung first – Bedenken second«? Verfallen wir den Apokalyptikern, die eine Diktatur der Maschinen voraussagen; Endzeitpropheten, die in den USA den Optimisten längst die Deutungsherrschaft über die Zukunft streitig machen? Oder den Öko-Pessimisten, die den Planeten ohnehin dem Untergang geweiht sehen, weil alles längst zu spät ist?

Utopie und Resignation, Menschheitsversprechen und Menschheitsversagen liegen heute wieder so nahe beieinander wie im späten Mittelalter. Die einen erwarteten das Tausendjährige Reich Christi auf Erden, die anderen die große Auslöschung durch den nächsten Krieg und die Pest. Und gerade jene Gleichzeitigkeit war, wie wir heute wissen, der Anfang eines Neuen, einer Wiedergeburt der Menschlichkeit, der Renaissance. Wenn wir uns heute selbst aus der Vogelschau betrachten, so sehen wir die Menschheit an einem ebensolchen Wendepunkt. Das Verhängnis abwenden aber kann nur, wer an die Chance dazu glaubt; wenn man ausbricht aus der vermeintlichen Logik von Sachzwängen und Alternativlosigkeiten, aus dem Kleinmut und dem verheerenden Wunsch, für das, was man tut, von allen gemocht zu werden. »Politik« und »Utopie« scheinen heute so unvereinbar, als gehörten sie nicht zusammen, wie Schulzes Begriffspaar »Kapitalismus« und »Zukunft«. Doch nur zu wissen, was man *nicht* will, führt im Leben nicht weiter und die Gesellschaft ins Verderben.

Dieses Buch möchte einen Beitrag dazu leisten, aus dem Fatalismus des unweigerlichen Werdens aus- und zu einem Optimismus des Wollens und Gestaltens aufzubrechen. Es möchte helfen, ein Bild einer guten Zukunft zu malen. Und es möchte zeigen, dass das Heil niemals in der Technik selbst liegt, wie viele Geeks im Silicon Valley glauben, sondern in der Art und Weise, wie wir mit ihr umgehen, ihre Möglichkeiten nutzen und ihre Gefahren rechtzeitig in die Schranken weisen. Mit einem Wort: Nicht die Technik wird über unser Leben entscheiden – was sind schon ein Smartphone oder eine künstliche Intelligenz, die keiner benutzt? –, entscheidend ist die Frage der *Kultur*. Wir müssen uns fragen, mit welchem Vorverständnis vom Menschen wir die Technik entwickeln und gebrauchen. Soll sie uns helfen oder ersetzen? Haben Menschen tatsächlich einen Optimierungsbedarf? Müssen wir uns nicht an den wahren Bedürfnissen von Menschen orientieren, statt diese der Technik anzupassen? Ökonomie ohne Kultur ist inhuman. Und Kultur ist nicht Kino, Theater, Musik und schmückendes Beiwerk für Besserverdienende, sondern eine Frage von Orientierungen über das, was das Leben lebenswert macht. Kolonien auf Mars und Mond und riesige Städte unter Wasser waren es offensichtlich nicht. Ein Leben, eingesponnen in die Matrix einer Daten-Cloud, wird es auch nicht sein.

Man wird, frei nach T. S. Eliot, die Digitalisierung nicht nur mit dem Gehirn lesen müssen, sondern auch »mit den Eingeweiden und Nervenenden«.[4] Die digitale Zukunft ist nicht algorithmierbar, nur ihre Maschinen. Und segensreich wird sie nicht dann sein, wenn ihre technischen Prophezeiungen sich erfüllen – sondern wenn sie das Leben auf der Erde für so viele Menschen wie möglich tatsächlich lebenswerter macht!

DIE REVOLUTION

Die Techniker haben den Menschen noch
nie verstanden, und den Finanzspekulanten ist er egal.
Warum also sollten wir die Zukunft ausgerechnet
ihnen überlassen?

Das Ende der Leistungsgesellschaft, wie wir sie kannten

Die Umwälzungen

Ein Gespenst geht um in der globalisierten Gesellschaft – das Gespenst der Digitalisierung. Alle Welt sieht das Gespenst, mit frohen Hoffnungen die einen, mit Ängsten und Befürchtungen die anderen. Wo sind die Industrie oder die Dienstleister, die sich nicht von der Digitalisierung betroffen fühlen? Wo die Menschen, die nicht schon jetzt an ihren zweischneidigen Beglückungen und Bespaßungen teilhaben? Zweierlei geht aus dieser Tatsache hervor: Die Digitalisierung wird bereits von allen Volkswirtschaften als Macht anerkannt. Und es ist hohe Zeit zu zeigen, wo die Weichen liegen, die wir jetzt richtig stellen müssen, damit sie sich in einen Segen und nicht in einen Fluch verwandelt. Denn die Zukunft *kommt* nicht! Mögen die »Zukunftsforscher« noch so selbstsicher von den Podien orakeln – die Zukunft wird von uns *gemacht*! Und die Frage ist nicht: Wie *werden* wir leben? Sondern: Wie *wollen* wir leben?

Der große Barockphilosoph Gottfried Wilhelm Leibniz ahnte nicht entfernt, was er tat, als er Ernst August von Hannover, Herzog von Braunschweig, vorschlug, die ganze Welt in einer Universalsprache zu codieren – einer Sprache aus Einsen und Nullen –, dass diese mathematische Darstellungsweise einst unsere Lebens- und Arbeitswelt revolutionieren würde, die Art, wie wir uns verständigen und wie wir denken. Dass sie zu selbstständig miteinander agierenden Maschinen führen würde, einem Internet der Dinge, zu Robotern und zu einer künstlichen Intelligenz (KI), deren Programmierer davon träumen, jede menschliche Gehirnleistung zu übertreffen.

Vieles davon klingt wie die Erfüllung alter Menschheitsträume. Wir gleiten und surfen durch Zeit und Raum, den Engeln gleich, wir befreien uns von harter und langweiliger Arbeit, wir basteln uns virtuelle Welten, wir überwinden Krankheiten und werden irgendwann uralt, vielleicht sogar fast unsterblich. Doch was passiert eigentlich, wenn man auf diese Weise Wirklichkeit gewinnt und Traum verliert? Was wird aus all den nicht-technischen, geistigen Lebensdimensionen, die vielen Menschen so wichtig sind, dem Irrationalen, dem Unergründlichen, dem Zufälligen, dem Lebendigen? Ruiniert das technische Weltbild nicht all jene Leute, »die von der Seele etwas verstehen müssen, weil sie als Geistliche, Historiker und Künstler gute Einkünfte daraus beziehen«? Und wird die Mathematik, »die Quelle eines bösen Verstandes«, die »Menschen zwar zum Herren der Erde, aber zugleich zum Sklaven der Maschine« machen?[5]

Es ist ein Ingenieur, der diese Fragen stellt, ein aufrichtiger Bewunderer der Mathematik. Der österreichische Schriftsteller Robert Musil bringt mehrere tausend Seiten zu Papier, um zu beschreiben, was die Revolution der Technik mit dem Seelenleben der Menschen macht. Verwandelt sie uns, wie der Titel seines großen Romans nahelegt, in Männer (und Frauen) »ohne Eigenschaften«? Die Zeit, als Musil seinen Roman beginnt, ist geprägt von einer Revolution, die man heute die zweite industrielle Revolution nennt – die Zeit der industriellen Massenproduktion, eingeläutet an den Fließbändern der Ford-Werke. Doch schon Mitte der Zwanzigerjahre sieht Musil eine Entfesselung auf die Menschheit zukommen, die keine

Grenzen kennt. Den Weg nämlich zur funktionalen Differenzierung von allem, »zu einer inneren Dürre«, einer »ungeheuerlichen Mischung von Schärfe im Einzelnen und Gleichgültigkeit im Ganzen«, zu einem »ungeheuren Verlassensein des Menschen in einer Wüste von Einzelheiten«. »Welche Verluste«, so fragt er, »fügt das logisch scharfe Denken der Seele zu?«

Wie gleichen sich die Zeiten und die Fragen! Auch heute, am Anfang der vierten industriellen Revolution, werden nahezu alle Lebensbereiche des Menschen umgewälzt. Und wieder ist es innovative Technik, die dies auslöst. Was wird sie, mit Musil gefragt, mit unserem Seelenleben machen? Und was mit unserem Zusammenleben? Wird sie unser kapitalistisches Wirtschaftssystem intensivieren, oder wird sie es durch etwas anderes ersetzen? Die Umwälzungen werden vergleichbar sein mit der ersten und zweiten industriellen Revolution. Die erste verwandelte im 18. und 19. Jahrhundert Agrar- in Industriestaaten, die zweite schuf Anfang des 20. Jahrhunderts die moderne Konsumgesellschaft. Beide Revolutionen wirkten sich langfristig segensreich für sehr viele Menschen aus und legten die Grundlagen für den Erfolg der bürgerlichen Gesellschaft und die spätere soziale Marktwirtschaft. Doch auf dem Weg dorthin gab es die Kollateralschäden unvorhergesehener und völlig unkontrollierter Umbrüche – die Kinder, die in den Kohleschächten Englands ihre Kindheit und oft ihr Leben verloren; die lichtlosen Londoner und Berliner Hinterhöfe des 19. Jahrhunderts mit tuberkulosekranken Menschen, die starben wie die Fliegen auf den Plumpsklos; das Fehlen von Unfall-, Arbeits- und Krankenversicherungen für Menschen, gestrandet in der Großstadt, deren Eltern noch sämtlich Bauern und kleine Handwerker waren. Nicht weniger dramatisch auch die Folgen der zweiten Revolution mit ihrem Kubismus des Lebenswandels. Hochhäuser, Aufzüge, Elektrifizierung und motorisierter Straßenverkehr mochten der Moderne ihren atemlosen Takt vorgegeben haben. Aber sie befeuerten zugleich Überforderung, Abwehrbewegungen und nationalistischen Hass, eskaliert in zwei Weltkriegen.

Einzig die dritte, die mikroelektronische Revolution der Siebziger- und Achtzigerjahre, ging vergleichsweise glimpflich über die Bühne. Doch die vierte wird, so viel scheint gewiss, erheblich größere Ausschläge auf der Richterskala verzeichnen. Denn nicht die Produktionsmaschinen ändern sich diesmal, sondern vor allem die Informationsmaschinen. Die Geschwindigkeit, in der jetzt und in Zukunft Informationen ausgetauscht und vernetzt werden, ist beispiellos in der Geschichte der Menschheit. Die Speicherkapazität von Computerchips hat sich in den letzten zehn Jahren vertausendfacht und wird in den nächsten Jahrzehnten weiter explodieren.

Jeder Bereich unseres Wirtschaftens wird gegenwärtig digitalisiert, von der Beschaffung der Rohstoffe über die Produktion, das Marketing, den Vertrieb, die Logistik bis hin zum Service. Neue Wirtschaftszweige ersetzen alte Domänen. Der sogenannte Plattform-Kapitalismus lässt Kunden ihre Geschäfte selbst führen, auf eBay und mithilfe von Uber, über Airbnb und zukünftig mehr und mehr über Blockchains und FinTechs. Die Dynamik der vielen neuen Geschäftsmodelle ist *disruptiv* – das Zauberwort der digitalen Revolution. Statt alte Technologie und altbewährte Serviceleistungen Schritt für Schritt zu *verbessern*, werden sie schlichtweg *ersetzt*. Der Taxiverkehr weicht Uber, das Hotelgewerbe wird von Airbnb untergraben, das selbstfahrende Auto ersetzt die Höchstleistungsprodukte der konventionellen Autoindustrie. Erhebliche Teile der Fertigung werden in Zukunft additiv durch den 3D-Drucker bewerkstelligt. Das klassische Kundenge-

schäft der Banken könnte bald hinfällig sein, weil digitalisier-
ter Zahlungsverkehr keine Mittelsmänner und Institutionen
mehr braucht. Ein erheblicher Teil der Wertschöpfung ist damit dezentralisiert.

All diese Entwicklungen unterliegen keinem naturgesetzli-
chen Fortschritt, sondern einer bestimmten Art zu denken und
zu wirtschaften: dem Effizienzdenken! Dass Menschen bei allem, was sie herstellen, stets das Ziel verfolgen, ihr Geld zu
vermehren, ist keineswegs Teil ihrer biologischen Natur. Wäre
dies so, hätte die Menschheit bis in die Renaissance weitgehend gegen ihre eigene Natur gelebt und täte es in manchen
Teilen der Welt, etwa im Ituri-Urwald, bei den Massai oder
den Mangyan auf den Philippinen noch heute. Zur Leitkultur
wird das Kosten-Nutzen-Kalkül erst unter den italienischen
Kaufleuten im 14. und 15. Jahrhundert. Noch das Mittelalter
kannte das statische Ordnungssystem der Zünfte, feste Preise und Preisabsprachen und einen starken Vorbehalt gegen
Dynamik, Wandel und Fortschritt. Veränderungen des Altbe-
währten waren verhasst, und mächtige Männer der Kirche,
wie Thomas von Aquin, gaben sich viel Mühe, sie zu verteu-
feln. Das Geld hatte einen schlechten Leumund, die Gier danach galt als Sünde, und das Zinsnehmen war verboten. Und
selbst wenn Päpste und Fürsten die Regeln oft genug brachen,
so war doch der Stillstand und nicht der Fortschritt die Leit-
ideologie der Zeit.

Wenn wir heute mit der vierten industriellen Revolution unser Wirtschaften effizienter machen, so folgen wir dabei einer
Logik, die mit dem Ausstellen von Wechseln und der Explosi-
on des Kreditwesens im 15. Jahrhundert begann. Doch erst die
Erfindung der industriellen Produktion und später der Massenproduktion hat sie zur Leitkultur gemacht. Seitdem sind
Effizienz, Effektivität und Optimierung die Antreiber unserer

Ökonomie. Wir nutzen fossile Stoffe wie Erdöl und Kohle und verfeuern sie für den Augenblick. Und dieser ist nie mehr als das neue Gestern. Der Kapitalismus kennt kein Endstadium, sondern immer nur neue Grenzen, die er überwinden muss. Doch nicht nur physische Stoffe, auch metaphysische Stoffe werden ihm zur Ressource. Spätestens seit der zweiten industriellen Revolution gilt uns die Zeit als Geld. Was die Fließbänder bei Ford anschaulich vorführten – die unerbittliche Taktung der Zeit in der Produktion –, gilt heute für unser aller Leben. Die Zeit wird vermessen, sie ist ein kostbares Gut, das wir nutzen sollen und nicht vergeuden. Das Effizienzdenken – oder wie die Philosophie seit Max Horkheimer und Theodor W. Adorno sagt: die »instrumentelle Vernunft« – folgt einer unerbittlichen Verwertungslogik. Und sie wird gnadenloser und immer schneller.

Doch etwas ist ganz neu am Effizienzdenken der vierten industriellen Revolution. Sie wendet die Aufforderung zur Optimierung nicht nur auf Produktionsprozesse an. Nein, sie hält den Menschen selbst für optimierungsbedürftig! Die Propheten des Silicon Valley künden davon, Mensch und Maschine zu verschmelzen. Nur mit einem Chip im Gehirn erscheint ihnen *Homo sapiens* optimal. Der gegenwärtige jedenfalls gilt als defizitär. Doch wer definiert eigentlich, dass der Mensch optimiert werden *muss*? Nun gut, die Ansicht, dass dem Menschen etwas fehlt, das er finden oder wiederfinden muss, hat seit Platon in der Philosophie Tradition. Gemeint war jedoch, dass er gerechter und einsichtiger werden sollte. Etwas rücksichtsvoller, bescheidener, friedlicher und liebevoller zu sein könnte unserer Spezies auch nicht schaden. Und die Bedürfnisse nach Geld, Ruhm und Macht könnten besser gezügelt sein – aber all das will die digitale Revolution gar nicht optimieren! Sie möchte Gewinne optimieren! Und »Optimierung« beim

Menschen bedeutet, ihn maschinenähnlicher zu machen – also nicht etwa humaner, sondern *weniger human*!

Infrage gestellt sind also nicht nur ungezählte als ineffektiv gebrandmarkte Wirtschaftsformen, Geschäftsmodelle und Unternehmen. Infrage gestellt ist unser menschliches Selbstverständnis, die »ineffektive« Weise, wie wir leben und zusammenleben und wie wir Politik betreiben. Doch wird der Mensch »besser« und glücklicher, wenn er »smarter« ist und wir »optimierter« miteinander umgehen? Wer sagt eigentlich, dass das Optimum stets in einer Zeitersparnis liegt und in kurzen, unverstellten Wegen? Und werden wir umso individueller, je mehr wir uns der Technik ausliefern? Wer stellt solche Gleichungen auf und zu welchem Zweck? Ist ein transparentes, jederzeit abrufbares Leben lebenswerter als ein undurchsichtiges und unberechenbares?

Bislang, so scheint es, gibt es kein humanes Gegenmodell zu den sterilen und zutiefst inhumanen Fortschrittswelten des Silicon Valley. Und dessen Freiheitsversprechen durch Technologie ist eher ein Weniger an Freiheit gefolgt: die Ausplünderung der persönlichen Daten, die unbemerkte Überwachung und Kontrolle durch Firmen und Geheimdienste, der Druck auf jeden Einzelnen, sich zu optimieren. Je mehr die Benutzeroberflächen unserer Lebenswelt aufpoliert und optimiert werden, umso defizitärer müssen sich die zu Usern verkommenen Menschen tatsächlich fühlen. Irgendwann werden sie in ihren eigenen Augen so dysfunktional, wie sie es aus der Sicht der Maschinenfreunde ohnehin sind. Nicht nur Technologien wie Diafilme, Autos und Platten, Kassetten, Disketten und CDs sterben aus, nicht nur Firmen wie Nokia, Kodak, VW, die Commerzbank und die HUK-COBURG. Und nicht nur Firmen- und Verwaltungsgebäude bleiben als sichtbare Ruinen des Fortschritts zurück wie einstmals Kohlegruben und Stahlwerke – auch unsere Lebenserinnerungen, unsere Lebensstile und viel zu altmodischen Biografien scheinen nicht mehr in die Technosphäre der Zukunft zu passen.

*

Noch beschränkt sich die öffentliche Diskussion vor allem auf die Arbeitswelt. Politprofis, Popstars, Poeten, Propheten und Professoren debattieren auf Bühnen und Foren, Kongressen und »Summits« über die Zukunft der Arbeit. Zwei Lager stehen einander gegenüber, deren Prognosen konträrer kaum sein könnten. Die einen sehen Zeiten der Vollbeschäftigung voraus. Hat nicht der technische Fortschritt immer die Produktivität erhöht und die Produktivität die Anzahl der Arbeitenden? Sie könnten dabei auf den US-amerikanischen Nobelpreisträger Robert Solow verweisen. Nach seinem Aufsatz »A Contribution to the Theory of Economic Growth« von 1956 hat der technische Fortschritt stets eine gewaltige Produktivitätssteigerung ermöglicht. Nicht Arbeit und Kapital, sondern vielmehr die Technik sei der entscheidende Wachstumsfaktor. Was also spricht dagegen, auch diesmal von mehr Produktivität, mehr Wachstum und mehr Beschäftigung auszugehen?

Untermalen lässt sich diese Haltung gut mit einem wissenden Lächeln. Sagte nicht der britische Ökonom John Maynard Keynes im Jahr 1933 voraus, der Fortschritt in den Industrieländern würde zu einer Massenarbeitslosigkeit führen? Weil »wir schneller Möglichkeiten erfinden, die Arbeit effizienter zu gestalten, als dass uns neue Beschäftigungsfelder für die überflüssig gewordenen Arbeitskräfte einfallen«? Und ist es nicht ganz anders gekommen? Man kann auch ein hübsches Bild dazu zeigen, den Titel des *Spiegel* vom 17. April 1978: »Fortschritt macht arbeitslos. Die Computer-Revolution.« Ein unfreundlicher Roboter hält einen schlaffen Bauarbeiter an der Hakenhand. »Winzige elektronische Bausteine bedrohen Millionen von Arbeitsplätzen in Industrie und Dienstleistungsgewerbe«, heißt es im Text. Doch wieder war es nichts mit der düsteren Prophezeiung. Und 1995 verhieß der US-amerikanische Soziologe und Ökonom Jeremy Rifkin »das Ende der Arbeit«, das immer noch auf sich warten lässt.

Dampfmaschine, Spinnmaschine, Elektrifizierung und Elektronik – nie wurde die Arbeit langfristig weniger, sondern immer wurde sie mehr. Der optimistische Zukunftsfreund lässt sich heute von Nüchternheit beseelen und misstraut den Propheten. Visionen hält er für überflüssig, weil man beim Thema Zukunft ohnehin nie aktuell sein kann und niemand eine Glaskugel hat. So gibt man sich dem Lauf der Welt unhinterfragt hin, spottet über die Vordenker von übermorgen und glaubt an nichts außer an die vielen kleinen Fakten, Zahlen und Kurven, die der technische Fortschritt täglich schafft.

Die Propheten von gestern sind die Deppen von heute. Also, alles nur falscher Alarm, wenn das Weltwirtschaftsforum in Davos 2016 verkündete, die digitale Revolution werde die Industrieländer in den kommenden fünf Jahren fünf Millionen Jobs kosten? Oder gar jene gespenstischen Zahlen, mit denen der Oxford-Professor Carl Frey operiert, wenn er für die USA die Hälfte aller derzeitigen Jobs im radikalen Wandel oder abgeschafft sieht? Zum gleichen Ergebnis kommt seine umfangreiche mit Michael Osborne verfasste Studie über die Zukunft der Arbeit. Danach verlieren die am weitesten entwickelten Länder der Erde in den nächsten fünfundzwanzig Jahren 47 Prozent ihrer Jobs.[6]

Keine dieser Zahlen, das wissen ihre Urheber auch, ist verlässlich. Aber ist es denn nicht naheliegend oder sogar äußerst wahrscheinlich, dass Millionen von Buchhaltern, Finanzbeamten, Verwaltungsfachleuten, Juristen, Steuerberatern, Lkw-, Bus- und Taxifahrern, Bankangestellten, Finanzanalysten, Versicherungsagenten und so weiter schon bald nicht mehr gebraucht werden? Jede Tätigkeit, deren Routinen algorithmierbar sind, ist prinzipiell ersetzbar. Semantische Suchmaschinen wie »Watson« von IBM fertigen Filmtrailer an oder drucken medizinische und juristische Expertisen aus. Selbstfahrende Autos sind längst Realität und werden unseren herkömmlichen Straßenverkehr mit selbstfahrenden Fahrern in absehbarer Zeit weitgehend ersetzen. Ob Fahrer- oder Schreibtischberuf, Frey und Osborne listen mehr als siebenhundert Tätigkeiten auf, die teilweise oder ganz von Computern übernommen werden können.

Was früher Ausbildungsberufe waren, erledigen in Zukunft Roboter. Und vieles, was ehedem Fachkräfte machten, erledigen die Kunden an ihren Flachbildschirmen selbst. Die Entwicklung zum »Prosumenten«, zum produzierenden Konsumenten, ist älter als die Digitalisierung. Man erinnere sich, wie in Deutschland seit den Sechzigerjahren Supermärkte den Einzelhandel mit Lebensmitteln ersetzten. Der Discounter war nicht nur billiger, weil er größer war, sondern auch, weil Kunden sich nun selbst bedienten und damit Personal eingespart wurde. Das Gleiche gilt für den Kaffee- wie den Fahrkartenautomaten in den Achtziger- und Neunzigerjahren und für die Selbstbaukünste des IKEA-Käufers. Das Prinzip des »arbeitenden Kunden« im digitalen Zeitalter ist nichts als die konsequente Fortführung dieser »Selbstbedienung«: Reisen buchen, am Flughafen einchecken, Kleider und Bücher bestellen, Überweisungen ausführen und so weiter.

Doch wo auch immer jemand in Zukunft auf die Rückseite eines Flachbildschirms guckt, auf dessen Vorderseite jemand etwas ausführt, was man selbst kann, verschwindet dessen Berufsprofil. »Flachbildschirmrückseitenberatungsjobs«, so der Mathematiker und ehemalige IBM-Manager Gunter Dueck, sterben aus. Und der Plattform-Kapitalismus kann mit allem handeln: mit Gegenständen, Übernachtungen, Kommunikation, Verkehr, Energie, Finanztransaktionen, Ernährung, Lebensberatung, Partnersuche und Bespaßung – und all das ohne Fachpersonal. Der Siegeszug der »Automaten«, von Oscar Wilde erträumt, scheint unaufhaltsam.

Aber werden nicht auch gleichzeitig neue Beschäftigungsverhältnisse geschaffen? Zumindest eine Zeit lang könnten die UPS-Fahrer von heute in Zukunft Drohnen bestücken, statt Pakete auszufahren. Aber nur so lange, bis auch solche Tätigkeiten robotisiert sind. Die Niedriglohnjobs der digitalen Revolution dürften vielleicht noch ein bis zwei Jahrzehnte bestehen – doch auch ihre Zeit läuft ab.

Als Berufe der Zukunft dagegen gelten heute Informatiker und Techniker. Derzeit sind sie heiß begehrt und werden von den Firmen händeringend gesucht. Wer der deutschen Wirtschaft Mut machen will, der sieht Heerscharen von IT-Experten heraufziehen und Deutschland in die Vollbeschäftigung führen. Doch auch hier lohnt sich der genaue Blick. Beileibe nicht jeder besitzt für solche anspruchsvollen und spezialisierten Tätigkeiten die Befähigung, und die Studienabbruchquote in der Informatik ist enorm. Des Weiteren werden langfristig nicht flächendeckend Informatiker gesucht, sondern nur die besten. Denn wenn die künstliche Intelligenz eines in Zukunft mit Sicherheit können wird, dann ist es Programmieren. Nur besonders hoch qualifizierte Spezialisten werden in den sogenannten MINT-Fächern (Mathematik, Informatik, Naturwissenschaft und Technik) dauerhaft gebraucht: Webdesigner für virtuelle Welten oder Menschen, die Roboter bauen, warten und reparieren und neue Geschäftsideen entwickeln.

Der »normale« Informatiker hingegen ist mittel- bis langfristig wahrscheinlich ersetzbar.

In solcher Lage beruhigen auch die Expertisen wie jene der MIT-Technologie-Experten Erik Brynjolfsson und Andrew McAfee nicht. Beschwichtigend weisen sie darauf hin, dass »über kurz oder lang« das automatische Google-Auto *noch* nicht auf allen Straßen fahren kann und dass es »*noch* jede Menge menschliche Kassierer, Kundenbetreuer, Anwälte, Fahrer, Polizisten, mobile Pflegekräfte, Manager und andere Arbeitnehmer« gibt.[7] »Und sie laufen keinesfalls *alle* Gefahr«, hinweggeschwemmt zu werden. Kurz gesagt, es wird »nicht *alle* Beteiligten treffen«.[8] Ein bisschen Arbeit für Menschen bleibt noch übrig. Doch wen soll das beschwichtigen? Dass die Arbeit *noch* nicht für *alle* ausgeht, dürfte keinen Politiker zur Ruhe ermuntern. In Ländern wie Deutschland dürfte es vermutlich ausreichen, wenn bereits ein Zehntel aller für Geld Beschäftigten ihre Erwerbsarbeit verlieren, und die sozialen Folgen wären katastrophal. Die MIT-Experten aber raten dazu, einfach seelenruhig weiter aufs alte Wirtschaftsmodell zu setzen und zu versuchen, so viel Wachstum wie möglich zu erzeugen.

Wer Brynjolfssons und McAfees Buch *The Second Machine Age* gelesen hat, kann über solche Empfehlungen nur staunen. Immerhin erklärt es der Welt, dass die Digitalisierung unser gesamtes Wirtschaftsmodell aushebelt und durch ein neues ersetzt. Die Autoren geraten ins Schwärmen, wenn sie von den neuen Maschinen im Zeitalter der künstlichen Intelligenz berichten. Keine Fantasie scheint auszureichen, sich diese völlig veränderte Welt vorzustellen. Doch wenn es um Menschen geht, um Gesellschaft und Politik, ist mit der Fantasie sofort Schluss. Hat nicht die erste industrielle Revolution das Leben der Menschen völlig umgekrempelt und ein ganz neues Gesellschaftsmodell, die bürgerliche Demokratie, hervorgebracht, wo vorher Kirche und Adel herrschten? Die MIT-Experten dagegen meinen, trotz eines vergleichbar großen Umbruchs ginge es ewig mit unserem gegenwärtigen Wirtschafts- und Gesellschaftsmodell weiter. Der Arbeitsmarkt ließe sich mit mehr Investitionen in Bildung, höheren Lehrergehältern, Impulsen für Start-ups und schnelleren Netzen ausgleichen. So etwas hören Arbeitgeberverbände gern. Tatsächlich aber erinnert die Niedlichkeit solcher Vorschläge an die Zivilschutzfilme der Sechzigerjahre, als man Menschen empfahl, sich im Falle eines Atomkriegs mit Sandsäcken zu verbarrikadieren, sich flach auf den Boden zu legen und die Aktentasche über den Kopf zu halten.

Selbstverständlich wird es auch neue Berufe in der Zukunft geben. Es fragt sich nur, wie viele? Und sie entstehen wohl weniger im Niedriglohnsektor als in der Hochleistungs-IT und in drei anderen Bereichen: Das eine ist der quartäre Sektor der höherrangigen Dienstleistungsberufe. Einen Flughafen rechtzeitig fertig zu bauen bleibt offenbar auch im Digitalzeitalter eine spannende Herausforderung. Projektmanagement und Logistik sind Zukunftsberufe. Zu bunt das Leben, zu widrig die Umstände, zu unberechenbar die Menschen, als dass solche Aufgaben allein Maschinen übertragen werden können. Immerhin kommt auch die *Enterprise* im 24. Jahrhundert nicht ohne Personal aus …

Der zweite Bereich betrifft all jene Berufe, in denen Menschen auch in Zukunft Wert darauf legen, mit realen Menschen zu tun zu haben. Sicher ist es technisch möglich, Kindergärtnerinnen und Lehrer irgendwann durch Roboter und Computerprogramme zu ersetzen. Aber es ist weder wünschenswert noch wahrscheinlich. Authentische Ansprache, Teilnahme und Fürsorge bleiben ein wertvolles Gut. Das Gleiche gilt für Sozialarbeiter, Bewährungshelfer und Therapeuten. Ein echter Mensch an der Rezeption eines Hotels, als Animateurin im Urlaub, als charmanter und kompetenter Verkäufer, als Landschaftsarchitekt, Innenausstatter, Friseur und so weiter ist kaum ersetzbar. Nicht anders bei unserer Gesundheit. Gewiss, ein intelligentes Messgerät am Handgelenk, verbunden mit einem Universitätsklinikum, kann das Leben eines Diabetikers schützen und retten. Und es kann jedermann und jeder Frau den Blutdruck messen, weit zuverlässiger als die Momentaufnahme des Hausarztes. Aber brauchen wir nicht doch einen Menschen, mit dem wir über unsere körperliche und psychische Befindlichkeit reden möchten? Einen Menschen, der uns nackt ansieht, ohne rot zu werden oder betreten zur Seite zu schauen? Jemand, der uns nicht danach bewertet, ob wir gut aussehen, sondern der sich auch dann unserer annimmt, wenn wir es nicht tun? Was der Hausarzt an technischer Überlegenheit verliert, wächst ihm auf der menschlichen Seite an Verantwortung zu. Vielleicht wird der *Life Scout* der Zukunft tatsächlich wieder ein »Hausarzt« – ein Mensch, der zu Ihnen nach Hause kommt, Ihr Biotop kennt, Ihnen zuhört und sich um Sie kümmert – psychisch wie physisch. Freizeit, Erholung und Gesundheit sind jene Felder, in denen der Bedarf an guten Kräften hoch bleibt.

Zu den Gewinnern der Zukunft dürfte ebenso das Handwerk gehören. Denn je weniger Dienstleistungen es noch gibt, für die bislang ein Abitur oder ein Studium erforderlich waren, umso stärker wird all das aufgewertet, das solche akademischen Bescheinigungen nicht braucht. Produkte von der Stange liefert in Zukunft der 3D-Drucker und bedroht damit Geschäftsmodelle wie das von IKEA. Gutes Handwerk, ein von einem Menschen gewerkelter Tisch oder ein gut verlegter Steinfußboden, wird in Zukunft wertvoller und teurer denn je. In den 3D-Shops, in denen man seine fremd- oder selbst gebastelten Güter ausdruckt, werden geschickte Handwerker benötigt, die alles zusammensetzen oder abändern. Und auch die Roboter in den Haushalten der Zukunft brauchen jemanden, der sie repariert.

Nichtsdestotrotz dürfte die Tendenz klar sein. Sehr viele Berufe fallen in Zukunft weg. Von den »Jobs« des Niedriglohnsektors über einfache bis zu vergleichsweise anspruchsvollen Dienstleistungsberufen. Und selbst wenn wir viele Berufe des neuen Arbeitsmarkts noch nicht kennen – daran zu glauben, dass die Beschäftigung konstant bleibt oder gar steigt, ist fahrlässig bis irrsinnig. Denn die Digitalisierung – und das unterscheidet sie von früheren industriellen Revolutionen – erobert kein neues Terrain, sondern sie macht bestehendes effektiver. Das Solow-Modell, wie alle ökonomischen Weisheitslehren, ist kein Naturgesetz. Sehr wahrscheinlich ist, dass die Digitalisierung die Produktivität gewaltig beflügeln wird – auch wenn Solow hier persönlich skeptischer war als sein Theoriemodell. Aber was die Beschäftigung anbelangt, so muss diese nicht zwangsläufig dann steigen, wenn die Produktion sich erhöht.

Mindestens zwei Gründe sprechen stark dagegen. Die drei bisherigen industriellen Revolutionen gingen einher mit der Globalisierung. Als James Hargreaves 1764 die Spinnmaschine erfand, fuhren die englischen und niederländischen Ost- und Westindiensegler bereits seit hundertfünfzig Jahren über die Weltmeere und handelten mit Gewürzen, Sklaven und – Baumwolle. Was die neue Technologie effektiv machte – das Spinnen von Baumwolle –, versorgte der globale Handel mit gewaltigem Nachschub. Noch waren die weit entfernten Länder nur Rohstofflieferanten, doch der Imperialismus entdeckte davon immer mehr. Was wäre der Kraftfahrzeugbau der zweiten industriellen Revolution ohne den Kautschuk, den Rohstoff für Gummi, den die Belgier unter barbarischen Umständen aus dem Kongo heranschafften? Die dritte industrielle Revolution machte Südostasien zur verlängerten Werkbank der Textilindustrie, Brasilien und Argentinien zu Tierfutterproduzenten. Billige Fertigung und neue Absatzmärkte für Autos, Maschinen und Unterhaltungselektronik gingen Hand in Hand.

In gleichem Maße wie die Wirtschaft effektiver produzierte, vergrößerte sich das verfügbare Volumen von Rohstoffen und Absatzmärkten. Doch genau dieser Prozess gerät heute ins Stocken. Der Kampf um die letzten natürlichen Ressourcen wird aktuell vom sogenannten Westen und von China gleichzeitig geführt. Wo früher wenige Länder unter sich waren, konkurrieren heute die Volkswirtschaften von mehr als zwei Milliarden Menschen. Und dass völlig unterentwickelte Länder wie der Kongo, die Zentralafrikanische Republik, der Südsudan, Somalia oder Afghanistan künftig zu Tigerstaaten werden, denen die westlichen und fernöstlichen Hochleistungsländer ihre Produkte in Massen verkaufen werden, dürfte keiner glauben. Anders als bei den früheren technischen Revolutionen ist der Kuchen heute verteilt – es kommt nichts hinzu, was bei effektiverer Produktion zu mehr Beschäftigung führt!

Apropos Produktion – der besondere Reiz vieler digitaler Geschäftsmodelle liegt darin, dass sie im herkömmlichen Sinne gar nichts produzieren! Dies ist der zweite Einwand. Geschäfte über eine Plattform zu machen, statt über herkömmliche Firmen oder Banken, erzeugt keinen Mehrwert. Das Gleiche gilt für das gezielte Bewerben des Konsumenten durch Ausschlachten von Personendaten. Unternehmerische Gewinne und volkswirtschaftlicher Nutzen von Maschinen,

Autos, Flugzeugen, Bahntrassen, Straßen, Gebäuden und so weiter lassen sich zueinander in Bezug setzen. Die Gewinne von Facebook und Google zu ihrem volkswirtschaftlichen Nutzen nicht. Große Datenbestände maschinell zu verknüpfen und Entscheidungen aufgrund automatisierter Algorithmen zu treffen ist ein Riesengeschäft – fragt sich nur, für wen. »Wohlstand für alle« schafft das nicht unbedingt, auch frappierend wenig Arbeitsplätze. Bei eBay in Deutschland arbeiten bei drei Milliarden Euro Umsatz gerade mal achtzig Beschäftigte, bei YouTube sind es noch viel weniger!

Die Folgen wurden oft genug beschrieben: Ohne staatliche oder – besser noch – überstaatliche Ordnungspolitik und kluge politische Entscheidungen verstärkt die Digitalisierung vor allem Armut und Reichtum! Unreguliert vertieft sie den Keil in die Gesellschaft, den Soziologen seit Jahren ohnehin diagnostizieren und bemängeln: die Teilung der Mittelschicht in eine obere und eine untere Mittelschicht – fein geschieden durch Kapitalerträge, Erbschaften und ungleiche Bildungschancen ihrer Kinder. Und bereits die böse Vorahnung auf das Kommende wirbelt gegenwärtig viel braunschwarzen Bodensatz auf.

Doch wer nimmt die Lage tatsächlich entsprechend ernst? Auf den Podien der Wirtschaftsforen tummeln sich Zukunfts- und Trendforscher und fordern zum ganz schnellen Umdenken auf. Sie predigen die Berufe der Zukunft: Storyteller, Networker und Coaches, also Märchenerzähler, Strippenzieher und Betreuer – so als wenn eine Volkswirtschaft tatsächlich davon leben könnte! Nicht unberechtigt ermahnen sie junge Menschen zum Mut, »Entrepreneure« zu werden und ihr Boot nicht im vermeintlich sicheren Hafen großer Unternehmen zu vertäuen. Sie beklagen zu Recht, dass es in Deutschland an einer »Fehlerkultur« mangele, weil niemand scheitern dürfe.

Ebenso richtig ist, dass wir zu sehr auf exzellente Noten und auf immer mehr Studien- und Fachabschlüsse setzen, statt zu fragen, was jemand wirklich kann. Und doch fehlt denen, die eine Inventur deutscher Gepflogenheiten fordern, viel zu oft das politische Denken. Ohne dieses ist alles, was in fast jedermanns Ohr wohl klingt, *nicht mehr als ein Versuch, mit der Luftpumpe die Windrichtung zu ändern.*

Politiker müssen mehr und anderes tun, als nur Bürokratie abzubauen. Was nützt es, wenn viele junge Deutsche den Mut zum Start-up aufbringen, wenn die sehr wenigen, die damit Erfolg haben, sofort von einem der fünf großen US-amerikanischen Softwareunternehmen gekauft werden? Was tatsächlich fast überall passiert. Welches volkswirtschaftliche Problem ist damit gelöst, welche Arbeitsplätze werden damit geschaffen oder gesichert? Ein kurzer Blick über den Atlantik belehrt unmissverständlich darüber, dass eine hochinnovative Digitalwirtschaft von sich aus keine Volkswirtschaft rettet. Während das Silicon Valley boomt, stirbt die klassische Industrie überall dahin und produziert Arbeitslosigkeit, Resignation und Trump-Wähler. Des Weiteren wird auch der kühnste Optimist nicht glauben, dass deutsche Unternehmen (mit Ausnahme vielleicht von SAP) in der Softwareentwicklung oder in sozialen Netzwerken dem Silicon Valley unter gegenwärtigen politischen Bedingungen ernsthaft Konkurrenz machen können, ohne sofort einverleibt zu werden.

*

Fast ein Jahrhundert hat es gebraucht, bis der ausgebeutete Hinterhof-Proletarier des 19. Jahrhunderts zum abgesicherten Arbeiter mit mehr als nur bescheidendem Wohlstand wurde. Nicht allein Unternehmergeist, sondern auch die auf Druck neu eingeführte Sozialgesetzgebung hat maßgeblich dazu beigetragen. Doch wer die Politik der Bundesregierung in den letzten Jahren, insbesondere des sozialdemokratisch geführten Arbeitsministeriums betrachtet, fahndet vergeblich nach guten Ideen. Sicher gibt es Menschen, die sich über einen Mindestlohn freuen, und ja, Flächentarifverträge nutzen vielen Arbeitern und Angestellten. Doch sie werden nichts davon haben, wenn es ihre Arbeitsplätze in ein bis zwei Jahrzehnten nicht mehr gibt. Was folgt auf die Gewerkschaften, wenn immer weniger Menschen angestellt arbeiten, sondern stattdessen gegeneinander ihre Arbeitskraft auktionieren? Wer steht ihnen bei und stiftet gute alte Solidarität in einer völlig neuen Welt?

Was heute und morgen ökonomisch dahinschmilzt, betrifft psychologisch das Selbstwertgefühl von Millionen Menschen. Noch definieren sie ihre Leistungsfähigkeit als Tugend, genauer als »Tüchtigkeit« im Sinne einer strebsamen Arbeitsethik. Doch wir gehen Zeiten entgegen, in denen möglicherweise für sehr viele Menschen keine Arbeit mehr existiert – jedenfalls keine, für die jemand Lohn in Form von Geld zahlt. Für unser gegenwärtiges Sozialsystem wäre dies das Ende. Immer weniger Arbeitende müssen immer mehr einzahlen – bis zur Absurdität. Was wird dann aus der Arbeitsgesellschaft?

Drehen wir die Frage um. Warum sollte unsere bisherige sogenannte Leistungsgesellschaft weiter fortbestehen? Und was ist eigentlich schlimm daran, wenn langweilige und entfremdete Arbeit wegfällt, solange die Produktivität dadurch steigt?

Seit *Homo habilis* und *Homo erectus* die ersten Faustkeile zurechtklopften, träumte der Mensch davon, so viel Arbeit wie möglich durch die Technik einzusparen. Bedauerlicherweise halfen dazu selbst die drei industriellen Revolutionen der Vergangenheit nicht weiter. Die Produktivität erhöhte sich, aber mit ihr wurden, wie gezeigt, zugleich immer mehr Arbeitskräfte benötigt. Vom Fortschritt zu weniger und angemessenerer Arbeit keine Spur! Noch im 19. Jahrhundert lebten 80 Prozent der Bevölkerung in England, Frankreich und Deutschland nicht besser als die Sklaven im antiken Rom. Sie waren politisch und privat nahezu rechtlos und starben mehr oder weniger schnell einen Tod durch Arbeit und Krankheit. Wie schön die Welt des Fabrikarbeiters nach der zweiten industriellen Revolution aussah, zeigt der Film *Moderne Zeiten* von Charlie Chaplin. Der Arbeiter – nur ein Rad in einer großen Maschine. Wer trauert heute schon um die Arbeitswelt von früher? Um die Bergwerke und Stahlhöllen des späten 19. Jahrhunderts oder die Knochenarbeit auf den Feldern? Und wer wird in hundert Jahren den ungezählten langweiligen Bürojobs hinterhertrauern, die jetzt verloren gehen? Oder dem lauten, stinkenden und gefährlichen Straßenverkehr?

Weniger zu arbeiten oder gar nicht mehr für Lohn arbeiten zu müssen, ist ein Versprechen und kein Fluch – jedenfalls dann, wenn man in einer Kultur lebt, die sich entsprechend weiterentwickelt. Denn dass der Wert des Menschen abhängig ist von seiner Arbeitsleistung gegen Geld, ist keine anthropologische Konstante. Es ist ein ziemlich englisches Konzept des 17. Jahrhunderts, verbunden mit Namen wie William Petty, John Locke, Dudley North oder Josiah Child. Über Jahrtausende der Menschheitsgeschichte kannten Gesellschaften andere Tugenden und soziale Distinktionen. Warum sollten wir auf einer viel höheren Stufe der Produktivität nicht auch zu neuen Tugendbegriffen finden?

Zum Problem wird Technologie also nicht schlichtweg dadurch, dass sie Lohnberufe ersetzt. Sondern vor allem dann, wenn sie unkontrolliert und zu unsittlichen Zwecken angewendet wird. Erschreckenderweise ist dies bei derzeit mächtigen Geschäftsmodellen leider oft der Fall. Die Informatiker, Programmierer und Netzwerkdesigner der Gegenwart arbeiten nicht an einer besseren Zukunft, sondern für den Gewinn weniger. Und sie verändern unser Leben und Zusammenleben ohne jede demokratische Legitimation. Das hunderttausendfach wiederholte Versprechen ist, unser Leben *einfacher* zu machen und nicht *demokratischer*. Und schon das Versprechen des einfacheren Lebens ist uneinlösbar. Noch hat jeder Versuch, die Komplexität des Lebens zu verringern, diese weiter erhöht.

Was wir der digitalen Technik und ihren Treibern tatsächlich verdanken, ist eine immer globalere Einheitszivilisation. Der digitale Code setzt sich spielend über Länder- und Kulturgrenzen hinweg und ebnet sie ein in einer technischen Universalsprache aus Einsen und Nullen, am Nil ebenso verständlich wie am Rhein und am Amazonas. Was winkt, ist die globale Einheitskultur mit alldem, was sich daran an Gewinnen bejubeln und an Verlusten betrauern lässt.

Kulturell betrachtet ist jeder Fortschritt zugleich ein Rückschritt. Die Biodiversität menschlicher Kultur wird immer kleiner. Der Prozess begann mit dem Siegeszug des Effizienzdenkens, verstärkt durch sein mächtigstes Mittel: das Geld – der einzigen Sache, deren Qualität sich allein nach der Quantität bemisst. Wo das Geld regiert, verschwinden die Grenzen, aus beschaulichen Wochenmärkten wurden unübersehbare globale Märkte für Rohstoffe, Fertigprodukte und Spekulationen. Man tauscht Kultur gegen Wohlstand. Unsere Lebensweisen gleichen sich einander an, erst in Europa und Nordamerika, dann in Asien und dem Rest der Welt. Auch die sozialen Unterschiede und Traditionen werden durch das Geld genichtet. Adlig oder bürgerlich, katholisch, protestantisch oder buddhistisch, Araber, Inder oder Deutscher, Frau oder Mann – das Geld macht keine Unterschiede, außer Arm und Reich. Wenn heute die Welt »flach« wird, wie der *New York Times-*

Kolumnist Thomas Friedman 2005 in seinem Weltbestseller *Die Welt ist flach* kündete, dann ist sie nicht nur flach wie ein Bildschirm, sondern auch flach an Kultur.[9]

Die Logik zur Einheitlichkeit ist die Logik des Geldes. Seit seiner Erfindung bei den Lydern im 6. vorchristlichen Jahrhundert versucht es seine materiellen Grenzen zu sprengen. Entspricht der Wert des Geldes am Anfang noch seinem Materialwert, wird es nach und nach zum reinen Symbol. Spätestens mit der Einführung von Wechseln im 15. Jahrhundert und von Banknoten im frühen 18. Jahrhundert befreit sich das Geld völlig vom Realwert und wird virtuell. Kein Wunder, dass es sich in Kürze in den Industrieländern als Gegenstand auflöst und rein sphärisch wird: als bargeldloser Zahlungsverkehr ohne irdischen Gegenwert, bewegt von Computern ohne Seele in den Millisekunden des Hochfrequenzhandels.

Getrieben vom Effizienzdenken, das von Florenz aus über London und die Bucht von San Francisco die Welt für sich eingenommen hat, ebnen sich die globalen Unterschiede ein. An deren Ende steht das Bild des schlecht gekleideten Turnschuh-Entrepreneurs, der keinen Stil, keine Haltung, keine Tradition mehr hat und verkörpert. Sein Versprechen an die Menschheit ist, dass jeder, wenn er denn schon in keiner eigenen Kultur mehr lebt, zumindest in seiner eigenen Welt leben darf: selbst generiert durch die Suchbewegungen im Netz, den Spuren und Pfaden im virtuellen Sand. Was früher der Widerständigkeit des Lebens ausgesetzt war, verwandelt sich in ein narzisstisches Spiegelkabinett, sorgsam gewartet von gesichtslosen Profiteuren im Hintergrund.

Wenn diese Welt aus Welten bei vielen einen Schauder auslöst, dann deshalb, weil sie doppelt paradox ist. Weithin sichtbar baut sie die Hierarchien ab – und vertieft gleichwohl die Ungleichheit! Und je mehr Freiheit sie uns vor dem Spiegel verspricht, umso mehr nimmt sie uns auf der Rückseite. Betroffen sind nichts Geringeres als die Werte der Aufklärung, auf deren Grundlage unsere Demokratie und Gesellschaftsordnung steht. Marx' zeitlose Erkenntnis, dass alle wichtigen sozialen Prozesse stets »hinter dem Rücken« der Betroffenen in einem politisch unbewussten Raum stattfinden, bestätigt sich erneut.

Es steht schlecht um die Werte der Aufklärung! Und jede Utopie einer Zukunftsgesellschaft muss sich fragen, wie sie gerettet werden können. Wenn das Ende der Lohnarbeit für viele nur dazu dient, ihre Daten statt ihrer Arbeitskraft verwerten zu lassen, verblasst das einzig große Versprechen, das die Digitalisierung anbietet: dass, mit Oscar Wilde gesagt, produktiver Individualismus die Kultur bestimmt und nicht entfremdete Lohnarbeit.

Wer in der zweiten Hälfte des 20. Jahrhunderts in Deutschland aufgewachsen ist, dem fällt es oft schwer zu glauben, dass die Geschichte der westlichen Kultur und ihre Art des Wirtschaftens keine unendlich aufsteigende Linie sein soll. Zu bestechend erscheint die Wohlstandsentwicklung vor allem in Deutschland, um am dauerhaften Segen unserer Wirtschaftsordnung zu zweifeln. Wer das tut, gilt leicht als intellektueller Miesepeter und bezeichnenderweise als »links«. Historisch betrachtet ist das ein verqueres Urteil. Denn der Glaube an den unaufhaltsamen technischen und wirtschaftlichen Fortschritt ist tiefstes linkes Gedankengut! Die Technik sollte die Welt permanent besser machen und dabei auch dem Arbeiter zu Rechten, Absicherung, Bildung und Wohlstand verhelfen. Rechts beziehungsweise konservativ zu sein bedeutete dagegen stets, die liberale und libertäre Entwicklung der westlichen Staaten als einen Verfall von Traditionen, Sitten und Werten zu betrachten.

Die digitale Revolution verläuft heute völlig konträr zu diesen in mehr als zwei Jahrhunderten lieb gewonnenen Freund-Feind-Linien von fortschrittlich/links und konservativ/rechts. Allgemein bedroht sie jede Form von Konservativismus in der Welt, ohne deshalb links zu sein. Ganz im Gegenteil, sie ist die radikalste Spielart, zu der kapitalistisches Wirtschaften überhaupt fähig ist, indem sie hinter dem Rücken ihrer milliardenfachen Nutzer unsichtbare und undurchsichtige Geschäfte jenseits jeder demokratischen Kontrolle macht. Sie manipuliert deren Verhalten in bunt und hübsch designten virtuellen Lebenswelten und übt eine Macht auf das Unterbewusstsein der Menschen aus, von der die Diktatoren des 20. Jahrhunderts nur träumen konnten. Und sie dringt in alle sozialen Räume vor, ins Auto, in die Wohnung, in Freundschaften und Liebesbeziehungen.

Dass die ultimative Verwertung von allem, was sich an Menschen gewinnbringend ausschlachten lässt, inhuman ist, darin dürften sich die meisten einig sein. Doch damit stellt sich für viele in reichen Ländern wie Deutschland ein Problem: Eine Wirtschaftsform, die man aufgrund ihrer Erfolge verständlicherweise bejaht, paart sich mit einem Kultur- und Werteverlust, den man ebenso nachvollziehbar betrauert. Was soll Individualität – also wörtlich: »Unteilbarkeit« – sein, wenn der Mensch in Millionen Daten zerlegt und als so gewonnenes Profil eingetütet und an die Meistbietenden verkauft wird, um ihn zu manipulieren, käufliche Dinge zu begehren? Spürbarer und sichtbarer noch sind der Lärm, die Geschwindigkeit, die Dauerwerbung und der Aufmerksamkeitsraub, die in die sozialen Räume eindringen, ins gemeinsame Essen mit Kindern am Tisch, die Verbundenheit auflösen und Geborgenheit, Stille, Zurückgezogenheit und das »Bei-sich-Sein« zerschneiden.

Kein Wunder, dass unserer Zeit trotz eines beispiellosen

Wohlstands (wenn er auch immer schlechter verteilt ist) jeder Optimismus fehlt. Der Firmenchef, der seine Mitarbeiter mit flammenden Worten auf die digitale Zukunft einschwört, glaubt schon nach dem zweiten Glas Wein selbst nicht mehr so recht daran, dass alles gut oder gar besser wird. Ökonomisch betrachtet scheint die Welt gerade völlig aus den Fugen zu geraten. Die große Überforderung hat uns im Griff. Denn die Werte der Aufklärung zu verteidigen und Lebenswelten zu schützen kann niemand allein tun, kein Mensch und auch kein Unternehmen. Umso harscher und eindringlicher ergeht der Auftrag an die Politiker. Sie müssen uns helfen, die Zukunft lebenswert zu gestalten. Sind sie ihrer großen Herausforderung gewachsen?

Wir dekorieren auf der Titanic die Liegestühle um

Die große Überforderung

Man kann das Monster nicht sehen, wenn man nur in engem Radius vor sich auf den Boden guckt. In Roland Emmerichs Film *Godzilla* aus dem Jahr 1998 suchen fünf Wissenschaftler in einer Grube in Panama nach den Spuren einer Schreckensechse. Durch Atombombentests mutiert zu einem Ungeheuer, soll sie an diesem Ort ihre Spuren hinterlassen haben. Doch keiner der Männer entdeckt irgendein Zeichen. Während sie ratlos herumstehen, fährt die Kamera zum Himmel empor und zeigt von oben, in was für einer Grube sich die Wissenschaftler befinden: in einem tiefen Fußabdruck des Monsters.[10]

Warum erzähle ich Ihnen das? Weil wir es bei der Digitalisierung in der deutschen Politik gegenwärtig mit genau solchen Menschen zu tun haben. Man sucht etwas, das man so oder ähnlich kennt, und legt seinen routinierten Bewertungsmaßstab an – und man erkennt gar nichts und bekommt auch nichts zu fassen! Die Digitalisierung ist nicht einfach eine weitere Effizienzsteigerung unseres Wirtschaftens auf einem bekannten Pfad. Es ist die größte Veränderung unseres Wirtschaftens seit zweihundertfünfzig Jahren! Es ist ein Lebens- und Wertewandel in welthistorischer Dimension. Und es ist, ungebremst, der größte flächendeckende und kulturübergreifende Anschlag auf die Freiheit des Individuums in der Moderne. Auf dem Spiel steht die Zukunft unserer Privatsphäre.

40

Infrage gestellt ist, wie und ob unsere Demokratie im Zeitalter ungebremster Manipulierbarkeit erhalten bleiben kann.

Die Forscher in der Grube aber, die das Monster nicht sehen, in dessen Fußabdruck sie stehen, könnten gut jene drei deutschen Minister sein, die 2014 ihre »Digitale Agenda« vorstellten. Ein zaghaftes Papier mit vielen allgemeinen Aussagen und ohne echte Entscheidungen und Gestaltungsideen. Ob Innere Sicherheit, Datensicherheit, Datenschutz, Urheberrecht oder Netzneutralität – nirgendwo wurden Pflöcke eingeschlagen, stets blieb es bei vagen Formulierungen. Für die Geheimdienste wünschte man sich mehr Datenzugriff, für den Bürger mehr Anonymität. Einzig bei der Idee, mehr Glasfaserkabel in die Erde zu legen, um das Netz schneller zu machen, schien man wirklich zu wissen, was man wollte.

Was als »Leitlinien« angekündigt war, entpuppte sich als ein Manifest der Unsicherheit und Orientierungslosigkeit. Denn wie Bürger tatsächlich wirkungsvoll geschützt werden können, wie man »Schutz und Vertrauen für Gesellschaft und Wirtschaft« gewährleistet, verriet die Agenda nicht. Kein Wort darüber, inwiefern der Steuerzahler am Ende von der Milliardeninvestition ins Breitbandnetz profitieren soll und nicht jemand ganz anderes. Kein Wort über den Arbeitsmarkt der Zukunft. Kein Wort über unsittliche Geschäfte des Datenhandels. Kein Wort über den Schutz der deutschen Wirtschaft gegenüber den digitalen Supermächten des Silicon Valley. Kein Wort über eine allfällige Bildungsrevolution. Kein Wort über die Kontrolle der zu unübersehbarer Machtfülle gekommenen Geheimdienste. Kein Wort über die Albträume eines Cyberkriegs. Kein Wort über die Manipulationsgefahr in sozialen Netzwerken. Kein Wort über die Zukunft der gefährdeten Demokratie. Und vor allem: kein Wort über unser Menschenbild und unsere Werte.

»Das Internet ist für uns alle Neuland« – der Satz, gesagt 2013 (!) von Angela Merkel während der Affäre um ihr vom US-amerikanischen Geheimdienst NSA ausspioniertes Handy, passt präzise zu den drei Ministern in der Monstergrube. Gewiss, der deutsche Innenminister forderte 2014 ein Verbot, dass Google Persönlichkeitsprofile erstellen dürfe. Der Wirtschaftsminister sinnierte darüber, die großen Betreiber der Plattformen zu entflechten. Und der Justizminister verlangte gar, dass Digitalkonzerne ihre Algorithmen offenlegen sollten. Aber all das steht nicht in der Digitalen Agenda. Keines der Ziele wurde ernsthaft verfolgt, und entsprechende Gesetze gibt es auch vier Jahre später nicht!

Ganz im Gegenteil: Noch 2017 war in der Politik von der Digitalisierung kaum die Rede – jedenfalls nicht in ihrer gesamtgesellschaftlichen Dimension. Das wichtigste Wahlkampfthema 2013 war die sogenannte Ausländer-Maut für Österreicher auf bayerischen Landstraßen. 2017 sorgte wiederum die CSU für das große Thema, die »Obergrenze« für Menschen, die vor Krieg, Hunger und Armut nach Deutschland flüchten. Was für ein Land, das solche Sorgen hat! Das Politikern vertraut, die sagen: »Sie kennen mich!«, ohne nach einem Plan, einer Idee, einer Strategie zu fragen, wie Deutschland, Europa und die Welt nach dem digitalen Tsunami aussehen werden, der weithin sichtbar am Horizont heranrollt! Schaffen Deutschlands Politiker die Realität ab? *Dekorieren wir auf der Titanic die Liegestühle um?*

Einzig die FDP plakatierte zum ersten Mal in der deutschen Geschichte einen Spruch zur Digitalisierung: »Die Digitalisierung ändert alles. Wann ändert sich die Politik?« Davon, dass die Digitalisierung alles ändert, war in der Agenda der FDP allerdings kaum etwas zu spüren. Start-ups zu fördern und schneller Glasfaserkabel zu verlegen ist keine hinreichende

Vorbereitung auf einen gesellschaftlichen Umbruch. Die weitaus wichtigere Frage lautet: *Die Digitalisierung ändert alles. Wer ändert die Digitalisierung?*

Dass wir in unserer Gesellschaft mehr und mehr digitale Geräte benutzen, dass wir Arbeiten von Computern und Robotern machen und diese zunehmend miteinander agieren lassen, ist Menschenwerk. Und wie alles, was Menschen tun, könnte es auch anders sein. *Dass* die Digitalisierung unsere Gesellschaft verändern wird, steht fest. *Wie* sie es tut, nicht. Die Weichen in Wirtschaft, Kultur, Bildung und Politik sind noch lange nicht gestellt. Und sie sind nicht einfach technischer oder ökonomischer Natur.

Zu den zeitlosen Weisheiten des österreichisch-jüdischen Philosophen Martin Buber gehört der Satz: »Man kann nicht etwas ändern, ohne alles zu ändern!« Ein jeder Mensch kennt dies aus seinen Alltagserfahrungen. Bekommen Paare ein Kind oder gehen Kinder irgendwann aus dem Haus, ist plötzlich nichts mehr, wie es vorher war. Bestimmte Verschiebungen verschieben alles. Gar nicht zu reden von Veränderungen wie jene technisch-wirtschaftlicher Revolutionen. Wir stehen am Anfang eines neuen Zeitalters. Haben unsere Politiker dies verstanden?

Schaut man sich die Politik in den Gesellschaften des Westens an, so ist »alles ändern« so ziemlich das Letzte, was sie sich vorstellen kann. Wo früher Visionäre die Westintegration und die Ostpolitik vorantrieben, die Europäische Union und den Euro, werkeln heute Klempner vor sich hin. Reparieren, was andere kaputt gemacht haben, kommentieren, was die Massenmedien bewegt – eine solche Politik formuliert keine Zukunftsbilder. Sie ist bis zur Blödigkeit erpicht darauf, gemocht zu werden und möglichst niemanden gegen sich aufzubringen. Den großen Fragen dagegen begegnet sie mit einem Achselzucken. Es fällt ihr auch keine gute Idee ein, den großen Umbruch in eine politische Agenda zu übersetzen. Sie scheint nicht zu sehen, dass die Digitalisierung, wenn man sie nur ihren wirtschaftlichen Profiteuren überlässt, die Welt nicht so reich macht, wie sie von ihrem Potenzial her könnte, sondern arm und leer – leer an Sinn, Arbeit, Erfahrung und Gefühl, arm an Überraschung und Authentizität; dass sie droht, den Raum der Sozialnormen zugunsten der Marktnormen zu verkleinern. Es ist nicht dasselbe, wenn man als Student ein überzähliges Zimmer auf Zeit im Internet verkauft, statt es Freunden kostenlos zu überlassen. Und was wird in einer Welt künstlicher Intelligenz mit jenen grundlegenden Erfahrungen, die Sozialpsychologen »Selbstwirksamkeit« nennen: das sinnstiftende Gefühl, in einer Sache vorzukommen, weil man sie selbst gestaltet hat? Besteht nicht die Gefahr, dass durch die Digitalisierung, so wie sie sich gegenwärtig vollzieht, immer mehr Menschen an immer weniger Lebensprozessen beteiligt sind?

Für all das sehen sich Politiker von Berufs wegen nicht zuständig. Allerdings nicht, weil sie dafür nicht zuständig sind. Sondern vielmehr deshalb, weil Politik in Deutschland seit Jahrzehnten darin besteht, größere Veränderungen zu meiden. *Wer etwas verändern will, sucht Ziele; wer etwas verhindern will, hat Gründe.* Und seit mindestens zwei Jahrzehnten, eher länger, leben die Menschen bei uns in einer Diktatur der Gründe über die Ziele. Verloren gegangen ist die Dimension der Strategie. Strategisch zu denken bedeutet, sich ein Ziel in der Zukunft zu setzen und schrittweise darauf hinzuarbeiten. Stattdessen aber regiert in Deutschland seit Langem die Taktik: die kurzfristige Überlegung, was situativ einen Vorteil beim Wähler verspricht. *Der Triumph der Taktik über die Strategie hat unser Land gelähmt.*

44

So gerne wir das unseren amtierenden Politikern anlasten, es ist nicht allein eine Frage der politischen Charaktere. Gewiss mag, wer Spitzenpolitiker werden will, deshalb noch lange nicht von Gestaltungsideen getrieben sein. Und selbst der Idealist, der einmal als zackiger Bergkristall begonnen hat, wird über die Jahre rund gewaschen wie ein Bachkiesel. Doch der ernüchternde Marsch durch die Institutionen einer Partei ist nicht die alleinige Ursache der großen Lähmung. Auch unsere Politiker sind längst einer Flut von Informationen ausgesetzt und einem mörderischen Zeitdruck. Das Wissen um die Flüchtigkeit aller Aufregungen, Neuigkeiten, Probleme und Apelle hat sie abgestumpft in einem rasenden Stillstand rastlosen Verharrens. Große Entscheidungen zu treffen widerspricht ihrem Berufstand und verringert die Chance auf eine Wiederwahl. Wie die Lichtverschmutzung unserer Städte die Sterne überstrahlt, so überblendet die Gegenwart jegliche Zukunft. Aus dieser Perspektive erscheint die Digitalisierung nicht als Menschenwerk, sondern als ein Diktat fremder Mächte. Und gegen dieses Diktat gibt es kein Wir, kein Deutschland, kein Interesse der Bürger. Fast niemand in der Politik fühlt sich derzeit berufen, Alternativen vorzuschlagen oder gar durchzusetzen. Für die großen Entscheidungen ist ohnehin die EU zuständig, von der man weiß, dass diese sie noch viel weniger trifft. Und wird aus mutigen Weichenstellungen erst ein Rechtsstreit, so sitzen die besseren Anwälte stets bei ihren besser zahlenden Klienten in Palo Alto und Mountain View.

Was die Ohnmacht anbelangt, so gleicht die Frage nach der digitalisierten Zukunft jener nach dem ebenso dringend benötigten Wandel unserer Ökonomie zugunsten der Ökologie. Mehr als dreißig Jahre hat es gedauert, bis vom Beginn der Umweltbewegung über die Gründung der Grünen die Begriffe

»Bio« und »Öko« ihren Weg aus verlotterten Kommunen in den allgemeinen Vorgarten des deutschen Volksbewusstseins fanden. Doch obwohl allgemein akzeptiert, finden sie sich im ökologischen Gefahrenindustrialismus der Bundesrepublik noch immer kaum wieder. *Jahrtausendelang haben Menschen nicht gewusst, was sie glaubten – heute glauben sie nicht, was sie wissen.* Wir wissen um den Klimawandel und seine verheerenden Auswirkungen – aber wir glauben es nicht. Jedenfalls nicht im Alltag und nicht in unserer politischen Agenda, die noch immer darüber feilscht, ob sich die Erde nun um zwei oder drei Grad erwärmen darf, um bewohnbar zu bleiben – jedenfalls für uns Menschen in Europa. Ja, und wir wissen auch, dass unser bisheriges Lebensmodell des unausgesetzten quantitativen Wachstums von allem – Konsum, Geld, Spaß und Müll – ohnehin nicht unbegrenzt weitergehen kann. Dass wir eine neue, nachhaltige Form zu wirtschaften brauchen. *Und dass wir vor allem mehr Zeit brauchen, anstatt immer mehr Zeug.* Doch, wie gesagt, etwas zu wissen, bedeutet nicht, es zu glauben und danach zu handeln.

Sollten wir der Digitalisierung mit der gleichen Verantwortungslosigkeit begegnen wie der Zukunft unseres Planeten, so sind die Errungenschaften der Aufklärung und des bürgerlichen Zeitalters schon in Kürze passé. Gar nicht zu reden vom engen Zusammenhang von Digitalisierung und ökologischem Desaster. Woher soll die ungeheure Menge an Energie kommen, die die Server der digitalen Zukunft verbrauchen? Unser ganzes Lebensmodell bedarf einer Inventur. Gefordert ist nicht weniger als ein neuer Gesellschaftsvertrag. Und was sollte günstiger dafür sein als die Zeiten eines ökonomischen Umbruchs?

Zumindest ein Versuch, Ordnung ins zivilisatorische Chaos der Digitalisierungsfolgen zu bringen, sollte an dieser Stelle erwähnt sein. Was die große Sorge um die Grundrechte anbelangt, so hat sie 2016 ihren Ausdruck im Bürgerprojekt der »Charta der Digitalen Grundrechte der Europäischen Union« gefunden.[11] Über Grundrechte, Abwehrrechte, Leistungsrechte, Gleichheitsrechte, Mitwirkungsrechte, Grundrechtsnormen und Schutzpflichten nachzudenken, ist sinnvoll und richtig. Ebenso richtig ist, dass der Kampf um Rechte nur noch zweitrangig zwischen Staat und Bürgern ausgefochten werden muss. Zwar gibt die Digitalisierung autoritären Staaten Mittel der Überwachung in die Hand, die über George Orwells *1984* weit hinausgehen. Aktuell sind Grundrechte in Deutschland, soweit bekannt, aber weniger durch den Staat als durch eine überbordende Internetwirtschaft gefährdet.

In diesem Zusammenhang spricht die Digitalcharta wiederkehrend über Rechte. Dabei legt sie zum Beispiel ein »Recht auf Arbeit« fest. Etwas befremdlich ist das schon. Was soll ein solches Recht, wenn es für Millionen Menschen in Zukunft schlichtweg keine Arbeit mehr gibt? Nicht weniger fremd erscheint der Satz: »Arbeit bleibt eine wichtige Grundlage des Lebensunterhalts und der Selbstverwirklichung.« Was heißt hier »bleibt«? Für ungezählte Millionen Menschen nicht nur in Niedriglohnjobs ist Arbeit noch nie Selbstverwirklichung gewesen! Und kann eine Charta festschreiben, dass unsere Lohnarbeitsgesellschaft auf bekannte Weise ewig fortbestehen soll? Sätze wie diese sind Regeln zur Aufrechterhaltung eines vergänglichen Zustands. Und sie zeigen in aller Deutlichkeit, dass die juristischen Bestimmungen einer Charta nicht den Rahmen vorgeben können, in den man das dynamische, sich rasant verändernde Leben einpacken kann wie in einen zu kleinen Karton.

*

Ohne Zweifel: Der technische Fortschritt ist der einzige Fortschritt in der Geschichte der Menschheit, der unumkehrbar ist. Doch dass wir heute Daten in unvorstellbarer Menge erfassen und verarbeiten können, hat nicht nur digitale Unternehmen zu Spitzeldienstleistern gemacht und die Träume von Geheimdiensten in gesellschaftliche Albträume verwandelt. Es hat die Politik gelähmt und in Überforderung stillgestellt. Doch nicht nur die gefühlte Ohnmacht, auch eine Veränderung in der Orientierung hat das Ethos von Politik und Gesellschaft unterspült: Es ist der Siegeszug des Messens und der Quantifizierung von allem!

Seinen geistigen Vater hat dieser rein empirische Kompass in dem englischen Hasardeur, Spekulanten und Ökonomen William Petty im 17. Jahrhundert. Wo andere Menschen und Schicksale sahen, sah Petty Ressourcen. In seiner *Political Arithmetic* besticht er durch mathematische Kühle. Er begründet damit die Verwaltungsstatistik und lässt sich allein durch Zahlen beeindrucken. Petty meinte, dass Regieren nur auf der Grundlage verlässlicher Zahlen und Statistiken möglich sei, ja, dass es im Grunde die Vernunft der Statistik ist, die der Regierung die Entscheidungen diktiert. Nicht anders orientieren sich Politiker heute in der Welt. Zahlen, Statistiken und Meinungsumfragen zeichnen die Topografie ihrer mentalen Karten. Das bessere Leben zeigt sich am Bruttoinlandsprodukt, der eigene Marktwert in Zustimmungs-Rankings.

Bezahlt wird dafür mit einem eklatanten Mangel an Eigensinn und politischer Kreativität. Seit Computer das mühselige Geschäft des Messens in Sekunden erledigen, unterspült die Quantifizierung von allem und jedem das Ethos der gesamten Gesellschaft. Nicht die Qualität zählt, sondern Quantität. Und da Quantität leicht zu bewerten ist, bleibt das mühselige

Geschäft der Urteilsbildung, die jedem Qualitätsurteil unterliegt, zumeist aus.

Besonders betroffen davon ist die Welt der Universitäten und Forschungseinrichtungen. Ökonomen und – schlimmer noch – Gesellschaftswissenschaftler haben dadurch ihren alten Kompass verloren. Welcher entscheidende Impuls dringt heute noch, wie in den Sechziger- oder Siebzigerjahren, von Politologen, Soziologen, Pädagogen, Kulturwissenschaftlern, Kommunikations- und Medienwissenschaftlern in die Politik vor? Ganze Universitätsdisziplinen erscheinen nahezu lahmgelegt unter der zentnerschweren Last empirischer Forschung. Wer als Pädagoge oder Soziologe Projekte finanziert haben will, muss messen und quantifizieren. Dass dabei sinnvolle Untersuchungen gemacht werden, wird nicht bestritten. Doch die kollektive Verwandlung von Intentionen, Interpretationen und Interventionen in Messdaten hinterlässt ihre Spuren. Selbst wenn es um die Beurteilung der Qualität von Schulen oder anderen Institutionen geht, wird heute fast nur noch empirisch evaluiert, so als könnte deren Qualität je eindeutig quantitativ erfasst werden. »Die messbare Seite der Welt«, möchte man diesem seelenlosen Treiben mit dem Philosophen Martin Seel zurufen, »ist nicht die Welt. Es ist die messbare Seite der Welt!«

Und was geschieht mit all dem turmhoch geschichteten Material? Im glücklichsten Fall wird mal irgendetwas irgendwo wahrgenommen. Sachbearbeiter erstellen Extrakte aus vielhundertseitigen Studien und Evaluationen, Staatssekretäre kürzen sie auf zwei Seiten, aus denen ein Politiker bei einer Rede drei Zahlen entnimmt. Man denkt angesichts solcher Mühen an Nietzsches Satz vom »virtuosen Gequak kaltgestellter Frösche, die in ihrem Sumpf desperieren« – nur dass empirische Forschung nicht virtuos ist. Sie ist das Handwerk einer

Zulieferindustrie, die keinen gesellschaftlich relevanten Diskurs mehr formt. Man übertreibt wohl nicht, wenn man sagt, dass mit dem Siegeszug der digitalen Datenverarbeitung der Niedergang der Gesellschaftswissenschaften begann. Denn je wissenschaftlich exakter sie zu werden trachteten, umso unwichtiger wurden sie für die Gesellschaft. Und je größer die Datenmenge, umso kleiner wurde die Aufmerksamkeit für sie.

Wie romantisch erscheint vor diesem Hintergrund der Traum des Marquis de Condorcet, der im Morgenrot der Französischen Revolution von einem konzertierten Siegeszug der Wissenschaften schwärmte, die in der Zukunft alle Politik zur Sozialmathematik rationalisieren sollte. Politik sollte Wissenschaft werden und Wissenschaft Politik. Heute dagegen hält das »und« Politik und Wissenschaft weiter auseinander als je zuvor. Nicht Einvernehmen besteht, sondern das, was der französische Philosoph Jacques Rancière im fahlen Abendlicht unserer Demokratie das »Unvernehmen« (*la mésentente*) genannt hat – zwischen einer skandalös unphilosophischen Politik und der politischen Philosophie.

Wer die Welt empirifiziert, statt sie zu deuten, schaufelt mit an diesem Graben des Unvernehmens, der den schleichenden Niedergang von Politik und Gesellschaftswissenschaften zementiert. Eine Politik, die ihre Bilder nicht aus dem Imaginationsschatz der akademischen Kultur gewinnt, ist blind; eine akademische Kultur, die nicht politisch relevant wird, bleibt leer. Darüber täuschen auch nicht die belanglosen Beratungsgremien, Räte und Kommissionen hinweg, die die Politik heute kennt und die eher Eitelkeiten befriedigen als Politik gestalten.

Man braucht sich, um das Ausmaß dieses Treibens und seine gesellschaftlichen Folgen realistisch einzuschätzen, des Ernstes halber nur einmal zu fragen: Was würden unsere Professoren in den Gesellschafts- und Sozialwissenschaften eigentlich machen, wenn es keine Computer und keine Datenverarbeitungsprogramme gäbe? Wohin hätten sich die Fächer entwickelt? Was würde geschehen, wenn es ein Empirie-Moratorium gäbe? Viele Professoren und Mitarbeiter wüssten nicht mehr, was sie tun sollten.

Kritisiert wird nicht, dass es Felder gibt, auf denen man mit Verstand und Erfolg empirisch forschen kann; bemängelt wird das Diktat des Empirischen in den Gesellschaftswissenschaften, das Fächer mit großen Traditionen zu Lieferanten von Zahlen degradiert. *Zu oft ersetzt man Erkenntnisse durch Kenntnisse oder hält sogar Zweites für das Erste.* Eine Erkenntnis aber ist immer auf einen persönlichen Deutungshorizont bezogen, eine Kenntnis dagegen nicht. So wird aus Wissen allein, egal wie reichlich man es sammelt, keine Einsicht, keine Weisheit und auch keine Vorstellung für richtige Handlungen.

Intelligenz, so meinte der Schweizer Psychologe Jean Piaget, ist das, was man einsetzt, wenn man nicht weiß, was man tun soll. Wer sich an Zahlen orientiert, setzt seinem Denken enge Grenzen und weiß eigentlich immer, was er machen soll. In diesem Sinne ersetzt das Quantifizieren das Denken. Was auf der Strecke bleibt, ist die Pflege von Urteilsvermögen und Urteilsfreude, von Werten, Gesinnungen und Haltungen. Das ganze moralische Inventar der abendländischen Kultur von Aristoteles über Kant bis zur Frankfurter Schule sieht sich ersetzt durch Konsequentialismus und Risikofolgenabschätzung. Der alte Sechzigerjahre-Streit zwischen Theodor W. Adornos kritischer und Alphons Silbermanns empirischer Soziologie ist längst entschieden. Die Silbermänner haben gewonnen. Die unheilvoll friedliche Koexistenz von Politik und Gesellschaftswissenschaften gebiert kein Ethos mehr. Genau dieses Ethos aber – und hier schließt sich der Kreis – ist das, was Wähler traditionell im Wahlkampf bei Politikern suchen, nämlich das, wofür man mit »innerlicher Überzeugung« steht.

*

Moderne Politik, wie wir sie derzeit fast überall in Europa erleben, ist gekennzeichnet durch den Ethosverzicht zugunsten taktischer Klugheit und höchst flexibler Grundsätze. In diesem Sinne erscheint es nur als konsequent, den Technokraten selbst das Regieren zu überlassen. Solche Technokraten tun nichts, was sie nicht meinen genau abschätzen zu können. Sie haben auch keine Inhalte oder Themen, sondern Inhalte und Themen kommen durch die Massenmedien auf sie zu: Finanzkrise, Schuldenkrise, Bespitzelungsaffäre, Migrationskrise. Nichts davon ist geahnt, nichts gewusst. Weil nirgendwo auf die Zukunft hin geplant und nach Überzeugungen gestaltet wird, erwartet die Politik die Themen wie das Wetter – *die Diktatur der Gegenwart über die übrige Zeit; alles bewegt, nichts verändert sich.*

Die Utopie als konstruktive Kraft der Politik aber bleibt verschwunden. Der U-topos (Nicht-Ort) ist nicht vermessbar – deshalb taucht er nicht auf. Wie wir in Zukunft leben werden, bestimmen kaum mehr Politiker, sondern die Visionäre und Utopisten der digitalen Revolution: Google, Facebook, Amazon, Apple, Microsoft und Samsung. Gegen diese digitalen Supermächte sind Deutschlands Politiker strategische Pygmäen. Die Macht haben sie sich schon lange aus den Händen nehmen lassen. Da eine Wahl aber nur dann sinnvoll ist, wenn diejenigen, die man wählt, auch Macht haben, müsste man eigentlich das Führungspersonal von Google oder Facebook wählen, das seine Strategien und Visionen offenlegt und zur Abstimmung stellt: Was habt ihr mit unseren Daten vor?

Welche Veränderung in unserer Kommunikation wollen wir, und welche sollten wir besser nicht zulassen? Wofür nutzt ihr eure beispiellose Macht- und Kapitalkonzentration? Denn all dies mit seinen gesellschaftlichen Folgen und Kollateralschäden wird unser Leben radikal verändern, ohne dass wir auch nur ein Wort mitreden können. Verglichen damit ist die Frage, wer in Deutschland Bundeskanzler ist, nicht einmal eine Fußnote wert.

Wie schaffen wir es, die Sphäre des nur Empirischen und des Reaktiven zu verlassen? Kultur lebt bekanntlich nicht von wertfreien Beschreibungen all dessen, was in ihr vorgeht, sondern von Deutungen, Interpretationen, Gewichtungen, Vorzügen, vom Achten und Ächten, von Akzeptanz und Nicht-Akzeptanz. Erstaunlicherweise aber wird die Digitalisierung von vielen Politikern kaum ernsthaft moralisch bewertet oder auch nur ausgedeutet. Stattdessen haben wir es bei den Liberalen mit einer erschreckend naiven Bejahung, in Teilen der Linkspartei mit einer pauschalen Ablehnung und bei den anderen Parteien mit erschreckend wenigen Bewertungen zu tun.

Was fehlt, ist eine differenzierte Haltung. Immerhin nimmt die digitale Revolution Menschen und Völkern einen großen Teil ihrer bekannten Welt, einschließlich der damit verbundenen Gefühlswelt. Erfahrungen und Kenntnisse des Lebens, die Jahrzehnte, mitunter Jahrhunderte galten, gelten nicht mehr. Was ist der Wert von Bildung, wenn alles Wissen sofort per Mausklick zur Verfügung steht? Wie gehen wir damit um, wenn überall Altbewährtes hinfällig wird? Wenn die Treue von Kunden nicht belohnt, sondern mehr und mehr bestraft wird, weil man ihnen schlechtere Tarife gibt als Neukunden? Wenn Ärzte, Lehrer und Hochschullehrer ihre Autorität verlieren? Wenn in vielen Berufen für ein Leben gesammelte Erfahrungen über Nacht nichts mehr wert sind? Wenn wir einen Graben zwischen heute und gestern ausheben, der tiefer ist als alles, was Menschen in ihrer Geschichte je gekannt haben?

All dies muss gedeutet, eingeordnet und bewertet werden. Kulturen und Zivilisationen leben sowohl von Fakten als auch von Werten, und das Moralische, das Soziale, das Geistige und das Politische sind nicht dadurch hinfällig, weil sie in den digitalen Leitideologien nicht vorkommen. Jede Kultur muss sich danach befragen lassen, ob sie die Menschen glücklicher macht, vielleicht auch klüger, freundlicher und kultivierter. Das reine Effizienzdenken und die Verwertungslogik des Kapitals dürfen niemals alleiniger Maßstab einer Kultur sein. Wenn wir eines aus der Geschichte der ersten industriellen Revolution gelernt haben, dann dies: Der rein ökonomische Maßstab als Maß aller Dinge ist unmoralisch. Er führt unweigerlich in die Inhumanität.

In solcher Lage zeichnen sich derzeit zwei Strömungen ab. Die, die diese Inhumanität nicht sehen, und die, die sie fürchten. Sie spiegeln sich auch in den Buchpublikationen wider: Auf der einen Seite eine optimistische Mutmacher-Literatur, die überall Chancen sieht, von »Faszinationen« schwärmt und von all den Geräten und Anwendungen, die uns in der Zukunft das Leben erleichtern und »Spaß machen«. Oft enthalten sie sehr ähnliche Geschichten. Sie erzählen vom Moore'schen Gesetz und dem exponentiellen Anstieg von Speicherkapazitäten und Chipleistungen. Sie ergötzen sich an Anekdoten über Kodak und Nokia, die den Zug der Zeit verpassten. Und sie zitieren fast alle genüsslich die gleichen historischen Fehleinschätzungen, etwa als Wilhelm II. die Zukunft nicht im Auto, sondern im Pferd sah; oder die von Digital-Entrepreneur Ken Olsen, der 1977 meinte, kein Mensch brauche zu Hause einen Computer.

Bücher dieser Fasson neigen zur schlichten Sprache und zeigen eine Liebe zu Tabellen, Grafiken, Gimmicks und niedlichen Symbolen. Technik, Gesellschaft und Politik sind nur lose miteinander verbunden. Die Nöte und Unbilden des Lebens werden als eine endlose Abfolge von »Problemen« und »Lösungen« beschrieben, wie Techniker halt so denken. Die Vieldimensionalität tatsächlicher Lebenszusammenhänge kommt jedenfalls nicht vor. Gefühle jenseits von technischer Lust und Freude sind Sentimentalitäten und irrationale Ängste, geschürt von professionellen Panikmachern. Am Ende stehen Appelle zur Innovationsfreudigkeit, zu Unternehmergeist und Mut – gemeint ist der Mut, sich auf die Digitalisierung einfach nur zu freuen oder möglichst viel Kapital aus ihr zu schlagen: »Das ganze Leben ist ein Markt, und wir sind nur die Konsumenten ...«

Wesentlich anspruchsvoller ist die zweite Strömung. Sie analysiert die Bedeutung der digitalen Revolution für den Einzelnen, die Gesellschaft und die Zukunft der Demokratie. Die Grundfarbe dieser Sittengemälde ist zumeist düster. Sie folgen der Manier des weißrussisch-amerikanischen Journalisten Evgeny Morozov, der schon 2011 vor der dunklen Seite der Digitalwirtschaft und des Internets warnte, das zwei Jahre später für Angela Merkel noch »Neuland« war. Sie berufen sich auf Edward Snowdens Enthüllungen über die unheilvolle Verflechtung von Kommerz- und Geheimdienstinteressen, Digitalkonzernen und Staatsmacht. Und sie warnen vor einer bedrohlichen Entwicklung, die bereits so weit fortgeschritten sei, dass jeder Kampf dagegen vermutlich verloren geht.

Mit Großinvestor Elon Musk und dem düsteren Schweden Nick Bostrom hat diese Strömung in den USA längst die Deutungshoheit über die Zukunftsprognosen gewonnen. Kein Staat der Welt, so erkennt man an der Fülle apokalyptischer

Bestandsaufnahmen und Prophezeiungen, sieht der Digitalisierung mit solcher Furcht entgegen wie die USA! Das Silicon Valley dagegen erscheint wie eine Enklave vom Mars, in einem Land, das derzeit mehr Anlass zu Endzeitprophetien zu geben scheint als alle anderen Industriestaaten. Während auf deutschen Podien noch empfohlen wird, US-amerikanische Mentalität zu kopieren, denkt die kritische Öffentlichkeit in den Vereinigten Staaten längst darüber nach, den Prozess hin zur Herrschaft der künstlichen Intelligenz zu stoppen. Selbst Bill Gates findet sich inzwischen als Gast in den Reihen der Warner wieder, lamentiert über das zu hohe Tempo der Entwicklung und empfiehlt als Bremse eine Maschinensteuer.[12] Doch macht es tatsächlich Sinn, die Bremsflüssigkeit zu wechseln, wenn die Maschine mit Volldampf aus der Kurve geflogen ist?

Und in Deutschland? In den Tiefen des Netzes, im Chaos Computer Club, in sogenannten Zukunftsinstituten, in den Internet-Start-ups, selten an Universitäten, häufiger an langen alkoholfeuchten und techniktrunkenen Abenden entstehen Zukunftsbilder, genauer: Schnipsel von Zukunftsbildern, übertriebene und untertriebene. Wirtschaftlich hohe Erwartungen – gesellschaftlich viele Befürchtungen, wenig Hoffnung, etwas Abwiegelung: Ausschnitte, Aufrisse und Mosaikbausteine –, keine Gemälde. Es gibt kein positives Zukunftsszenario für die Digitalisierung unserer Gesellschaft. Gewiss, die Großstädte könnten grüner und energieeffizienter werden. Die Medizin gewinnt an Präzision. Ältere Menschen bekommen einen smarten Roboter als Haushaltshilfe und Haustier in einem. Und intelligente Beleuchtung passt sich uns an und lässt alles in schönerem Licht erscheinen – aber all das ist keine gesellschaftliche, politische und volkswirtschaftliche Vision. Nicht mal ein Rahmen für ein Gemälde einer Zukunft, die

56

wir mit menschlichen Farben ausmalen und uns wünschen können.

Was heute gefordert ist, lässt sich nicht messen. Und es kann auch nicht an die Politik delegiert werden, die, wie gezeigt, von sich aus keine Kreativität aufbringt. Nicht einmal Beschwerden lohnen sich wirklich. »Die Politik« hat keine Adresse, nicht einmal einen Briefkasten, an die man seine Kritik senden könnte; das teilt sie im Übrigen mit »der Wirtschaft« und »dem Kapitalismus«. Politiker reagieren nur, wenn die kritische Öffentlichkeit sie dazu nötigt. Und die kritische Öffentlichkeit entsteht nur durch einen Bewusstseinswandel. Für diesen aber reichen Ängste und Befürchtungen nicht aus. Benötigt wird ein positives Zukunftsszenario. Man muss zeigen, dass eine Gesellschafts- und Wirtschaftsform möglich ist, die Menschen von sturen und oft unwürdigen Arbeiten befreit. Und dass sie uns möglicherweise sogar das stumme Wissen nimmt, der Wert eines Menschen sei messbar an seiner geldwerten Entlohnung.

Wir müssen lernen, die Möglichkeiten digitaler Technologie nicht nur aus dem Blickwinkel des wirtschaftlichen Wettbewerbs zu sehen, sondern als Chance zu einem guten Gesellschaftsmodell. Schon jetzt sprießen allenthalben neue Lebensformen aus dem gut gedüngten Boden der alten Mittelschicht. Digital Natives, die ihr Auto teilen und ihren Dachgarten als Urban Farmer bewirtschaften. Folklore für Wohlhabende – oder die gesellschaftliche Zukunft? Die Frage entscheidet sich politisch. Denn der Umbau zum Guten wird nicht von allein geschehen. Keine ökonomische Logik produziert aus sich heraus ein menschenwürdiges Leben. Die Demokratisierung von Lebenschancen ist eine politische Aufgabe. Geschieht nichts, könnten auch jene Szenarien Wirklichkeit werden, die nur noch Datenmonopolisten und ausgebeutete

Auktionäre der eigenen Arbeitskraft kennen, dazu ein Heer abgespeister Abgehängter. Malen wir uns dieses Schreckensbild – die Dystopie – zunächst einmal aus, um zu wissen, was einer humanen Utopie entgegensteht. Danach schauen wir uns an, wie viele Menschen auf die neue Lebensunsicherheit zu Anfang der digitalen Revolution reagieren – und warum.

Der Palo-Alto-Kapitalismus
regiert die Welt

Die Dystopie

Deutschland im Jahr 2040. Kinder, die 2018 geboren wurden, sind nun junge Erwachsene. Sie leben nicht mehr in einer Welt aus Versuch und Irrtum, Wagnis und Erfahrung. Sie leben in einer Matrix aus Daten, die ihnen sagt, was gut für sie ist. Wenn sie erwachen, erscheint ihnen ein täuschend echtes Hologramm einer bezaubernden Frau oder eines schönen Mannes. Sie verraten, wie man geschlafen, was man geträumt hat und warum. Sie kennen den Blutzuckerspiegel, die Herz-Kreislauf-Daten und den Hormonzustand ihres Gegenübers. Sie empfehlen uns unseren Tagesablauf und besorgen uns dazu genau jene Produkte, nach denen es uns heute begehren wird. Unser Leben kann gar nicht mehr nicht gelingen. Google, Facebook und Co. haben uns von der Diktatur der Freiheit befreit.

Die Chance, in diesem unfallfreien Leben weit über hundert zu werden, ist groß. All unsere Zellen lassen sich in der Petrischale klonen, und der 3D-Drucker druckt uns bei Bedarf neue Nieren, eine neue Leber oder ein neues »eigenes« Herz aus. Aus Mymuesli ist Myorgan geworden, und diesmal ist es wirklich meins. Wenn wir durch die Stadt gehen, ist alles miteinander vernetzt. Sensoren und Kameras überwachen jeden unserer Schritte, Kriminalität ist nicht mehr möglich, denn abweichendes Verhalten wird sofort entlarvt. Die Straßenbeleuchtung scheint nach Bedarf, die Preise in den Läden verändern sich, je nachdem wer den Laden betritt und in welcher Kaufstimmung er ist. Selbstfahrende Autos müssen gar nicht mehr geordert werden – sie kennen uns und wissen, wann wir sie benötigen. Die meisten Geschäfte um uns herum sind eigentlich nur noch Attrappen, denn geliefert wird alles online und per Drohne. Unsere Partner finden wir durch Suchprogramme, oder sie werden uns von diesen »per Zufall« zugeführt, um unsere altmodisch-romantischen Bedürfnisse zu erfüllen.

Geld gibt es noch, sogar mehr als je zuvor, allerdings nicht mehr als Münze oder Schein. Hinter den Kulissen dieser Realität gewordenen *Truman Show* werden Fantastilliarden gescheffelt. Das Geld, das viele Menschen durch ein staatliches Grundeinkommen beziehen, wandert auf subtile Weise in die Hände derer, die noch arbeiten. Eine Zweiklassengesellschaft trennt die Gutverdiener von den vielen Abgehängten in der Wohlfühlmatrix. Die Kinder der einen gehen ihren Weg von Privatschulen über Eliteuniversitäten in die Psychotope der Big-Data-Firmen. Die anderen schlagen sich als schlecht bezahlte Kindergärtner, Friseure und Altenpfleger mir Robo-Helfern durch oder arbeiten oft gar nicht mehr. Deren Kindern ist der Weg in die Arbeitselite von Anfang an versperrt. Wer ein öffentliches Schulsystem besucht, bleibt unten.

Der große Gewinner ist eine Allianz aus globalen Investoren, Firmen, Spekulanten und Geeks. Für Geschäftsleute ist der Datenhandel einfach nur das ganz große Business, noch viel gigantischer und vor allem sicherer als die reine Finanzspekulation. Sie sind dabei, *because that's where the money is*. Fragen der Ethik haben sie noch nie beschäftigt, jedenfalls nicht beruflich. Und ihre Geschäfte nehmen sie nicht persönlich. Ihr Effizienzdenken treibt das Silicon Valley voran, weit mehr als die Fantasien eines Mark Zuckerberg oder Larry Page. Ihre Partner und Zulieferer sind Menschen vor allem männlichen Geschlechts, die oft schon mit vierzehn den Algorithmus suchten, mit dem man Frauen unwiderstehlich überzeugt. Mithilfe der Investoren hat sich diese junge Garde des Second Machine Age ihren Traum erfüllt. Den Überwachungsstaat fürchten sie nicht. Sie erleben ohnehin nichts, was es zu verbergen gilt. Wenn Google und andere uns in die Matrix einlullen, haben sie nichts zu verlieren. Wer ohnehin keine soziale Fantasie hat, sondern nur technische, den stört nicht, wenn auf dem Flughafen, in der Bahn oder im Restaurant jeder nur in sein Smartphone vertieft ist. Es erscheint ihnen nicht als Widerspruch, von digitaler Medizin zu träumen, die ihnen Unsterblichkeit verschafft, während sie so viel Energie und Ressourcen verbrauchen, dass sie die Menschheit abschaffen. Die Vorstellung, im Alter von einem Roboter vom Typ R2-D2 gepflegt zu werden, macht ihnen keine Angst, sondern Freude. Endlich zu Hause! Und Sorge um die Mitleidenschaft der anderen haben sie ohnehin nie gehabt. So haben sie denn den großen Umbau bewerkstelligt und die Welt von 2040 geschaffen: den Sieg von Menschen, die das Langweilige dem Riskanten vorziehen; den Triumph des uneigentlichen Lebens über das Leben!

Der Aufstieg des Silicon Valley ist vieles. Aber vor allem ist er ein Sieg der Lebensangst. Apps und Algorithmen umgingen mehr und mehr den Zufall, das Schicksal und das Abenteuer des Lebens und machten daraus ein gigantisches Geschäft. Die Marktkapitalisierung der GAFAs (Google, Apple, Facebook und Amazon), die im Jahr 2018 noch wenige Billionen US-Dollar betrug, liegt 2040 bei 50 Billionen. In den 2010er Jahren haben sie Giganten wie Exxon Mobil, Petro-China oder General Electric von den Spitzenplätzen der wertvollsten Unternehmen verdrängt und sich die Spitzenplätze gesichert. Keinen der ehemaligen Champions der alten Industrie gibt es 2040 mehr. Was verwertbar an ihnen war, haben sich die GAFAs einverleibt. Mark Zuckerberg ist seit vielen Jahren Präsident der USA und Donald Trump, der Staatsgrobian der alten Industrie, lange tot.

Weder Europa noch die USA haben die Geschäftspraktiken der großen Monopolisten in die Schranken gewiesen, als sie es noch konnten. Man versäumte es, Integrität und Freiheit der Bürger zu schützen, solange man die Macht dazu hatte. Die Blockade kam damals nicht zuletzt aus den Verbänden der deutschen Wirtschaft. So unlieb ihnen die Geschäftspraktiken und die Datengeschäfte der GAFAs waren, so sehr wünschte man sich doch, dass man an deren statt davon profitieren könnte. Insofern stemmte man sich mit Macht dagegen, die kommerzielle Ausschlachtung der menschlichen Privatsphäre als unsittliche Geschäftspraxis zu verbieten. Dass man in diesem Spiel gar nicht gewinnen, sondern mehr und mehr verlieren würde, stand 2018 für viele offensichtlich noch in den Sternen. Dabei war es für jeden Realisten ziemlich absehbar. Immerhin war allein Google 2018 mehr wert als die gesamte europäische Telekommunikationsindustrie. Dass sich dies durch Wettbewerb je würde einholen lassen, war damals fahrlässige Fantasterei.

Der zweite große Blockierer gegen das Ausspionieren von Privatpersonen waren übrigens die deutschen Geheimdienste. BND, Verfassungsschutz und MAD hatten sich so über das fröhliche Datensammeln gefreut, dass sie jeden Versuch, es zu beschneiden oder die privaten Daten unkenntlich zu machen, hintertrieben. Die Innenminister, aufgrund von Terroranschlägen von der Öffentlichkeit gedrängt, etwas zu tun, entsprachen ihrem Wunsch. Wie anders sollten sie auch Härte und

Entschlossenheit bei der Terrorbekämpfung zeigen? Jedes Jahr stellten sie den Medien Fälle vor, bei denen die Datenüberwachung Erfolge gezeitigt und Attentate frühzeitig verhindert hätten. Die Anschläge durchgeknallter Islamisten ereigneten sich in den 2010er Jahren also zum ungünstigsten Zeitpunkt. So mussten sich die Geheimdienste auch nicht fragen lassen, ob sie die gleichen Möglichkeiten zur Überwachung in Öffentlichkeit und Internet nicht selbst dann genutzt hätten, wenn es keine Terroranschläge in dieser Zeit gegeben hätte. Oder wozu die neue Geheimdienstzentrale an der Berliner Chausseestraße, fast dreißig Jahre nach Ende des Kalten Krieges, so viel größer ausgefallen war als die in Pullach oder Köln vorher? Und das, obwohl man gar keine Aktenschränke mehr benötigt und keinen Stauraum, sondern nur noch winzig kleine Datenträger. Naheliegend wäre gewesen, das alles viel kleiner wird …

Aber Macht ohne Missbrauch hatte offenbar immer schon keinen besonderen Reiz. Und das war im Jahr 2018 nicht anders als zuvor oder eben im Jahr 2040. Auf das Versprechen der ungehinderten Kommunikation im Internet folgte jedenfalls kein Frühling der Freiheit, sondern der lange Winter der totalen Überwachung. Die Demokratien des Westens fanden sich damit erstaunlich schnell ab. Und wer auf der einen Seite das Grundgesetz hochhielt und in Sonntagsreden die Freiheit lobte, bediente sich doch zugleich gern der neuen Überwachungs- und Kontrollmöglichkeiten. So ereignete sich das, was die Sozialpsychologie *shifting baselines* nennt: das allmähliche Verschieben einer Sache in eine ganz neue Dimension in tausend kleinen und für sich genommen kaum bemerkenswerten Schritten. So waren die Deutschen mal Nazis geworden oder hatten sich von einem Lichtschutzfaktor 3 an einen Lichtschutzfaktor 50 gewöhnt. Und so nahmen sie auch ihre

Freiheitsbeschneidungen ohne allzu großen Widerstand hin und freuten sich über die vielen kleinen Segnungen der Digitalwelt; vom Navigationsgerät im Fahrzeug zum selbstfahrenden Auto; von Kameras im Dienst der Gewaltvorbeugung zur Smart City mit Tausenden von Sensoren, denen keine Regung mehr entgeht. Und von Kriegen ohne Risiko für die eigenen Soldaten zu systematischen Drohneneinsätzen, für die niemand mehr sein Gesicht zeigen oder sich vor Gericht verantworten muss.

Aber warum hatte sich nicht wenigstens die deutsche Öffentlichkeit gewehrt? Nun, der eine oder andere hatte schon gemurrt. Aber wer gegen bestimmte Geschäfts- und Überwachungspraktiken aufstand, der galt gleich als Spinner und Panikmacher oder, noch schlimmer: als Feind der Technik und des Fortschritts! Dabei waren sie weder gegen *die* Technik noch gegen *den* Fortschritt gewesen. Sie wollten einfach *bestimmte* Techniken nicht eingesetzt sehen und wünschten sich einen *anderen* Fortschritt. *Doch der Fortschritt tritt gern in der Maske der Alternativlosigkeit auf.* Und die Rhetorik der Lobbyisten schneiderte ihm ein Kostüm, in dem er dann so klar vor uns stand, dass wir ihn uns gar nicht mehr anders vorstellen konnten.

Man hätte damals, im Jahr 2018, an die Eroberung der Neuen Welt durch Hernán Cortés und Francisco Pizarro erinnern können. Die Konquistadoren eroberten nur deshalb mit siebenhundert Mann das Aztekenreich oder mit einer Schar von hundertsechzig Hasardeuren den Inkastaat, weil niemand die Gefahr ernst nahm. Stattdessen hielten die Indianerkulturen die Eindringlinge für Götter aus Übersee. Die Konquistadoren stifteten Unfrieden und infiltrierten die Völker mit neuen Ideen, Sehnsüchten und Seuchen. Dabei hätte man sie anfangs leicht abwehren können. In einer ähnlichen Situation sahen wir 2018 weite Teile der deutschen Wirtschaft und Politik. Nur sahen sie sich nicht selbst so. Sie sahen ihren gesunden Mittelstand, das wirtschaftliche Rückgrat Deutschlands. Und sie sahen, dass unser Land in Relation zur Einwohnerzahl mehr weltmarktrelevante Patente hat als die USA. Sie sahen sich als Weltmarktführer in vielem, als eine äußerst wehrhafte Hochkultur. Aber ihre Pfeile zerschellten an den Schutzschildern ihrer Gegner. Und deren tödliche Kugeln trafen einen nach dem anderen.

Schlecht beraten wurden sie auch von ihren Priestern und Auguren, den cleveren Zeitgeistsurfern, willfährigen Trittbrettfahrern und ewigen Commis Voyageurs. Wie sie in bunten Sneakers auf den Bühnen standen, mit laubgrüner Brille zur Glatze, das lässige Sweatshirt über der weichen Wampe, und von den digitalen Disruptionen schwärmten, den Future Labs des Silicon Valley. Wenn sie Rezepte für die *Breaks of tomorrow* aus ihrem Bauchladen verkauften wie frühere Handlungsreisende ihr Nähgarn. Wenn sie von der Zukunft schwärmen, als hätten sie selbst sie gemacht. Manche glaubten gar, dass sie nur die Tracht ihrer Feinde anlegen müssten, banden ihre Krawatten ab und ließen ihre Bärte sprießen, und schon würde deren Magie auf sie und ihre alten Firmen übergehen.

Optimismus kann nicht nur motivieren, sondern manchmal auch einlullen. Er wird dann zur Ideologie, wenn er dazu auffordert, eine Entwicklung zu begrüßen, die einem aus nachvollziehbaren Gründen nicht geheuer ist. Etwa weil es volkswirtschaftlich nachteilig zu sein droht. Oder weil es eine Lebensqualität verspricht, die man nicht als besser, sondern als schlechter empfindet. Aber das Silicon Valley hatte *change* und *invent* schon frühzeitig zum Naturgesetz erklärt. Und es hatte den Umbruch zugleich mit kindlicher Unschuld gepaart: »Ich habe hauptsächlich Sachen gebaut, die ich mag«, erzählte uns Mark Zuckerberg – was irgendwie klang, als hätte er sein Kinderzimmer umdekoriert. Oder: »Wir wachen nicht morgens auf mit dem Ziel, Geld zu verdienen.«[13] Wie schön, dass es im Silicon Valley niemandem darauf ankam. Und so konnte die schöne neue Welt sich immer weiter ausbreiten und unser aller Leben nach eigenen Regeln neu erfinden und gestalten.

*

Die Weltkonzerne des Silicon Valley erinnern sich 2040 gerne an ihren unaufhaltsamen Aufstieg. Zunächst an ihre Kinderzeit, die Neunziger, die Zeit des Wilden Westens, als das Internet noch allgemeines Land mit vielen versprengten Siedlern war; ein großes Freiheitsversprechen für alle, das mehr Demokratie und Mitbestimmung verhieß. Doch dann, um das Jahr 2000, waren die Cleveren, die Profis und die Smarten gekommen. Unterstützt von Spekulanten, machten sie das Land auf neue Weise urbar und bewirtschafteten es effektiv. Dabei benutzten sie geschlossene Protokolle, das heißt, sie zäunten ihr Eigentum mit einem Stacheldraht ab, der von außen nicht zu überwinden war. Sie gaben ihren Grundstücken schöne Namen wie Twitter, Instagram, Facebook, LinkedIn oder WhatsApp und kauften sich wechselseitig auf. Ihre Produkte aber wurden ihnen aus der Hand gerissen, wie das halt so ist, wenn man wie Zuckerberg im freien Internet Sachen baut, die man mag, und diese dann zu gut geschütztem Eigentum macht. Tja, und irgendwann gehörte das Internet nicht mehr allen, sondern wenigen: den GAFAs, den Chinesen von BAT (Baidu, Alibaba und Tencent) und der russischen Enklave mit ihren Firmen Mail.Ru Group und Yandex.

Weil niemand ohne mächtige Freunde und Verbündete leben kann, tauschten die neuen Herren der Daten ihre unvorstellbaren Schätze jederzeit gerne mit den Geheimdiensten ihrer Heimatländer aus. Ein gewisser Herr Snowden hatte einstmals darüber geplaudert. In China dagegen gab man sich nicht einmal die Mühe, so zu tun, als wäre es anders. So entstand in den 2010er Jahren der digitale Plan für den besseren Menschen. »Das gab es noch nie in der Geschichte der Menschheit, das gibt es noch nirgendwo auf dem Erdball«, hatte sich der Pekinger Professor Zhang Zheng gefreut. Wie »aufregend«, ein »Amt für Ehrlichkeit« einzuführen, um gute Menschen von schlechten zu unterscheiden.[14] Seit 2020 wird der Mensch in China kontinuierlich verbessert, sodass er tadellos funktioniert. Das »System für Soziale Vertrauenswürdigkeit« erfasst einfach die Daten aller Bürger, schaut, ob sie einen Zebrastreifen benutzen oder Vater und Mutter ehren. Oder ob sie stattdessen ein Kind zu viel bekommen, Filme im Internet raubkopieren und ihren Hundekot nicht beseitigen. Die einen werden vom Staat bevorzugt, die anderen benachteiligt. Sinkt der Punktestand beim »Amt für Ehrlichkeit« in Rongcheng von 1050 auf unter 600 Punkte, dann hat man quasi ausgespielt. Aber wie jeder weiß, kommt es dazu nur in den seltensten Fällen. Chinas Sünderkartei funktioniert nun, im Jahr 2040, seit zwanzig Jahren tadellos. Und das offizielle Ziel der Regierung, dass »die Vertrauenswürdigen frei unter dem Himmel umherschweifen können, den Vertrauensbrechern aber kein einziger Schritt mehr möglich ist«, wurde vorbildlich erfüllt.

In den anderen Teilen der Welt funktioniert das natürlich subtiler. Menschen in Europa und den USA lieben ihre Freiheitsillusion. Aber wirklich anders ist es nicht. »Wir wissen, wo du bist. Wir wissen, wo du warst. Wir wissen mehr oder weniger, worüber du nachdenkst« – die Worte des Google-Topmanagers Eric Schmidt sorgten 2011 noch für etwas Verstörung.[15] Und auch der andere Satz klang durchaus chinesisch: »Wenn es etwas gibt, von dem Sie nicht wollen, dass es irgendjemand erfährt, sollten Sie es vielleicht ohnehin nicht tun.«[16] Seitdem aber wurden solche Sätze einfach nicht wiederholt und gerieten irgendwann in Vergessenheit. Das sollte aber nicht darüber hinwegtäuschen, dass Algorithmen schon in den 2010er Jahren in den USA darüber entschieden, wie wahrscheinlich es war, dass ein Straftäter rückfällig würde, und wie hoch das Strafmaß. Das Wissen um die Vergangenheit, mathematisch gespeichert, bestimmte die Gestaltung der Zukunft. Individuen wurden nicht mehr als willensfrei angesehen und psychologisch begutachtet, sondern berechnet und abgestempelt. Und wer einmal eine bekannt gewordene Verfehlung beging, wurde oft nie mehr irgendwo eingestellt. Krankenkassen begannen ihre Tarife individuell nach überwachten Ernährungs- und Gesundheitsdaten auszurechnen. Und Firmen verlangten detaillierteste Auskünfte über Blutdruck, Glukose, Cholesterin, Triglyzeride und Taillenumfang und berechneten danach die Krankenversicherungskosten.

Was in Europa aus Datenschutzgründen in den 2010er Jahren noch verboten war, wurde in den 2020er Jahren geschickt umgangen. Und schließlich gab es schon bald keinen Unterschied mehr zu den USA. Es entwickelte sich eine Gesellschaft wie im Film *Demolition Man* von 1993: Gewalttaten und Verbrechen existieren nicht mehr, jedenfalls nicht als banale Kriminalität auf den Straßen. Allerdings achten die Menschen auch darauf, dass sie nicht öffentlich fluchen, keine abweichenden Meinungen vertreten oder ihr Bedürfnis nach Sexualität öffentlich zeigen. Die fruchtbare Mesalliance aus Internetkonzernen und Geheimdiensten hat das Verhalten normiert. Sie blieb nicht nur erhalten, sondern wurde immer intensiver bis zum Personalaustausch, der sich schon in den 2010er Jahren bewährte. Und im Gegenzug zum Informationsgewinn wurde das Geschäftsmodell, Serviceleistungen mit Spionage, Datenhandel und Werbung zu finanzieren, vom Staat nicht angetastet.

Über die Jahre änderten sich damit zugleich die Philosophie und die Grundwerte der Gesellschaft. Im 20. Jahrhundert hatten sich die freiheitlichen Staaten Europas und die USA noch auf die Aufklärung berufen. Man beschwor den Geist von Locke, Rousseau, Montesquieu und Kant. Man betonte die Freiheit und Gleichheit aller Menschen und verwies auf die Erklärung der Menschenrechte. Und den angemessenen Gebrauch der Freiheit sah man, mit Kant, darin, seine Urteilskraft einzusetzen. Im fortgeschrittenen 21. Jahrhundert kann davon keine Rede mehr sein – oder nur in Sonntagsreden. Man hat Autonomie gegen Bequemlichkeit getauscht, Freiheit gegen Komfort und Abwägung gegen Glück. Das Menschenbild der Aufklärung findet in der schönen neuen Digitalwelt der Überwachungssensoren und Digital-Clouds einfach keinen Platz mehr. Wozu Urteilskraft, wenn Algorithmen und diejenigen, denen sie gehören, mich besser kennen als ich mich selbst? *Das Leben ist ein Zeitvertreib.* »Mündig« sind nicht meine Vernunft, mein sogenannter Wille und mein Wissen um mich selbst. Viel mündiger, weil kundiger, ist die Summe meines Verhaltens, in Algorithmen erfasst, erzählt es mir nicht nur, was ich getan habe und wer ich bin, sondern auch, was ich als Nächstes tun werde. In dieser Welt ist für Freiheit im altmodischen Sinne kein Platz mehr, allenfalls für die Freiheitsillusion, die Menschen halt ebenso brauchen wie ab und zu einen Blick ins Grüne, hinreichend Sport und ganz viel Anerkennung.

Das Zauberwort des 21. Jahrhunderts ist nicht »Urteilskraft«, sondern »Verhalten«. Für die Philosophen der Aufklärung war das Handeln des Menschen Ausdruck seiner Willensentscheidungen. Aber zu Anfang des 20. Jahrhundert wendete sich das Blatt. Der Behaviorismus kam in Mode und mit ihm eine neue Sicht auf Organismen. Ob Tier oder Mensch, für einen Forscher wie den US-amerikanischen Psychologen John B. Watson war jeder Organismus eine Reiz- und Reflexmaschine. Ein Lebewesen ertastet seine Umwelt und erfährt dabei Reizwirkungen. Reflexartig meidet es das, was Unlust hervorruft, und folgt dem, was Lust auslöst. Ob explizites Handeln oder implizites Denken – beides funktioniert nach dem gleichen Schema, mal äußerlich sichtbar und mal nicht. Lebewesen entscheiden nach einem Reiz-Reflex-Mechanismus, ihr Verhalten zu ändern. Beobachtet man diesen Vorgang lange genug, so lässt sich jedes Verhalten irgendwann sicher prognostizieren.

Das Verhalten von Organismen mit technischen Systemen gleichzusetzen war danach nur noch ein kleiner Schritt. Getan wurde er vom US-amerikanischen Mathematiker Norbert Wiener. Im Jahr 1943, als Wiener das Verhalten von Kampfflugzeugpiloten im Zweiten Weltkrieg analysierte, begründet er die Kybernetik: die Wissenschaft der Steuerung und Regelung von Maschinen, lebenden Organismen und sozialen Organisationen. Denn ist Verhalten erst einmal analysiert, so kann man es gezielt steuern durch die Veränderung der Umwelt. Wiener dachte dabei an so harmlose Dinge wie Prothesen anzufertigen, die sich gut steuern lassen. Er dachte nicht daran, aus seinen kybernetischen Einsichten ein Geschäftsmodell zu machen und Menschen gezielt zu manipulieren, indem man ihre Umwelt verändert. Später träumte er von einer »Automation«, die wie bei Oscar Wilde langweilige menschliche Arbeit ersetzt und Menschen dabei hilft, sich weiterzubilden, sich auszuprobieren und ihre künstlerischen Fähigkeiten zu erweitern. Schon der Titel seines 1948 erschienenen Buchs war Programm: *The Human Use of Human Beings – Cybernetics and Scociety* (dt.: *Mensch und Menschenmaschine – Kyber-*

netik und Gesellschaft). Intelligente Maschinen sollten »zum Nutzen des Menschen eingesetzt werden, ihm mehr Freizeit verschaffen und seinen geistigen Horizont erweitern, aber weniger dazu, Profite zu machen oder die Maschine als neues Goldenes Kalb anzubeten«.[17]

In den folgenden Jahrzehnten spaltete sich die Kybernetik in zahlreiche Disziplinen, von der künstlichen Intelligenzforschung bis zur Verhaltensökonomik. Deren letzter Schrei, das Nudging – das gezielte Ködern, um ein erwünschtes Verhalten zu befördern –, brachte dem US-Ökonomen Richard Thaler 2017 den Nobelpreis ein. Sein Kollege Cass Sunstein wechselte, mit diesem Wissen ausgerüstet, bereits 2009 in die Informations- und Propagandaabteilung des Weißen Hauses.

Ob man Maschinen programmiert oder Menschen konditioniert – der gleiche Mechanismus bestimmt und steuert das Verhalten. Von einem Tabu, aus kybernetischer Steuerung Profit zu schlagen, ist im 21. Jahrhundert allerdings keine Rede mehr. Seit Google, Facebook und Co. ist es das profitabelste Geschäftsmodell der Welt! Im ersten Schritt verkauft man die Daten von Menschen, die eine Suchmaschine oder ein soziales Netzwerk nutzen. Man setzt sie zu Profilen zusammen, tütet sie ein und offeriert sie an den Meistbietenden. Im zweiten Schritt analysiert man die Daten so, dass abzusehen ist, welches Verhalten der User als nächstes an den Tag legt. Durch Informationsauswahl oder Kaufempfehlungen, mitunter geschickt versteckt, lässt sich dieses Verhalten zugleich steuern. Auf diese Weise wird Verhalten derart manipuliert, dass es den Wünschen des Unternehmens, seiner Werbekunden oder im Zweifelsfall auch denen von Geheimdiensten entspricht.

Dass russische Hacker 2016 mit großer Wahrscheinlichkeit den US-amerikanischen Wahlkampf manipulierten, mochte damals noch ein Aufreger gewesen sein. Inzwischen weiß jeder, dass alle erdenklichen Regierungen, Firmen, Dienste und Organisationen Wahlen beeinflussen; schlichtweg deshalb, weil es so einfach geht. Und Wahlen sind in diesem Reigen nichts Besonderes. Wie irrelevant sind sie im Vergleich zur täglichen milliardenfachen Manipulation jedes einzelnen Menschen! Die sozialen Netzwerke verändern laufend die Umgebung, in der sich die Reiz- und Reaktions-Mechanismen der User abspielen, und manipulieren damit Entscheidungen, Wünsche, Vorlieben und Absichten. Nein, die Werte der Aufklärung und ihr pathetisches Menschenbild vom »Herren des eigenen Urteilsvermögens« kennt das Jahr 2040 nicht mehr. Es ist weder notwendig, um den Einzelnen glücklich zu machen, noch braucht man es für die Postdemokratie – jene erfolgreiche Staatsform, welche Demokratie täuschend echt simuliert, obwohl gewählte Politiker in ihr gar keine Macht mehr haben.

Niemals würde sich die Politik auf dem Niveau der Kybernetik des 21. Jahrhunderts auf Menschen verlassen, die wie auch immer Parlamentarier geworden sind. Warum die Zukunft der Gesellschaft den Unbilden der Demokratie überlassen, statt sie effizient zu gestalten? Warum sie einem Volk überlassen, wenn man sie lenken und erzeugen kann? Rancières Postdemokratie ist 2040 schon lange Realität. Politik wird modelliert und simuliert, medial verkauft und von Technokraten im Hinter- oder Vordergrund entschieden. Wahlkämpfe dienen als Placebo, bedienen nostalgische Gefühle und täuschen über die realen Machtverhältnisse hinweg. Schon in den 2010er Jahren waren sie so inszeniert, thematisch verengt und durchgeplant, dass wirkliches Leben in ihnen nicht mehr stattfand. »Kanzlerduelle« zwischen genau gleich konzeptlosen Kandidaten waren sportliche Showdowns auf Yellow-Press-Niveau. Und was der britische Soziologe Colin Crouch bereits 2004 beobachtete – die immer negativere Bewertung öffentlicher und staatlicher Institutionen –, führte schließlich zu deren vollständiger Entmachtung. Was für die Wirtschaft gilt, gilt auch für die Politik: Der wirkliche Mächtige befindet sich unsichtbar auf der Rückseite des Spiegels.

*

Schauen wir uns das Jahr 2040 noch genauer an. Diejenigen, die 2018 versprachen, die Welt besser zu machen, haben fast sämtliche Macht übernommen. Eric Schmidts Slogan »*To connect the world is to free the world*« erscheint als blanker Zynismus. Wenige Menschen sagen Computern, was sie tun sollen. Viele tun das, was Computer ihnen sagen. Und noch mehr arbeiten gar nicht mehr. Sehr viele Tätigkeiten, die früher Fertigkeiten voraussetzten, müssen nicht mehr selbst geleistet werden. Die Folge ist eine historisch beispiellose Rückentwicklung von handwerklichem Können, Orientierungsvermögen und Bildung. Die Menschen haben verlernt Auto zu fahren, Karten zu lesen, sich alleine in der Welt zurechtzufinden. Sie müssen sich nichts mehr merken, weil elektronische Geräte uns an alles erinnern, und speichern immer weniger Wissen über die Welt, weil Geräte dies für uns übernehmen. Die meisten Menschen sind wieder zu Kleinkindern geworden, in ihrem Wissen über die Welt, ihrer Abhängigkeit von (technischer) Fürsorge und ihrem mangelnden Lebensmut, ohne Hilfsgerät (oder bald einem Chip im Kopf) das Haus zu verlassen. Kommunizieren tun sie durch steinzeitliche Piktogramme, und infantil teilen sie die Welt in Likes und Dislikes.

Solchermaßen frei von Urteilskraft, lässt sich ihnen ihr Geld leicht entlocken. Seit den späten 2010er Jahren verzichtet niemand mehr aufs Digital Pricing. Alle Preise, online und im Geschäft, sind nicht mehr verlässlich, sondern richten sich nach dem, wer kauft, wann er kauft und wie viele etwas kaufen. So lässt sich der Kunde optimal ausnehmen. Intelligente Maschinen arbeiten mit Tausenden Faktoren, um Preise so an Verbraucher anzupassen, dass diese dabei stets den Kürzeren ziehen. Während Menschen, die sich ihr Leben lang und jeden Tag mit Preisen beschäftigen, versuchen, nicht unter die Räder zu kommen, werden alle anderen geschädigt. Langzeitkunden bei Versicherungen, Smartphones oder zu bezahlenden Medienangeboten werden dafür bestraft. Aus Treue zum Kunden ist Verrat geworden. Doch auch hier greift das Prinzip der *shifting baselines*. Das alles geschieht so oft und so alltäglich in kleinen Schritten, dass es irgendwann keinen mehr stört. Die Amoralität von gestern ist die Normalität von morgen.

Im Jahr 2040 regt das keinen mehr auf. Man trägt Chips in den Klamotten, die dem Hersteller den jeweiligen Standort verraten. Und wer auch immer irgendwo etwas kauft, ist seitdem in dessen Visier. Algorithmen bestimmen alles. Und für jeden Lebensbereich gibt es Waren und Glücksversprecher. An unseren Spuren im Netz erkennt man, wer wir sind. Und unsere Netzidentität gilt in dieser Welt als objektiver und damit realer als das, wofür wir uns selbst halten. Unser Leben ist nicht Sein, sondern Design, eine an unsere errechneten Bedürfnisse angepasste Benutzeroberfläche. Nirgendwo stellt sich uns ein Widerstand entgegen. Unsere Umwelt ist intelligent wie im Schlaraffenland. Die Dinge gehorchen uns aufs Wort und kommen zu uns gefahren und geflogen, noch bevor wir sie gerufen haben. Nicht nur unsere Städte sind smart, unsere Wohnungen sind es auch; alles funktioniert auf Fingerschnippen. Der Mangel an Kriminalität und Gefahren macht uns so frei, dass wir eigentlich die Haustür aushängen könnten, wie die Bewohner von Thomas Morus' Insel Utopia. Wie herrlich ist doch die Freiheit in der Unfreiheit; es gibt kein falsches Leben in der richtigen Matrix.

Überfordert davon sind nur die Alten, die eine andere Zeit kannten und im Super- oder Gigamarkt darunter leiden, dass niemand mehr mit ihnen spricht, weil keiner da ist, außer dem Roboter mit den Kulleraugen, der aussieht wie ein Staubsauger. Oder die sich die tausend Zahlen, Zugangscodes und Kennwörter nicht mehr merken können, auch nicht die zu den Apps, die eben dabei helfen sollen. Kinder, die 2018 geboren wurden, haben damit allerdings kein Problem. Sie haben sich daran gewöhnt, sich Passwörter und Codes zu merken statt alles andere.

Allerdings werden sie im Alter nicht auf eine Welt zurückblicken können, sondern nur auf Beschäftigungen und Spiele. Zwar hätten deren Eltern noch 2018 erkennen können, worin der Wert einer »Welt« liegt, eines Lebens, das man sich mit Versuch und Irrtum durch gute und schlechte Erfahrungen gestaltet hat. Und je älter man wird, umso bewusster wird einem in der Regel der emotionale, der kreative und der moralische Grundstock der eigenen Kindheit. Aber genau diese Eltern haben schon in den 2010er Jahren ihren eigenen Kindern nahezu alle schlechten Erfahrungen vorsorglich erspart und sie in technische Superwelten abtauchen lassen, die sie völlig ohne das Risiko eigener Erfahrungen begehen konnten und die sie nicht selbst mitgestaltet haben. So haben sie bei jedem richtig getuteten Flötenton zwar eine Hochbegabung gewittert und getwittert, aber gleichzeitig zugesehen, wie sich die Fingerfertigkeit ihrer Kleinen aufs Tippen und Wischen reduzierte. Dass die Zeit, die Kinder mit Smartphones und Tablets verbringen, Zeit ist, die sie nicht anderweitig nutzen, war ihnen durchaus klar. Das Leben baut nichts auf, wozu es nicht die Steine woanders herholt. Aber wichtiger noch als die hehren Erziehungsideale waren ihnen letztlich doch der häusliche Frieden und Kinder, die deshalb nicht quengeln und nerven, weil ein Flachbildschirm sie bespaßt.

Die Generation der Anfang Zwanzigjährigen ist 2040 weitgehend das geworden, was die Marktforschung schon zum Zeitpunkt ihrer Geburt als Charakter ihrer Zielgruppe definiert hat. Sie sind nicht Mensch oder Bürger, sondern Kunde, User oder Verbraucher und als diese egoistisch, ungeduldig und faul. In dieser Hinsicht hat sie die allgegenwärtige Werbung mit einem Milliardenaufwand seit ihrer Geburt umschmeichelt und daran appelliert, sich Vorteile vor anderen zu verschaffen, diese neidisch zu machen und alles sofort zu erwarten und sich mit nichts mehr Mühe geben zu müssen.

Da diese Kinder die unendliche Dosis an Liebe, die ihre Eltern ihnen geschenkt haben, später dauerhaft bei kaum einem Partner finden können, werden sie Nomaden, die pausenlos ihr Glück suchen, weil sie den Zwischenzustand zwischen lustvollen Ereignissen immer schlechter ertragen. Der alltägliche Bedarf an Außeralltäglichem ist enorm. Ihr Lebensfilm muss schnell geschnitten sein, pausenlos voller Überraschungen und Höhepunkte, aber zugleich ohne Risiko. Und in allem suchen sie den optimalen Nutzen, das ultimative Erlebnis zum günstigsten Preis, was Aufwand und Geld betrifft. Ihr Leben hat sich der *Diktatur des »um zu«* unterworfen. Alles, was man tut, verfolgt einen Zweck, zumeist den, Spaß zu haben. Die Sehnsucht gilt dem *Elysium,* wie im gleichnamigen US-Spielfilm von 2013, in dem die Privilegierten ihr schönes buntes Leben feiern, während die Erde, abgewirtschaftet und überbevölkert, den Bach runtergeht. Da das tatsächliche Elysium allerdings nach wie vor wenigen vorbehalten ist und der Aufenthalt in dieser Welt der Profiteure vererbt wird, bespaßen die Herrschenden alle anderen mit Millionen Produkten aus der Sinn- und Unsinnsindustrie. Die Grenzen zwischen Realität und Fiktion verschwimmen im Alltag so sehr, dass sich die Frage danach nicht mehr stellt.

So lässt sich die Horrorwelt der Megacitys in den Entwicklungsländern ebenso aushalten wie der verheerende Zustand des Planeten, der den Herrschenden im Jahr 2040 so gleichgültig ist wie im Jahr 2018. Keine digitale Supermacht hat sich dieser Probleme angenommen, sondern stattdessen die Fäulnis und den Schimmel der Welt immer nur neu mit frischen Farbschichten überblendet. Die durchfiktionalisierte Gesellschaft lässt Elend, Armut und Umweltkatastrophen als Informationen unter anderen erscheinen, eine Wischbewegung weiter wird es wieder bunt und lustig. Die Hunderttausende von Toten, die jedes Jahr an den Grenzen der privilegierten Welt erschossen werden, weil auch sie ins grundversorgte digitale Nirwana drängen, sind bekannt, kommen aber im moralischen Bewusstsein so wenig vor wie etwa im Jahr 2018 die Gräuel der industriellen Tierhaltung; nicht schön, aber es geht wohl nicht anders.

Verdrängt wird auch das eigene Alter. Die Chance, körperlich intakt über einhundert Jahre alt zu werden, ist 2040 groß. Die Menschen werden gesundheitlich dauerhaft überwacht, die Daten gesammelt und sekündlich ausgewertet. Nicht zuletzt die Krankenkassen bestehen darauf. Gentechnik und Reproduktionsmedizin wirken wahre Wunder. Nur die Demenz lässt sich nicht ausrotten, vielleicht weil deren Erforschung der Gesellschaft auch 2040 weniger Geld wert ist als die Millionen standardisierter Schönheitsoperationen. Wer es ins Elysium geschafft hat oder – besser noch – dort hineingeboren wurde, wird im Alter von Menschen gepflegt. Es sind smarte hübsche Pfleger und Pflegerinnen, adrett wie aus der Zahnpasta-Werbung. Wer nicht dazugehört, um den kümmert sich ein süßer Roboter mit starken Armen und kuscheligem Fell. Alles ist gut, denn der innere Kompass, der zwischen Organischem und Anorganischem unterscheidet, ist längst abgestellt, ebenso wie das Gefühl für das eigene körperliche Befinden. Wie es mir geht, weiß nur noch die Maschine. Sie ist mein verlängertes Ich, mein Herr und Hüter. Sie hilft uns aus aller Not, die uns jetzt hat betroffen.

So wie die Menschen 2040 das Gefühl für ihren Körper verloren haben oder erst gar nicht mehr gewannen, so hat sie auch der Instinkt für das Biologische im Allgemeinen verlassen. *Die Menschen der Zukunft fühlen sich näher mit Computern verwandt als mit anderen Tieren.* Unser Gefühl für den Zusammenhang der Natur ist verloren gegangen. Die Welten, in denen Menschen 2040 leben, haben nichts mehr mit unmittelbarer Naturerfahrung zu tun. Was uns begegnet, stammt aus Menschen- oder Maschinenhand, ist Kultur- oder Technikwelt – und auch diese sind ununterscheidbar miteinander verschmolzen. Alles, was wir sehen, spiegelt den Menschen wider. Diese Welt ist ohne Transzendenz. Denn je mehr der Mensch via Technik über die Natur herrscht, umso seelenloser erscheint ihm das Beherrschte.

Staunen erregen nur noch die Gimmicks der Technik, inszeniert in den Tempelhallen des Konsums, illuminiert wie Preziosen, zelebriert als Kultgegenstände. Wieners Angst vor dem goldenen Kalb bestätigt sich bereits in den Apple-Stores des frühen 21. Jahrhunderts. In der Feier seiner technischen Leistungen frönt der Mensch einem kollektiven Narzissmus. Es gibt keine Werte mehr, die wir nicht selbst geschaffen haben. Die Natur ist entwertet, viel zu unspektakulär geworden und für unsere Kinder nichts als eine Enttäuschung an Langsamkeit und überschaubaren Dimensionen. Gegen die Simulation hält die Wirklichkeit nicht stand. Gefühlsdimensionen wie »Heimat«, »Natur«, »Ursprünglichkeit«, »Authentizität«, »Geborgenheit« und so weiter sterben aus. Irgendwann weiß keiner mehr, was das war, und dass es ihm fehlt. *Der Mensch des Jahres 2040 lebt in einer digitalen Obdachlosigkeit.* Wer mit seinen Bits und Bytes überall zu Hause ist, ist nirgendwo zu Hause!

Darüber täuschen auch nicht die Psychotope hinweg, die hierachielosen Großraumbüros des Silicon Valley mit ihren rund ausgeschnittenen Kreativ-Schreibtischen, die Fitnessstudios und Glasgewächshäuser, die das Immersionsgehege für Geeks angenehm machen sollen; eine Welt, so natürlich wie Mallorca am Nil auf Hawaii, inzwischen in allen Unternehmen der Welt kopiert. Die Lebenswelten ihrer Bewohner sind arm an Erfahrung und angefüllt nur mit medial vermittelten Bildern. Wie anders ließe sich erklären, dass hier niemand eine Antwort auf den Hunger, die Ungerechtigkeit in der Welt, auf Migration, auf die Plünderung des Planeten sucht? Die Welt der Geeks scheint all dies nicht zu kennen, sondern sie trägt seelenruhig dazu bei, die echten Probleme der Welt zu vergrößern, während man über Lösungen für Probleme nachdenkt, die noch nie welche waren. Man denke an die 3D-Brillen, die ein ostasiatischer Hersteller Ende der 2010er Jahre entwickelte, die jedem Lufthansa-Passagier auf dem Flug einen so tollen Idealfilm seines Urlaubziels zeigte, dass das reale Land nur noch eine Enttäuschung sein konnte. Keine Wirklichkeit löst mehr ein, was das Kopfkino verspricht. Oder jene Passagiere, die mit ihren Darth-Vader-Masken der gleichen Firma durch den Fußboden des Fliegers gucken konnten, bis ihnen so kotzübel von der Armut unter ihren Füßen wurde, dass sie es wieder bleiben ließen. Wer so etwas entwickelte, verriet bereits lange vor 2040: Der Instinkt für die Realität ist verloschen! Und statt die Sorgen und Nöte der Welt zu hören, träumte man davon, Menschen vollständig mit Maschinen zu verschmelzen. Oder noch besser, den Supermenschen zu erzeugen ...

*

Braucht der Supermensch kein sauberes Trinkwasser, keinen Regenwald, kein Leben in den Ozeanen mehr? Kommt er mit jedem Klima auf der Erde zurecht? Muss er sich nicht mehr von dem ernähren, was die Erde hervorbringt? Wie seltsam, dass sich der Vizepräsident von Google, Sebastian Thrun, 2016 nicht die geringsten Gedanken darüber machte, als er vom »Supermenschen« schwärmte. »Durch künstliche Intelligenz wird es uns möglich sein, noch stärker als bisher über die natürlichen biologischen Grenzen unserer Sinne und Fähigkeiten hinauszugehen. Wir werden uns an alles erinnern, jeden kennen, wir werden Dinge erschaffen können, die uns jetzt noch völlig unmöglich oder gar undenkbar erscheinen.«[18] Seltsam, dass damals keiner schmunzelte, weil das Ziel, uns an alles zu erinnern und jeden zu kennen, so idiotisch war. Und dass der Interviewer sich nicht vor Lachen die Hand vor den Mund halten musste, als Thrun auf die Frage »Was treibst du eigentlich, wenn du Feierabend machst und abends nach Hause kommst? Wie schaltest du ab?« antwortete: »Es gibt keinen Schalter. Meine Familie und ich streben gemeinsam danach, die Welt zu einem besseren Ort zu machen.«

Macht uns Thruns Welt glücklicher, oder macht sie uns irre? Sollen wir tatsächlich wie er und seine Freunde danach streben, den Tod zu besiegen, während die Weltbevölkerung immer rasanter zunimmt und die Lebensressourcen des Planeten schwinden? Der Mensch hat den Instinkt verloren, sich als Säugetier weiterhin in seiner Natur zurechtzufinden und sich in sie einzupassen. Seit dem Beginn kapitalistischen Wirtschaftens behandelt er seine Umgebung wie ein Virus, das seinen Wirt befällt, ausbeutet, zerstört und dann weiterzieht, bis es keine angemessene Umgebung mehr finden kann.

Auch das Jahr 2040 ist noch bestimmt von dieser zerstörerischen Lebensweise. Und die kindliche Fantasie vom Menschen als einem technoiden Supermann ist nicht ausgeträumt. Ganz im Gegenteil: Der Kult des Inhumanen hat sogar noch weiter zugenommen! Technik ist Religion, und schon 2060, so versprechen es ihre Hohepriester im Jahr 2040, werden die Gestorbenen sich in einer Matrix digital speichern lassen. Das Gehirn – digital konserviert! Reinkarnation in der Technosphäre lautet die Verheißung. All das hatte schon in den 2010er Jahren der Leiter der technischen Entwicklungsabteilung bei Google, ein Mann mit dem launigen Namen Raymond Kurzweil, prognostiziert. Was er nicht sah, war, dass für die Unsterblichkeit auf der Erde kein Platz mehr war. Denn während wir noch 2040 daran arbeiteten, unsterblich zu werden, schafften wir parallel dazu durch Energie- und Ressourcenverbrauch die Menschheit ab.

Die Menschen sollten nie erfahren, ob eines Tages, gleichsam naturgesetzlich, wie die Auguren der Technik vorhersagten, das Zeitalter der »Singularität« einbrechen würde – das Zeitalter der künstlichen Intelligenz, die das Anthropozän beendete. Denn noch lange bevor eine übermenschliche Intelligenz das Ende der Menschheit einläuten konnte, war der Planet Erde unbewohnbar geworden. Zumindest diese Sorge also, die Angst vor der fünften industriellen Revolution, war umsonst. Der Kampf von Mensch gegen Maschine, vorhergedacht in Stanley Kubricks *2001: Odyssee im Weltraum*, fand nicht mehr statt. Und auch das Problem, wie man künstliche Intelligenz mit guter menschlicher Moral ausstatten könte, das den »Transhumanisten« Nick Bostrom Zeit seines Lebens beschäftigen sollte, stellte sich am Ende nicht mehr. Er hätte die Frage für die Gesellschaft der Menschen stellen müssen! Die nämlich löschten sich 2070 ganz ohne die Ermächtigung böser Superroboter aus – dadurch, dass sie weiter an ihrer künstlichen Intelligenz bastelten, ohne ihre natürliche dafür einzusetzen, ihre tatsächlichen Probleme zu lösen. Die Supercomputer, Riesenserver und nur fast allmächtigen Roboter aber blieben unvollendet auf der Erde zurück wie Fahne, Fahrzeug, Sonden und Satelliten der Astronauten in der ewigen Stille des Mondes. Doch unten auf der Erde frisst sie die Zeit, nagt über Jahrmillionen der Rost an ihnen. Was wird von ihnen bleiben? Nur das, was über sie hinwegfegt – der Wind!

Das Vergangene ist nie tot

Die Retropie

Gesellschaften brauchen ihre Geschichte. Sie gibt dem Relief unseres Lebens seine Tiefe. Sie ist ihr Resonanzraum. Das Gewordene kann sich nur als das, was es ist, erkennen, indem es weiß, woraus es geworden ist. Menschen sind Bewohner dreier Zeiträume: Vergangenheit, Gegenwart und Zukunft. Insofern ist das Vergangene nie tot, ja, es ist nicht einmal vergangen – jedenfalls nicht, solange es in den Köpfen von Menschen gegenwärtig ist. Und die Zukunft ist nie ein Versprechen an sich, sondern sie ist es immer nur im Horizont einer Gegenwart, deren Sorgen sie lindert.

Die Nöte und Notwendigkeiten des menschlichen Lebens folgen nicht dem Schema von Problem und Lösung. Fast alles, was uns im Leben wert und wichtig ist, ist weder ein Problem noch die Lösung desselben. Unsere Widersprüche und Eigenheiten, unsere unverarbeiteten Erfahrungen, unsere schillernden Erinnerungen, unsere Passionen, unsere Erfolge und Niederlagen verschwinden nicht dadurch, dass jemand Lösungen für sie anbietet. Und keine Zukunft bricht an, die nicht getränkt wäre von lieb gewordener und durchlittener, abgestreifter und mitgeschleppter Vergangenheit. Menschen lieben das, was sie sind, oft mehr, als sie selbst wissen. Sie schätzen ihre Erfahrungen, eben weil es *ihre* Erfahrungen sind. Denn was sind wir im Alter anderes, als unsere eigene Geschichte.

Kein Wunder, dass Menschen Erschütterungen und Umbrüche – *Disruptionen* eben – nur selten oder einzig dann schätzen, wenn sie sich unmittelbaren Vorteil davon versprechen. Normalerweise hingegen mögen sie es sehr, in Raum und Zeit den festen Boden von Traditionen, Überlieferungen, Gewohntem und Fortsetzbarem zu spüren. Dass sich die Dimensionen derzeit rasant verschieben – Millionen Menschen, die von anderen Kontinenten nach Europa oder in die USA drängen, gepaart mit einer enormen Beschleunigung der Zeit, die alles, was gestern galt, nichtet –, erzeugt eine Angst, die nicht einfach nur irrational ist. Viele Ängste des Menschen mögen zwar im Wortsinne nicht rational sein, sondern eben emotional – aber sie sind durchaus vernünftig. Ängste sichern das menschliche Überleben seit den Anfängen unserer Spezies. Ein Dach über dem Kopf, ein überschaubares Terrain und Lebensvorgänge, die ich deuten und verstehen kann, sind biologisch wichtig und damit auch psychologisch. In einer Wirtschaftsform, die allen Raum auf unserem Planeten entgrenzt, Kulturen im Eiltempo entwurzelt, Tradition durch Neues ersetzt, flache Gesellschaften in Arm und Reich spaltet und überall Bedürfnisse und Bedarf weckt, sind solche Seelenheimaten belanglos. Ein ähnlicher Wandel vollzieht sich mit unserem Zeitempfinden. Unsere Wirtschaft hat den Wandel, die Beschleunigung und die Veränderung zur Religion gemacht. Sie erklärt das Werden zum Kult auf Kosten des Seins. Auf diese Weise bedroht sie sich unausgesetzt mit ihrer eigenen Vergangenheit. Althergebrachtes ist anrüchig, weil es alt ist.

Die Koordinaten von Zeit und Raum, in denen Menschen noch im 20. Jahrhundert lebten, lösen sich auf. Die Erfahrungen, die Menschen aus dieser Zeit miteinander teilen, ihre Gemeinsamkeiten werden in Windeseile zu Vergangenem und Abgelegtem. Die Propagandisten der Digitalisierung, wie wir sie bisher kennen, fragen nicht, ob man das, was man bewirbt, *gut und richtig* findet, und auch nicht, ob es sich mit unseren Werten verträgt. Die Frage ist, ob wir es *rechtzeitig* tun, damit wir nicht den Anschluss verlieren. *Aus einer moralischen Frage ist eine Zeitfrage geworden.* Nicht Urteilskraft, Bewertung und Zustimmung bestimmen über die Gesellschaft der Zukunft, sondern *Sachzwänge.* In diesem Sinne kürzt die Beschleunigung die Moralität heraus: Digitalisierung first – Bedenken second.

Doch wer vermittelt, dass er die Vergangenheit und die Gegenwart nicht mehr für fortsetzbar hält, jedenfalls nicht kontinuierlich, der darf sich über eine Flut von Bedenken nicht wundern. Die Menschen in Deutschland 2018 leben noch nicht in der dystopischen Duldungsstarre von 2040. Kann man verdenken, dass auf Wirtschaftsforen auch im Jahr 2018 im Publikum ergraute Wölfe sitzen, die schon viel Schnee gesehen haben und die sich den Berufsoptimismus der Technik-Gurus nicht länger anhören wollen? Wenn die Gedanken in eine gute alte Zeit wandern, als Manager noch Deutsch konnten und Dinge gut waren, weil bewährt? Als Eltern und Kinder noch dasselbe schlechte Fernsehen schauten und bei Tisch miteinander sprachen? Wo Männer noch Männer waren und nicht beinglatte Wollmützenjungs? Sie fühlen, dass die Techniker den Menschen noch nie verstanden haben und dass er den Finanzspekulanten egal ist. Warum also sollte man die Zukunft ausgerechnet ihnen überlassen?

Sie fühlen es, aber sie finden dafür nur selten die passenden Worte. Und sie sind leise und vorsichtig in ihrer Kritik. Sie wissen, dass ihr Unbehagen nicht gefragt ist. Und wollen sie sich zum alten Eisen ausmustern, als Ewiggestrige abstempeln lassen? Ja, ja, die Menschen haben sich schon immer vor Umbrüchen gefürchtet; die Maschinenstürmer zu Anfang des

19. Jahrhunderts haben die Zeichen der Zeit nicht erkannt und Kaiser Wilhelm II. was vom Pferd erzählt. Und hat's nicht (fast) alle am Ende freier, gesünder und reicher gemacht? Ist der Fortschritt für dich zu stark, so bist du zu schwach. Die Fisherman's-Friend-Logik lässt noch jeden seelenvertriebenen Zukunftsskeptiker in der Wirtschaft verstummen.

So bleibt er mit seinen Sorgen allein. Was ehedem richtig und sinnvoll war, ist es nicht mehr. Sein Job verlangt von ihm, dass er bei etwas mitmacht, was er nicht überschaut, nicht absehen kann und bei dem ihm seine Gefühle im Weg stehen. Sein Wissen und Können von gestern sind im Digitalzeitalter nichts wert. Was soll er seinen Kindern weitergeben? Seine Lebensweisheiten und Denkgewohnheiten, das technische Know-how, die Sitten und Gebräuche veralten wie die Möbel. Was seinen Großeltern noch ein Leben lang ein Zuhause war, wechselt im Takt von Dezennien. Braucht noch jemand seine Bücher? Seine Kinder haben nicht einmal Regale. Und niemals wird er zu ihnen sagen können: »Mach es wie ich!«

Doch die Gedanken, Gefühle und Interessen der Menschen scheinen nicht mehr zu zählen. Für den weltklugen irischen Konservativen Edmund Burke, einen Schriftsteller und Politiker des 18. Jahrhunderts, waren sie der einzige feste Halt von Autorität. Nicht Gesetze, Sätze auf Papier mit Unterschriften, entscheiden darüber, ob eine Gesellschaft zusammenhält, blüht und sich entwickelt, sondern ihre »Gemeinsamkeiten, Ähnlichkeiten und Sympathien füreinander«. Ihre »Sitten, Umgangsformen und Lebensgewohnheiten« stiften den sozialen Kitt; »Verpflichtungen, die mit dem Herzen besiegelt wurden«.[19] Doch offenkundig kümmern sich die großen Digitalkonzerne bei der Ausübung ihrer neuen Weltherrschaft herzlich wenig um die Maxime, Macht auf Sitten und Gebräuchen zu gründen. Die digitale Revolution ist nicht nur ein

Angriff auf den Arbeitsmarkt und das Zusammenleben, sondern auch auf die Ästhetik der Völker. Mode und Sprache normieren sich gleichermaßen, und aus Deutsch wird Denglisch. Selbst die Kreativität wird normiert, ist sie erst einmal eingefriedet in Großraumbüros und Future Labs. Ein Zugewinn an Manieren, Distinktionen und Stil, an regionalen Eigenheiten und neuen Traditionen ist weniger in Sicht. Wo auch immer sich die digitale Zivilisation ausbreitet, nirgendwo passen sich die Digitalkonzerne an die Kultur an. Im Gegenteil: Ihre Einheitszivilisation in Hoodys und Sneakers ist hochinvasiv. Und für Burkes »Sitten, Umgangsformen und Lebensgewohnheiten« reicht der Gebrauch von Smartphones bei Deutschen, Kirgisen, Massai und IS-Kriegern nicht aus. Smartphones stiften keine Wertegemeinschaft!

Soll die Welt aus dieser Haltung heraus zu einem besseren Ort gemacht werden, so setzt sie sich dabei über die unüberschaubaren und unergründlichen Eigenheiten des menschlichen Lebens und Zusammenlebens hinweg. Und sie überschätzt das menschliche Veränderungspotenzial und Veränderungsbedürfnis erheblich – nicht anders als die Tugendterroristen der Französischen Revolution oder die »Erfinder« des »neuen Menschen« in Stalinismus und Maoismus. Statt eines Menschheitsfriedens schufen sie Unruhe, Entwurzelung, Neid und Hass. Herrschaft muss auf *Zustimmung* gründen, nicht auf kultisch verklärten Idealen, seien sie die Tugend, die absolute Gerechtigkeit, die völlige Gleichheit oder die zu Erlösungsfantasien verkitschte Technik. Und wer die Suchmaschine von Google benutzt oder sich auf Facebook oder Instagram herumtreibt und WhatsApp-Nachrichten schreibt, hat seine bewusste Zustimmung nur einer Dienstleistung gegeben, nicht aber einem globalen Herrschaftsanspruch undurchschaubarer Digitalkonzerne.

Dass das, was sich in den Ländern des Westens gegenwärtig ereignet, nicht auf Zustimmung beruht, ist das Gefühl vieler Menschen – trotz freier Wahlen. Über Fragen der Globalisierung oder der Einheitszivilisation wurde nirgendwo abgestimmt. Zumindest ihre Folgen aber werden nun zum Thema; insbesondere die, dass die Menschenströme stets den Kapitalströmen folgen – jedenfalls dann, wenn sie die Möglichkeit dazu haben.

Überall in Europa wird die Globalisierung heute vor allem an dieser einen, weithin sichtbaren Folge diskutiert. Die bunten Gesellen, vom Sturmwind verweht, die Glückssucher mit Plastiktüten, Kopftüchern und Kunstlederjacken, die ihre üblen Erfahrungen und unerfüllten Träume mitbringen, sind keine *Ursache* von irgendetwas, sondern die *Folge* unseres Wirtschaftens, sind *Folge* von ungleichen Lebenschancen und Ressourcen. Doch gerade an ihnen entzünden sich die Gemüter, findet das gesellschaftliche Unbehagen in unserer Zeit sein Ventil. In Deutschland, nicht anders als in anderen europäischen Ländern oder unter Trump-Wählern, träumen viele von Abschottung, um ihre Wohlfühlmatrix nicht teilen zu müssen. Doch glauben sie wirklich, wir bekommen eine Globalisierung de luxe? Nur die Sonnenseite und nicht die Schatten? Europa als digitales Schlaraffenland? Eine Kultur- und Denkmalschutzoase für überalterte, schönheitsoperierte User und Konsumenten? Ein Welterholungsgebiet für Wohlhabende, vom Naturschutz konserviert und vom Klimawandel zu vielen neuen Blüten gebracht? Zugeschüttet durch Produkte aller Couleur von den laufenden Bändern in China und Bangladesch, verkauft als unendlicher Spaß aus der Sinn- und Unsinnproduktion?

Doch die Sehnsucht nach einem besseren Gestern, nach einem Heil in der Vergangenheit ist allgegenwertig. Noch hängen in Deutschland mehr Menschen einer solchen Retropie an als gegen eine wahrscheinliche digitale Dystopie aufbegehren. Geflüchtete Menschen auf den Straßen sind sichtbarer, lauter und für viele verstörender als Algorithmen. Doch anders als die Dystopie lässt sich die Retropie nicht darstellen. In ihrer Angst, Überforderung, Unsicherheit, Aggression und in ihrem Hass schreien Menschen auf deutschen Marktplätzen und in Bierkellern: »Deutschland!« Doch was ist Deutschland, und zu welchem Deutschland wollen sie zurück? Wo beginnt sein Ausverkauf? Sind Pizzerien so undeutsch wie Sushi und Dönerbuden? Ist das Smartphone deutsch? Sind Up- und Downloaden urdeutsche Tätigkeiten? Was war Deutschland einst? Das Land der frühen Ladenschlusszeiten, das Land von Menschen, die noch aus Pflichtgefühl in die Kirche gingen, und in dem selbst Studenten sich siezten? Ein Land, dessen Gastronomie weitgehend aus Strammem Max und Zigeunerschnitzel bestand; dessen Liedgut von geduldeten Ausländern wie Vico Torriani und Caterina Valente bestimmt wurde, bevor in den Siebzigern mit Gesangsmigranten wie Roberto Blanco, Vicky Leandros, Demis Roussos oder Bata Illic alle Dämme brachen. Was ist heute noch deutsch? Blaue Schilder auf Autobahnen? Frakturschrift? Sauerkraut?

Die AfD beschwört auf Marktplätzen die tausendjährige Geschichte Deutschlands. Das ist, trotz finsterer Reminiszenz, nicht falsch. Aber wenn diese Geschichte im 21. Jahrhundert möglicherweise zu Ende geht, so liegt das nicht einfach an den Geflüchteten. Deutschland schafft sich im Eiltempo ab durch die Globalisierung von Waren und Dienstleistungen. Der durchschnittliche Deutsche verbringt mehr Zeit am Tag im *global village* als in jenem Gebilde, dem die Wetterkarte eine Form und der Fußball ein Gefühl gibt. Er feiert X-mas und kauft dafür in seelenlosen globalen Ladenketten ein, ganz gleich, ob auf dem Disneylandpflaster der Fußgängerzone oder im Internet.

Das Deutschland der Rechten dagegen ist eine Bierfantasie, ein Land, das sich nicht vorstellen lässt und das es nicht gibt. Tatsächlich leben wir längst in einer Universalkultur, in der es nun wirklich nicht drauf ankommt, ob ein Syrer oder ein Deutscher digitales Spielzeug bedient, das in den USA erfunden, in Korea vermarktet, von chinesischen Kindern zusammengeschraubt und mit Seltenen Erden bestückt wurde, die ein hungernder Hilfsarbeiter im Kongo aus der Erde gegraben hat.

An alldem haben Deutsche entweder Gefallen gefunden oder es zumindest als ökonomisches Naturgesetz akzeptiert. Unsere Vorstellung von Deutschland – ein ethnisches Volk, ein gesichertes Staatsgebiet, ein geschlossener Wirtschaftsraum – stammt dagegen aus dem 19. Jahrhundert. In der bildschirmflachen Welt des 21. Jahrhunderts hat dieses Bild seine Konturen verloren. Der Markt ebnet alles ein, Geld kennt keine Vaterländer und keine Muttersprache. Dies ist kein politisches Versagen, sondern der Lauf der Weltgeschichte, getrieben von der unaufhaltsamen Dampf- und Wohlstandsmaschine der Ökonomie. Nichts würde deutscher an Deutschland, wenn die AfD die Kanzlerin stellte. Dass unsere Kinder wieder früher heiraten und sich kleine Idyllen aufbauen, wird daran nichts ändern. Als Seelenrefugium, verniedlicht mit einer feinen Portion schwedischem Bullerbü, wird das deutsche Idyll noch lange seinen Dienst tun. Aber es wird eben nur ein Gefühl innerhalb einer alles umfassenden world.com sein, mitnichten etwas, was eine eigene Identität beanspruchen kann.

Vor mehr als zwanzig Jahren hat der US-amerikanische Politologe Benjamin Barber sein Buch *Jihad vs. McWorld* (*Coca-Cola und Heiliger Krieg*) veröffentlicht. Es war die Geschichte der immer weiter voranschreitenden kapitalistischen Einheitszivilisation McWorld und ihrer Feinde, der Tribalisten jeglicher Sorte, kurz des Dschihad. Barber war schlau genug, diesen Dschihad nicht als »die arabische Kultur« zu identifizieren, wie es der Ideologe Samuel Huntington ein Jahr später tat, als er vom *Clash of Civilizations* sprach. Für Barber bekämpften sich nicht der Westen und die Araber, sondern *die blutleere Profitwirtschaft und die blutige Politik derjenigen, die an vielen Orten der Welt um ihre Identität fürchten.* Und während Huntington die Freiheit des Westens im Kampf gegen die Unfreiheit des Orients sah, bedrohten für Barber beide, McWorld und Dschihad, gleichermaßen die bürgerliche Freiheit. Erstere, indem sie sich über sie global hinwegsetzt, Letzterer, indem er seine Identität rücksichtslos verabsolutiert.

In den Zeiten von TTIP und NSA auf der einen, dem IS auf der anderen Seite erscheint Barbers Analyse prophetisch und frappierend aktuell. Aus Bürgern sind Konsumenten und User geworden, und der islamistische Extremismus blüht in der arabischen Welt stärker denn je. Nur die Formulierung »McWorld« erscheint heute auf abständige Weise als niedlich. Wer heute die globale ökonomische Matrix beschreibt, denkt nicht an einen schlingernden Fast-Food-Konzern, sondern an die allmächtige Digitalindustrie, die Barber noch kaum ahnen konnte. Die uniforme Verwertungszivilisation unserer Zeit ist besser bezeichnet als world.com. Sie ist das Räderwerk, das unsere Welt gestaltet und verändert und alle Stammeskämpfer zu Statisten macht, ob IS, Front National, Esquerra Republicana de Catalunya oder Pegida. Arabischer, französischer, katalanischer oder sächsischer Tribalismus sind blutige, laute oder schräge Phänomene unserer Zeit – sie werden den Gang der Weltgeschichte nicht aufhalten. Derzeit gewinnen jene, die an die unsichtbare Hand des Marktes glauben und nicht an andere unsichtbare Mächte wie Gott, Glorie und Heimat.

In ihrer Sehnsucht nach Heimat, traditionellen Werten, religiösen Bindungen, kultureller Identität und Autoritätsglauben sind sich konservative Nationalisten und islamistische Fundamentalisten erstaunlich eins. Beide misstrauen sie dem Fremden, beide glauben, zu den tapferen Aufrechten in feindlicher Umgebung zu gehören, und fühlen sich vom libertinären Mainstream überrollt, nicht wertgeschätzt und missverstanden. In wechselseitiger Ablehnung vereint, geben sie dem Konservativen in unserer Zeit ein Gesicht, begleitet von der Sehnsucht nach einer seligeren Zeit in der Vergangenheit. Denn wahrscheinlich war früher alles besser – wenn nicht bereits früher alles Frühere besser gewesen wäre.

Doch es geht hier nicht um den infiniten Regress des Konservativen. Es geht darum, dass man den konservativen Abwehrreflex in unserer Zeit ernst nehmen muss, weil tatsächlich Werte auf dem Spiel stehen, die vielen Menschen etwas bedeuten und ihren Seelen einen Rahmen geben. Nur ihre albernen Auswüchse eignen sich für Ironie und Spott. Pegida, kurz für Patriotische Europäer gegen die Islamisierung des Abendlandes – der Name einer solchen Bewegung verführt in der Tat zum Schmunzeln. Monty Python lässt grüßen. Patriotische Europäer – was ist das? Jemand, dessen Vaterland Europa ist, oder jemand, der sein Vaterland innerhalb Europas verteidigt? Was ist der Unterschied zwischen einem patriotischen Europäer und einem europäischen Patrioten? Ein Klamauk-Stück, weil beide sich aufs Heftigste bekämpfen müssten. Zumal schon allerorten patriotische Islamisten gegen die Europäisierung des Morgenlands unterwegs sind, sei es als IS, als al-Qaida oder sonst wer. Mörderbanden, die sich untereinander auch nicht grün sind.

Der Begriff »Abendland« – welcher Oswald-Spengler-Fan hat ihn in Dresden ausgegraben und sieht vor seinem geistigen Auge längst ein Aller-Tage-Abendland? Warum taucht in der Debatte immer das jüdisch-christliche Abendland auf mit seinen Werten, zu denen wir uns nicht nur nach Meinung der CSU wieder stärker bekennen sollten? Welche Werte sind hier gemeint? Jene, die wir mit dem Islam teilen? Oder die, die uns unterscheiden, wie der Wert der Freiheit? Aber diese Freiheit ist ja gerade kein jüdisch-christlicher Wert, sondern ein griechischer – neuerdings wieder arg präsent in der ihm eigenen Freiheit, seine Schulden nicht zurückzuzahlen. Und wenn unser Christentum die Freiheit inzwischen goutiert, dann nur, weil die Philosophen der Aufklärung es bei Androhung seiner völligen Auflösung dazu gezwungen haben.

Die hilflose Zuflucht in Leitbegriffe und der Karneval ihres Gebrauchs verdecken jedoch, dass hinter allem ein echter Epochenumbruch steckt, eine gewaltige Revolution und ein ernsthaftes Problem: Das Konservative scheint nicht mehr in unsere Zeit zu passen, egal in welche Gewänder es sich kleidet! Was soll in der globalisierten Welt an Heimat bleiben? Auf der Schwäbischen Alb und in Dresden isst man den gleichen Burger wie in Chicago, hört die gleiche Musik und trägt die gleichen Klamotten. Was »in« ist und was »out«, wird nicht in Chemnitz entschieden. Die Anzahl der Bundesbürger, die noch in die Kirche gehen, schwindet unaufhaltsam. Die Muster unserer Liebesromantik und die Algorithmen unserer Ehen stammen aus US-amerikanischen Vorabendserien. Über unsere Arbeitsplätze der Zukunft entscheidet der Silicon-Valley-Kapitalismus oder die Herrscherfamilie von Katar. Und die schöne neue Welt, die Daten-Cloud, die Google uns verheißt, wird über Hoyerswerda genauso hinwegfegen wie über Kapstadt und Hanoi. Jeder bekommt sein Recht auf eine individuelle Wohlfühlmatrix im universellen Design, solange er mit Daten bezahlt. Viel Platz für Werte, die keine Geldwerte sind, bleibt da nicht.

Aber Werte braucht die Gesellschaft gleichwohl, darüber besteht zu Recht Einigkeit. Toleranz ist ein feiner Wert, aber nicht durch und durch. Pluralismus ist wünschenswert, aber vielleicht nicht immer und in allem. Freiheit ist gut, aber nur gepaart mit sozialer Sicherheit. Das Fremde ist anregend und bereichernd, verunsichert aber trotzdem leicht. Die Angst vor dem Verlust von Werten ist ein großes und wichtiges Thema. Denn aus dieser Sicht ist das krakeelende Unbehagen in der Kultur, das sich AfD nennt, nur eines: ein Vorbeben, dem viele größere Erschütterungen folgen werden.

Der Islam kennt den Angriff des global-liberalen Kapitalismus auf seine kulturelle Identität schon seit vielen Jahrzehnten. Außer Tyrannen, Trittbrettfahrern, Trotz und Terror ist ihm dazu bislang wenig eingefallen. Kaum anzunehmen, dass deutschen Protestwählern, die sich als Schutzgemeinschaft deutscher Werte missverstehen, Besseres einfallen wird. Wären sie sonst damit beschäftigt, als kleinstes gemeinsames Vielfaches ausgerechnet den Islam zu fürchten, der doch in ähnlicher Weise in seiner dauerhaften Existenz bedroht ist wie sie? Und das, wo in Sachsen gerade mal jeder Tausendste Muslim ist? An diesem Ort Angst vor der Islamisierung zu haben – ist das nicht so, wie im Ötztal gegen die Fischfangquoten in der Ostsee aufzubegehren?

Erfahrungsgesättigte Wut kann es bei Pegida und bei der AfD nicht sein. Doch die Wut, das Misstrauen und das Unbehagen sind real. »Wenn jemand eine Situation für real hält, dann ist dies in seinen Folgen real«, lautet eine wichtige Erkenntnis der Sozialpsychologie. Doch kann es nicht sein, dass hinter der diffusen Panik gegenüber einem ziemlich unbekannten Islam eine andere, völlig berechtigte Angst steht? Dass nämlich zu Beginn des 21. Jahrhunderts gerade eine alte Welt untergeht und durch eine ganz neue ersetzt wird?

Dass Konservativismus und Kapitalismus nicht gut zusammenpassen, stand eigentlich schon von Anfang an fest. Nicht ohne Grund bekämpfte die konservative Hofpartei, die Tories, im frühindustrialisierten England des 18. Jahrhunderts die liberalen Whigs mit ihrer Forderung nach freien Märkten und freiem Handel. Der Kapitalismus ebnet halt alle traditionellen und emotionalen Werte ein, indem er alles an einem einzigen rationalen Wert bemisst: dem Geld. Wo das Effizienzdenken waltet, steigt der Wohlstand (wenn auch nicht aller) und stirbt das Althergebrachte. Die Erde sättigt heute viele Milliarden Menschen. In Europa verhungerten noch im 19. Jahrhundert Millionen. Als Preis dafür verlieren wir in immer schnellerem Tempo das Traditionelle, konserviert allenfalls als kommerzialisierte Würstchen-Folklore. Wo der Kapitalismus mit sich selbst allein ist, an den Finanzmärkten der City of London, in New York, Tokio und Singapur, spottet er jeder Ordnung, verachtet die Sparsamkeit und übernimmt keinerlei Verantwortung.

»Wohlstand für alle« – den Slogan hatte Ludwig Erhard (ohne Berücksichtigung des Copyrights) dem deutschen Titel eines Erfolgswerks des russischen Anarchisten Pjotr Kropotkin entrissen. Die anarchistische Formel im gutbürgerlichen Anzug verdeckte lange, wie schlecht konservatives und kapitalistisches Denken tatsächlich zusammenpassen. Die Zentrumspartei, die Vorgängerin der CDU, war eine dem Liberalismus unversöhnlich gegenüberstehende konservative Kraft. Und noch das Ahlener Programm der CDU von 1947 legte unmissverständlich fest: »Das kapitalistische Wirtschaftssystem ist den staatlichen und sozialen Lebensinteressen des deutschen Volkes nicht gerecht geworden ... Inhalt und Ziel dieser sozialen und wirtschaftlichen Neuordnung kann nicht mehr das kapitalistische Gewinn- und Machtstreben, sondern nur das Wohlergehen unseres Volkes sein.«

Der Erfolg der sozialen Marktwirtschaft schien den Widerspruch zwischen konservativ und kapitalistisch lange zu widerlegen. Obwohl Wilhelm Röpke, einer ihrer geistigen Väter, bereits auf dem Höhepunkt des Wirtschaftswunders im Jahr 1958 vor dem bitteren Ende warnte. Schon damals verzweifelte er darüber, dass die Gesellschaft der Bundesrepublik eines Tages jenseits von Angebot und Nachfrage keine Werte mehr haben könnte außer dem schnöden Kosten-Nutzen-Kalkül.

Das Dilemma der heutigen CDU ist, dass dieser Riss, bis heute gut kaschiert, noch immer da ist. Die heutigen Konservativen in den Unionsparteien spüren ihn tief in ihrem Bewusstsein. Ihre ökonomische Vernunft, die den zeitgenössischen Globalkapitalismus bejaht, widerspricht zutiefst ihren konservativen Gefühlen. Doch solange der Gesellschaft nicht einfällt, wie sie lieb gewonnene und althergebrachte Werte so in der digitalisierten Ökonomie verankert, dass sie erhalten bleiben, wird das Unbehagen politisch nicht produktiv. Konservatives Fühlen allein dagegen verpufft an den Stammtischen und auf Marktplatz-Demonstrationen. Eine realistische Alternative hat man nicht anzubieten.

Und die Verwirrung ist noch größer: So wichtig es für die Mehrheit der selbst erklärten Konservativen sein mag, sich rechts von der Mitte zu fühlen – tatsächlich ist konservatives Denken schon lange kein Identitätsmerkmal von »rechts«. Gewerkschaften, die Besitzstandswahrung betreiben, Linke, die den Lauf der Weltökonomie pauschal verdammen, und der letzte kleine Rest Ökofundamentalisten bei den Grünen – sie alle sind Gegner des global entfesselten Liberalismus und damit konservativ. Doch so wie der fundamentalistische Islam wohl kaum eine dauerhafte Zukunft haben kann, so auch nicht der Konservativismus. Richtet er seinen Blick nicht auf die Zukunft und formuliert eine realistische Version, wird er von Generation zu Generation schwinden. Unsere Kinder haben gelernt, sich statt einer Zwangsheimat aus Glaube, Treue, Tradition und Milieu neue Wahlheimaten zu suchen: in einer Weltanschauung ihrer Wahl, in wechselnden Partnerschaften ihrer Wahl und in dauerhaften Freundschaften über alle Grenzen hinweg. Ihr Sicherheits- und Geborgenheitsbedürfnis ist gewiss nicht geringer geworden, aber es sucht sich flexiblere Wege.

All das setzt eine große Geschmeidigkeit und Lebensklugheit voraus, um erfolgreich zu sein und sich nicht zu ängstigen. Und auch unsere Kinder werden sich in Auseinandersetzung mit der global-kapitalistischen Herausforderung die ganz neue alte Frage stellen: Wie wollen wir leben? Wer schützt unsere Seelenheimaten vor dem Ausverkauf? Die Antwort wird der Zukunft zugewandt sein müssen. Denn in der Geschichte der Menschheit gibt es kein freiwilliges Zurück, nur eine Bewegung nach vorn. Man möchte es den aufbegehrenden Konservativen ganz freundlich sagen. Und mit Aristoteles ergänzen: »Jeder kann wütend werden, das ist einfach. Aber wütend auf den Richtigen zu sein, im richtigen Maß, zur richtigen Zeit, zum richtigen Zweck und auf die richtige Art, das ist schwer.«

Eben deshalb braucht die Gesellschaft ein Ziel, ein positives Bild, das hilft, Handlungsnotwendigkeiten zu erkennen. Nur konkrete Visionen geben der Politik eine Agenda an die Hand, was sie fordern und fördern soll – in der Wirtschaft, in der Bildungs- und in der Arbeitsmarktpolitik. Wenn unsere Demokratie schon vor dem großen Sturm eine »Zerreißprobe« erlebt, wie wird es dann in wenigen Jahren um sie stehen, wenn erst Banken und Versicherungen, dann die Automobilindustrie und ihre Zulieferfirmen Hunderttausende Mitarbeiter entlassen? Wenn E-Discovery-Programme Juristen ersetzen, Sachbearbeiter nur noch als Supervisor gebraucht werden? Noch scheinen die Parteien unter Schockstarre zu stehen, nicht zu erkennen, dass es an ihnen liegt, ob die Digitalisierung die Welt besser macht oder schlechter. Doch wem nichts einfällt, was er Gutes versprechen kann – und das betrifft die Mehrheit in allen im Bundestag vertretenen Parteien –, der deckt den Mantel des Schweigens über *das* Thema unserer Zeit und baut weiter an einem Kartenhaus, während die Erde Risse bekommt. Versuchen wir unser zukünftiges Haus auf ein besseres Fundament zu stellen!

Wie Mosaiksteine habe ich dafür viele vorgefundene Ideen und Vorstellungen aus alter und neuer Zeit gewendet, gedreht, neu zugeschnitten und zusammengesetzt. Dabei ergibt sich das Wünschenswerte nicht als fertig ausgemalter Entwurf. Die Zeit geschlossener Utopien ist vorbei; und ideale Lebensinseln zu schildern widerspricht unserem kritischen Wissen um den Weltenlauf. Gesellschaftliche Fragen von der Größenordnung der digitalen Revolution entziehen sich dem einfältig verengten Schema von Problem und Lösung. Vielmehr entspringt die Hoffnung auf das Bessere dialektisch aus der Kritik des Bestehenden und der Sorge um unheilvolle Entwicklungen. So entsteht zwischen den Zeilen das Bild einer humanen Zukunft – eine Vorstellung davon, dass der gewaltige Umbruch unserer Zeit nicht notwendig ins Elend führen muss, sondern dass er die Chance enthält auf eine lebenswerte Zukunft.

DIE UTOPIE

Zu arbeiten, etwas zu gestalten, sich selbst
zu verwirklichen liegt in der Natur des Menschen.
Von neun bis fünf in einem Büro
zu sitzen und dafür Lohn zu bekommen nicht!

Die Maschinen arbeiten –
die Arbeiter singen

Eine Welt ohne Lohnarbeit

In einem stillen, abgelegenen Winkel des Universums befand sich einmal ein Stern, auf dem kluge Tiere den ganzen Tag lang arbeiteten. Was hatten sie nicht schon alles versucht, um aus diesem Zwang herauszukommen. Sie hatten den Faustkeil erfunden und später das Rad und den Pflug, und irgendwann Feuer spuckende und dampfende Maschinen, aber nichts davon hatte sie von der Plackerei befreit. Im Gegenteil: statt für sich selbst arbeiteten sie irgendwann für Geld. Das war meist zu wenig, um gut zu leben. Und anstatt sich um sich selbst zu sorgen, verrichteten sie den ganzen Tag die gleichen einförmigen Tätigkeiten. Die klugen Tiere waren Sklaven von Maschinen geworden, die sie eigentlich hatten befreien sollen. Das war umso befremdlicher, als sie noch kurz zuvor verkündet hatten, von Natur aus gleich und frei zu sein. Aber wirklich frei waren nur die allerwenigsten. Die meisten arbeiteten bis zu sechzehn Stunden am Tag, konnten sich nicht bilden und entfalten, sondern darbten unter der Härte ihres Broterwerbs. Das änderte sich auch nicht dadurch, dass man die Elektrizität für die Produktion nutzbar machte. Der Strom, der durch die modernen Fabriken floss, ersetzte zwar manche Muskelkraft, befreite die meisten der klugen Tiere aber ebenfalls nicht von ihrem traurigen Los. Ein wenig besser wurde es erst, als nicht mehr Kohle und Stahl, sondern Aktenpapier den Arbeitsalltag bestimmte. Aus ehemals über achtzig Stunden Arbeit in der Woche wurden nach und nach nur noch siebenunddreißig. Die klugen Tiere lernten, dass sie einen Anspruch auf arbeitsfreie Zeit hatten, und teilten ihr Leben in »Arbeitszeit« und »Freizeit«. Aber sie lernten nicht, dass ihr Wert und der Sinn ihres Lebens nicht von ihrer Arbeit abhingen, obgleich sie dies den müßiggängerischen Frauen der Begüterten schon lange hätten abschauen können. Stattdessen trugen sie noch lange einen Rest der Vorstellung in sich, dass Arbeit »adelt«, obgleich sich der Adel niemals durch die Arbeit, sondern immer durch sein Gegenteil, den Müßiggang, geadelt hatte: die Möglichkeit, sich den Tag nach eigenem Gusto zu gestalten, nach einem Wollen, nicht nach einem Müssen. Doch dann, eines Tages, erfanden die klugen Tiere Maschinen, die in vielem intelligenter, wenn auch nicht weiser waren als sie. Und erst jetzt veränderte sich der Stern der arbeitenden Tiere tatsächlich. Alle langweilige und einförmige Arbeit wurde den Maschinen überlassen, und die klugen Tiere hatten endlich Zeit, ihrer wahren Bestimmung nachzugehen: einem Leben als freie Gestalter ihres Charakters, als unabhängige Regisseure des eigenen Films und erfüllt in tätiger Sorge um sich und die anderen.

Was sich wie ein hübsches Märchen liest, ist vermutlich eine ziemlich wahre Geschichte. Jedenfalls dürfte sie nicht weniger wahr sein als viele andere Geschichten, die den Fortschritt der Menschheit auf neue Technik zurückführen und denen bedauerlicherweise immer die entscheidende Pointe fehlt: dass dieser technische Fortschritt heute mehr und mehr Menschen auf unserem Planeten den unschätzbaren Vorteil verschafft, nicht mehr für Geldlohn arbeiten zu müssen!

Schon die antiken Griechen hatten davon geträumt. Zwar musste der freie griechische Mann nicht arbeiten, ebenso wenig wie der Ägypter, Perser, Thraker oder Skythe von Stand, aber dafür die Frauen, die Ausländer und vor allem die Sklaven. Der kluge Aristoteles gibt sich viel Mühe, die Sklaverei mit dünnen und fadenscheinigen Argumenten zu rechtfertigen. Immerhin hing letztlich die ganze Volkswirtschaft von der Sklaverei ab. Aber auch er wünschte sich eine Gesellschaft, die ganz ohne diese auskommen könnte: »Wenn jedes Werkzeug auf Geheiß oder auch vorausahnend das ihm zukommende Werk verrichten könnte, wie des Dädalus Kunstwerke sich von selbst bewegten, oder die Dreifüße des Hephästus aus eigenem Antrieb an die heilige Arbeit gingen, wenn so die Webschiffe von selbst webten, so bedürfe es weder für den Werkmeister der Gehilfen noch für die Herren der Sklaven.«[20]

Im 19. Jahrhundert ist die Automation, von der Aristoteles nur träumen konnte, zum Teil verwirklicht. Zwar fehlten Dädalus' Kunstwerken und Hephaistos' Dreifüßen noch der eigene Antrieb und die Intelligenz, doch die Maschinen leisten bereits vieles. Kein Wunder, dass Karl Marx' Schwiegersohn, der Arzt und Sozialrevolutionär Paul Lafargue, 1880 am Vorabend der zweiten industriellen Revolution *Das Recht auf Faulheit* verteidigt. Wenn sich das reiche Besitzbürgertum nichts Schöneres vorstellen kann, als sich in seiner freien Zeit müßig den Künsten und Genüssen hinzugeben – warum soll es dann das Ethos der Arbeiter sein, sich unter unmenschlichen Bedingungen von morgens bis abends zu plagen und dabei Schaden an Leib und Seele zu nehmen? Drei Stunden Arbeit am Tag für jeden solle in Zukunft ausreichen. Gefordert ist die Einundzwanzig-Stunden-Woche. Denn »unsere Maschinen verrichten feurigen Atems, mit stählernen, unermüdlichen Gliedern, mit wunderbarer, unerschöpflicher Zeugungskraft, gelehrig und von selbst ihre heilige Arbeit«. Für Lafargue ist »die Maschine der Erlöser der Menschheit, der Gott, der den

Menschen von ... der Lohnarbeit loskaufen, der Gott, der ihnen Muße und Freiheit bringen wird«.[21]

Man kann nicht behaupten, dass Karl Marx allzu glücklich über seinen Schwiegersohn war. Für ihn stand die Arbeit im Mittelpunkt seines gesamten Denkens. Andererseits hatte er in jungen Jahren, gemeinsam mit Friedrich Engels, ebenfalls davon geträumt, dass die Maschine den Menschen von stupider Lohnarbeit befreit, sodass er Hirte, Jäger, Fischer und Kritiker sein könne, ohne es beruflich zu müssen. Aus diesem Widerspruch hat sich Marx nie befreit. Zum einen bekämpft er die entfremdete Arbeit, zum anderen aber will er den Begriff der »Arbeit« nicht loslassen. Für Marx und Engels ist der Mensch gerade dadurch definiert, dass er arbeitet. Engels, dem dieser Widerspruch keine Ruhe ließ, veröffentlichte 1896, lange nach Marx' Tod, den Aufsatz: »Anteil der Arbeit an der Menschwerdung des Affen«. Dass alles, was der Mensch an Kultur hervorgebracht hat, das Ergebnis von »Arbeit« ist, daran hält er eisern fest. Allerdings handele es sich dabei nicht um Arbeit für andere und schon gar nicht um entfremdete Arbeit für Lohn.

Als der Barmer Fabrikantensohn im hohen Alter darum ringt, für selbstbestimmte Tätigkeit nach wie vor den Begriff »Arbeit« zu benutzen, hat ein anderer Sozialist ihn bereits über Bord geworfen. Oscar Wilde ist weder als Held der Arbeiterbewegung noch als Prophet für das 21. Jahrhundert berühmt geworden. Und doch verfasst der irische Dandy 1891 eine bemerkenswerte Schrift: »Der Sozialismus und die Seele des Menschen«. Seine Pointe ist ähnlich der von Lafargue: Erst wenn der Mensch sich von den niederen Lohnarbeiten befreit, wird er seinen Individualismus verwirklichen können: »Jede rein mechanische, jede eintönige und dumpfe Arbeit, jede Arbeit, die mit widerlichen Dingen zu tun hat und den Menschen in abstoßende Situationen zwingt, muss von der Maschine getan werden.«[22] Noch weit vor den ersten Silberstreifen künstlicher Intelligenz am Horizont verlangt Wilde mit Blick auf die Zukunft: »*Jetzt verdrängt die Maschine den Menschen. Unter richtigen Zuständen wird sie ihm dienen.* Es ist durchaus kein Zweifel, dass das die Zukunft der Maschine ist, und ebenso wie die Bäume wachsen, während der Landwirt schläft, so wird die Maschine, während die Menschheit sich der Freude oder edlen Muße hingibt – Muße, nicht Arbeit, ist das Ziel des Menschen – oder schöne Dinge schafft oder schöne Dinge liest oder einfach die Welt mit bewundernden und genießenden Blicken umfängt, alle notwendige und unangenehme Arbeit verrichten.«[23]

Die Maschinen arbeiten – die Arbeiter singen! Dass mit der Freiheit des Menschen sich auch die Gier nach Privateigentum verabschieden muss, hält Wilde für den nächsten logischen Schritt. Viele Jahrzehnte vor Erich Fromm schreibt er den Satz, der Fehler des Menschen sei zu denken, »Hauptsache zu haben«, und nicht zu wissen, »dass es die Hauptsache sei, zu sein. Die wahre Vollkommenheit des Menschen liegt nicht in dem, was er hat, sondern in dem, was er ist.«[24] Von solchen äußerlich und innerlich freien Menschen bewohnt, braucht ein Land schließlich keinen starken Staat mehr. Und am Ende steht auch für Wilde das, was Marx die »klassenlose Gesellschaft« nannte. Doch im Gegensatz zu Marx sieht Wilde, ebenso wie Lafargue, in der entscheidenden Sache klarer. Diese freie Gesellschaft der selbstbestimmten Individuen wird durch die Arbeitsleistung immer intelligenterer Maschinen ermöglicht und nicht einer »Klasse« – dem »Proletariat« – als historische Aufgabe in die schmutzigen Schuhe geschoben.

Der »edle Proletarier« – eine romantische Fantasie des frühen 19. Jahrhunderts – erwies sich, jedenfalls als Massenerscheinung, als ebenso kitschig wie der »edle Wilde« in der Fantasie der Aufklärungsphilosophen. Es ist bis heute unbegreiflich, wie Marx auf die Idee verfallen konnte, das zur Macht gekommene Proletariat werde sich edler anstellen als die Sklavenhaltergesellschaften der Antike, der Adel oder das Bürgertum. Lafargue und Wilde dagegen skizzieren eine Kritik der proletarischen Vernunft. Für sie braucht es keine Diktatur des Proletariats, um die Menschen zu befreien. Ganz im Gegenteil. Als hätte er die Schrecken des Stalinismus bereits mit eigenen Augen gesehen, warnt Wilde schon vor Anbruch des 20. Jahrhunderts vor dem sozialistischen Allmachtsstaat: »Wenn der Sozialismus autoritär ist: wenn es in ihm Regierungen gibt, die mit ökonomischer Gewalt bewaffnet sind, wie jetzt mit politischer: wenn wir mit einem Wort den Zustand der industriellen Tyrannis haben werden: dann wird die letzte Stufe des Menschen schlimmer sein als die erste.«[25]

Die Maschine, so Wilde, soll nicht das Eigentum des Staates werden, sondern aller. Selbst wenn die Abschaffung des Privateigentums allzu radikal gedacht sein mag und seine Vorstellung vom Staat zu anarchistisch – darin, dass er erkannte, dass Maschinen den Menschen tatsächlich befreien könnten, wenn sie allen gehören, war Wilde ein Prophet und vielen anderen linken Utopisten weit voraus. Noch George Orwell unterschätzte den irischen Utopisten 1948 gewaltig. Er konnte sich schlichtweg nicht vorstellen, dass alle niederen Arbeiten einmal von Maschinen erledigt werden könnten. Doch nichts dürfte der Emanzipation der Frau in der westlichen Welt dermaßen den Boden bereitet haben wie die Waschmaschine. Und wie viele andere elektrische Haushaltshelfer kamen seitdem dazu? Wie viel harte körperliche Arbeit, wie viele eintönige Verrichtungen wurden im 20. Jahrhundert durch Maschinen ersetzt? In Deutschland arbeiten die Menschen heute bereits ein Drittel weniger als zu Wildes Zeit. Bei durchschnittlich siebenunddreißig Stunden in der Woche haben sie ein Maß an Freizeit, dass sich Lafargues Ideal längst angenähert hat. Und auch Wildes ersehnter Individualismus steht in Blüte. Ein hoher Prozentsatz junger Menschen studiert und tritt erst mit Mitte oder Ende zwanzig ins Berufsleben ein, um es im Durchschnitt mit dreiundsechzig Jahren wieder zu verlassen und noch zwei Jahrzehnte ohne den Zwang zur Lohnarbeit zu leben. Wenn Lafargue und Wilde in die heutige Zeit schauen könnten, die Hälfte des von ihnen skizzierten Wegs ist längst begangen, zumindest in den reichen Gesellschaften des Westens.

*

Bleibt noch die zweite Hälfte. Wobei: Die Situation ist befremdlich. Obgleich den Freunden der Technik, den Kündern der großen Disruptionen, den Enthusiasten der digitalen Zukunft kein Wort zu groß ist, um die Umbrüche unserer Zeit zu feiern, so fantasieverlassen erscheinen ihre gesellschaftspolitischen Ideen. Noch nie in der Geschichte hat eine gewaltige technisch-ökonomische Revolution *nicht* zu einer großen Veränderung und Neuerfindung der Gesellschaft geführt! Doch stattdessen beherrschen biedere Tipps zu mehr Wachstum und Unternehmensgeist die Podien. Besonders uninspiriert ist die schon seit Langem mit erstaunlich wenig Vorstellungskraft für die Zukunft begabte Zunft der Ökonomen. Wenn im 21. Jahrhundert Bilder vom Zusammenleben in der Zukunft entworfen werden, dann zumeist von Hollywood und Science-Fiction-Autoren.

Die Gesellschaftsutopie dagegen ist ein Genre, das in der Wirtschaft und der Politik kaum jemand ernst nimmt. Auffallend konservativ, wen soll es wundern, sind die Supermächte des Silicon Valley. Ihre Hoffnung liegt ja gerade darin, dass, trotz aller Disruptionen und smarten Erfindungen, ihr Geschäftsmodell beim Alten bleibt und sich gerade nicht verändert! Es dürfte nichts geben, was die GAFAs mehr fürchten als eine Disruption des Palo-Alto-Kapitalismus!

Wenn aus solcher Sorge Utopien erwachsen, dann eigentlich nur solche, um die Demokratie auszuhebeln. Ein hübsches Beispiel ist der US-amerikanische Luftfahrtingenieur und Unternehmer Peter Diamandis. Wie einst Oscar Wilde träumt er davon, die Politik überflüssig zu machen, und verspricht sieben Milliarden Menschen ein besseres Leben einzig und allein durch technische Lösungen. Sein Menschenbild allerdings ließe den irischen Ästheten und Humanisten zusammenzucken. Wo Wilde den Menschen als Künstler sieht, der sich dort frei entfaltet, wo er ohne Druck in friedlicher Koexistenz mit anderen lebt, singt Diamandis das Hohelied des Darwinismus: »Die Menschen sind genetisch so veranlagt, dass sie konkurrieren – um einen Partner, im Sport, bei der Arbeit. Wettbewerbe mit einem Anreiz zwingen die Menschen, unter vorgegebenen Randbedingungen ein klares Ziel zu verfolgen, das die Lösung des Problems ist.«[26] Schade nur, dass die von Diamandis vor sechs Jahren angekündigten »Durchbrüche für sieben Milliarden Menschen« noch immer ausstehen. »Probleme« der Menschheit, so scheint es, unterliegen anderen Gesetzen als Probleme der Technik. Und »Lösungen«, die Wasserknappheit, Ressourcenmangel, Bürgerkriege und Ausbeutung beseitigen, sind nicht dann überzeugend, wenn sie smart sind, sondern politisch durchsetzbar.

Wesentlich unverblümter zeigt sich der konservative Silicon-Valley-Großinvestor Peter Thiel, Mitgründer von PayPal und einer der größten Anteilseigner von Facebook. Im Jahr 2009 investierte er in den Plan, weitab vor der Küste

Kaliforniens, in internationalen Gewässern, ein Seasteading Institute zu gründen; ein Ort der Forschung wie Francis Bacons Utopie Nova Atlantis aus dem frühen 17. Jahrhundert. Unkontrolliert und unabhängig von den US-Gesetzen, soll hier die Menschheit verbessert werden. In Thiels eigenen Worten klingt das so: »Anders als im Bereich der Politik, haben in dem der Technologie die Entscheidungen von *einzelnen* Menschen möglicherweise immer noch den absoluten Vorrang. Das Schicksal unserer Welt liegt vielleicht in den Händen eines einzelnen Menschen, der *jene Freiheits-Maschine erschafft oder verbreitet, die wir brauchen, um die Welt sicher für den Kapitalismus zu machen.*«[27]

Kein skrupelloser Großinvestor in einem Science-Fiction-Film könnte dies ehrlicher und besser sagen. Wo ist die technische Matrix, die uns fernab aller demokratischen Kontrolle den Kapitalismus sichert und die Demokratie abschafft? Aber im Grunde weiß Thiel, dass er dafür keine Offshore-Gemeinde im Pazifik braucht. So wie die Sache für ihn und seine Freunde derzeit läuft, kommt er seinem Ziel auch ganz ohne eskapistische Fantasie immer näher.

Wo solche Träume blühen und solche undemokratischen Denkmuster herrschen, ist eine Gegenutopie geradezu zwingend erforderlich. Doch aus den politischen Debatten in der westlichen Welt ist die demokratische Utopie weitgehend verschwunden. Schon Marx und Engels wehrten sich dagegen, dass ihre Geschichtsprophetie *nur* eine Utopie sei; sie verbannten das Wort aus ihrem Wortschatz. Und auch heute steht die Utopie gern als albern und weltfremd im Raum, jedenfalls dann, wenn sie sich nicht auf Technik, sondern auf Gesellschaft bezieht – so als hätte das eine mit dem anderen nichts zu tun. Irrlichternde Phänomene wie die Piraten-Parteien in Westeuropa haben noch das Ihre dazu beigetragen. Randvoll mit Selbstwidersprüchen und kindlichen Allmachtsfantasien zerstoben sie schneller, als sie gekommen waren. Wie die Trapper, Outlaws und Cowboys im Wilden Westen verschwanden sie, als die wirklich Mächtigen die Schienen für das Feuerross bauten und das Land unter sich aufteilten. Der Wilde Westen gehörte nicht den Free Spirits, und ebenso wenig gehört ihnen heute das Internet. Die Macht im Netz, so mussten die Piraten 2014 schmerzhaft feststellen, haben nicht eine Handvoll junger Leute, die dort Demokratie spielen dürfen, sondern die großen Digitalkonzerne und die NSA.

Keine Experimente – es scheint, als sei der alte Adenauer-Slogan der Fünfzigerjahre das Einzige, was den Verteidigern der Demokratie derzeit einfällt. Ich erinnere mich gut, wie der damalige CDU-Politiker Friedbert Pflüger mir 1997 von einer »Vision der Visionslosigkeit« vorschwärmte als adäquate Politik des 21. Jahrhunderts. Und man muss zugeben, dass diese Prophezeiung sich bislang erfüllt hat. »Mit einer Utopie ist keinem geholfen«, tutet der Zeit-Redakteur Kolja Rudzio heute ins gleiche Horn und verwirft damit jede Überlegung zu einem »bedingungslosen Grundeinkommen«.[28]

Etwas gespenstisch ist das schon. Denn ohne Utopie ist wahrscheinlich auch niemandem geholfen, außer einigen Profiteuren des Status quo. Doch das Risiko, auch nur über die mittelfristige Zukunft nachzudenken und dabei vom »Weiter so« abzuweichen, ist gegenwärtig enorm. Die Lage erinnert an einen Satz des italienischen Regisseurs Sergio Leone. Auf die Frage, worin der Unterschied zwischen einem amerikanischen Western und einem Italowestern bestehe, meinte er: »Wenn bei John Ford jemand aus dem Fenster guckt, hat er den Blick in eine strahlende Zukunft. Wenn bei mir jemand aus dem Fenster guckt, dann weiß jeder: Der wird jetzt erschossen!« Nicht anders verhält es sich mit den Zukunftsfenstern unserer Demokratie. Wenn in der alten Bundesrepublik Ludwig Erhard oder Willy Brandt eine Vision von einem zukünftigen Deutschland malte, wurde er gefeiert und gelobt. Wenn heute jemand eine konkrete Vision von einem besseren Deutschland entwirft, dann weiß jeder: Der wird jetzt von den Massenmedien erschossen!

Es scheint, als wahrten Politik und Wirtschaft heute das Recht der Utopie, eine Utopie zu bleiben und nichts mit unserem Leben zu tun zu haben. Doch die Prozesse und Veränderungen sind tatsächlich im Gange, ob man sie nun wahrnimmt oder nicht. Hätte man den Politikern und Ökonomen zu Lafargues und Wildes Zeit erzählt, dass die Arbeiter und Angestellten in Ländern wie England und Deutschland 2018 so viel weniger arbeiten als zu ihrer Zeit, und ihnen die Gehälter genannt, mit denen sie entlohnt werden – sie hätten diesem »Märchen«, dieser »schwärmerischen Utopie« keinen Glauben geschenkt. So unterscheiden sie sich nicht von heutigen Wirtschaftswissenschaftlern, deren Möglichkeitshorizont fast immer vom Status quo bestimmt wird. Etwas anderes haben sie in ihrem Studium auch nicht gelernt, und für Visionäres ist in ihren ungezählten Fachpublikationen kein Raum. So schaffen viele von ihnen das Kunststück, trotz aller gewaltigen Umbrüche seelenruhig davon ausgehen, Arbeit, Beschäftigung und Gesellschaftsstruktur blieben in den nächsten Jahrzehnten weiterhin mit der heutigen Zeit vergleichbar.

*

Ökonomische Herausforderungen bleiben oft unsichtbar, solange man sie nur als solche betrachtet. Tatsächlich sind alle wesentlichen Fragen der Ökonomie keine ökonomischen allein, sondern auch psychologische, ethische, politische und kulturelle. Und nicht schwere wirtschaftswissenschaftliche

Abhandlungen, gespickt mit Zahlen und Tabellen, entscheiden über den Fortgang der Menschheitsgeschichte, es sind mithin Ideen, Bilder und Visionen, seien sie nun technischer oder gesellschaftlicher Natur. In diesem Sinne konnte Wilde schreiben: »Eine Weltkarte, auf der das Land Utopia nicht verzeichnet ist, verdient nicht einmal einen flüchtigen Blick, denn ihr fehlt das Land, das die Menschheit seit jeher ansteuert.«[29]

Um was für eine Utopie geht es? Man kann das große Versprechen der Digitalisierung sehr unterschiedlich verstehen. Die eine Verheißung ist, wenige Menschen unermesslich reich zu machen – ein Reichtum, mit dem ihnen augenscheinlich nichts Sinnvolles zu tun einfällt, außer vielleicht von Freiheitsmaschinen und anderen Weltverbesserungsinstrumenten zu träumen. Ihre Stiftungen (Bill Gates dürfte eine von wenigen Ausnahmen sein) täuschen dabei oft eine Gemeinnützigkeit vor, die ihre Absichten nur unzureichend verbrämt.

Die andere Verheißung ist, möglichst vielen Menschen die Chance auf ein erfülltes, selbstbestimmtes Leben zu geben. Und wenn die Supermächte des Silicon Valley uns versprechen, die Welt besser zu machen, so sollten wir sie in dieser Hinsicht ernst nehmen – und zwar ernster, als sie es bislang selbst tun. Noch ist nicht entschieden, ob die Zuckerbergs, Bezos, Brins und Pages ihre langfristige Rolle in der Welt als egozentrische Großeigner von Unternehmen oder als unfreiwillige Vollzugsgehilfen des Weltgeists haben werden. Mag das Erstere auch ihr Verlangen sein, wahrhaft heroisch würden sie nur durch das Zweite: durch einen von ihnen vorangetriebenen weiteren Schritt der »Automatisierung«, mehr und mehr Menschen die Chance zu echter Selbstentfaltung zu geben – auch wenn sie selbst kaum wissen, was das ist. Gegenwärtig jedenfalls begegnen sie uns als Abhängige, beseelt von der Gier nach noch mehr Geld, angefeuert durch ihre an nichts anderem interessierten Aktionäre. Und bislang forcieren sie mit jedem Glücksversprechen die rücksichtslose Ausbeutung ihrer User und Kunden, deren Profile sie meistbietend verkaufen. Noch sind die Treiber des Fortschritts also selbst Getriebene eines alten ökonomischen Modells, das nur ein »Mehr« kennt und keine Zufriedenheit. Anerkennung drückt sich darin in nichts anderem aus als in Geld, obwohl ein Mehr davon nichts mehr in ihrem Leben zum Guten verändert.

Woran liegt das? Nun, die Weltveränderer des Silicon Valley sind Kinder eines Denkens, das im 16. Jahrhundert in der italienischen Renaissance und später im elisabethanischen England entstand. Zur Ideologie – einer Weltanschauung mit unverrückbarem, einseitigem Menschenbild – wurde es im 17. und 18. Jahrhundert in England. Der Kaufmannstand und sein Gewinnstreben, im alten Griechenland wie im Mittelalter eher verfemt, werden zum kulturellen Leitbild. Dabei legen die Propagandisten der neureichen Kaufmannsschicht die staatsbürgerliche Gesinnung des Händlers nicht auf die Waage. Jeder Händler ist moralisch, gerecht und tugendhaft, schlichtweg, weil er Kaufmann ist. Aus antiken Bürgertugenden werden neuzeitliche Kaufmannstugenden. Der Händler muss sich noch nicht einmal anstrengen, ein guter Mensch zu sein. Sein Gewinnstreben ist von Natur aus gut, weil es allen anderen Engländern gleichsam *automatisch* Wohlstand bringt. Nicht die *Gesinnung,* sondern allein die *Nützlichkeit* für die Allgemeinheit bestimmt den Wert einer Tat.

Doch wie unterscheidet man den nützlicheren vom weniger nützlichen Menschen? Die Lobbyisten der Britischen Ostindien-Kompanie und Philosophen wie John Locke formulierten ein klares Kriterium – durch die *Arbeit*! Das Leben ist ein Markt und ein Tauschgeschäft. Und der Mensch ein Händler in jeder Lebenslage, ein *Homo mercatorius,* wie John Wheeler, der erste Sekretär der *Merchant Adenturers,* bereits 1601 feststellt. Für ihn sind, modern ausgedrückt, alle Sozialnormen letztlich Marktnormen – nicht anders als heute wieder für manche Ökonomen und Soziobiologen.

Die Arbeits- und Leistungsgesellschaft, die uns derzeit so selbstverständlich erscheint, als sei sie die einzig sinnvolle Form von Gesellschaft, ist eine englische Erfindung zu Anfang des bürgerlichen Zeitalters. Unter allen Tugenden zählt nun nicht mehr die *phrónesis* – die Weltklugheit – als die höchste, sondern die Tüchtigkeit – die Tugend der Arbeitsgesellschaft. »Die Arbeit«, beklagt Friedrich Nietzsche 1882, »bekommt immer mehr alles gute Gewissen auf ihre Seite: der Hang zur Freude nennt sich bereits ›Bedürfnis der Erholung‹ und fängt an, sich vor sich selber zu schämen. ›Man ist es seiner Gesundheit schuldig‹ – so redet man, wenn man auf einer Landpartie ertappt wird. Ja es könnte bald so weit kommen, dass man einem Hange zur Vita contemplativa (das heißt zum Spazierengehen mit Gedanken und Freunden) nicht ohne Selbstverachtung und schlechtes Gewissen nachgäbe.«[30]

Die Vorstellung, dass nur Arbeit adelt, ist so wirkmächtig, dass sie noch heute als Leitfiktion unsere Gesellschaft bestimmt: Wer mehr leistet, der bekommt auch mehr. Doch der Begriff »Leistung« ist ein äußerst nebliges Wort. Denn dass ein Mensch, der mit windigen Versicherungsmodellen zuungunsten seiner Kunden Milliardär wird, mehr leistet als eine Altenpflegerin mit niedrigem Lohn, ist eine steile These. Tätigkeiten in der Unterwelt, im Sport, bei der Umsatzsteigerung eines Unternehmens, in der Poesie, in der Kindererziehung oder in der Fürsorge sind kaum durch den Begriff »Leistung« angemessen vergleichbar. Und wenn es darauf ankommt, bewundern die meisten Menschen vor allem *Erfolg* und nicht (eine öffentlich nicht gewürdigte) Leistung.

Doch gerade für viele Menschen in der Bundesrepublik Deutschland ist der Leistungs-Mythos für ihr Selbstbewusstsein entscheidend. Wer als Kind eines Arbeiters, Bauern oder Handwerkers in der zweiten Hälfte des 20. Jahrhunderts durch Fleiß, Beharrlichkeit und Studium Ingenieur, Elektrotechniker, Kleinunternehmer, Manager oder Verbandspräsident wurde, sieht sich selbst als lebenden Beweis für das Funktionieren der Leistungsgesellschaft. Und doch, so scheint es, war die Zeit des kollektiven Aufstiegs in der alten Bundesrepublik eher ein Ausnahmefenster als die Regel. Dass die Karriere nur etwas mit innerer Einstellung und Moral zu tun haben soll, ist ein lieb gewonnenes Märchen, das dem eigenen Werdegang besonderen Glanz gibt. Tatsächlich aber war das kulturelle Umfeld damals ein anderes als heute, und die Aufstiegschancen und Anreize waren besser. Und wenn heute in Deutschland pro Jahr 400 Milliarden Euro schlichtweg vererbt werden, ist der Begriff »Leistungsgesellschaft« kaum mehr als ein Euphemismus.[31]

Die Leistungsgesellschaft ist eine Fiktion; allerding für jeden, den sie motiviert, eine nützliche. Sie erzeugt ein gesellschaftliches Klima und eine Haltung – und sei es auch einzig durch die normative Kraft des Fiktiven. Man sollte die Leistungsgesellschaft deshalb nicht völlig kleinreden. Aber überhöhen sollte man sie auch nicht. Denn man stelle sich nur einmal vor, wir unterzögen das hehre Prinzip der Leistung einem echten Belastungstest. Wie viel Leistungsgerechtigkeit verträgt unsere Gesellschaft? Der englische Soziologe Michael Dunlop Young erfand 1958 augenzwinkernd die Idee einer »Meritokratie« – einer »Herrschaft der Verdienste«.[32] Jeder Mensch sollte aufgrund seiner tatsächlichen Leistung beurteilt und entlohnt werden. Alle anderen Kriterien – Herkunft, Beziehungen, Protektion und Glück – gehörten eliminiert. Natürlich ist das völlig unrealistisch. Was ich leiste, ist ja nicht nur eine Frage meiner Verdienste, sondern ebenso ein Verdienst anderer. Meiner Eltern zum Beispiel, die mir Talente vererbt haben und mich durch ihre Erziehung prägten. Meiner Lehrer vielleicht noch und meines sozialen Umfelds. Keiner ist seiner Leistung alleiniger Urheber. Aber trotzdem, noch einmal gefragt, wäre eine echte Leistungsgesellschaft wünschenswert?

Vermutlich nicht. Denn was würde nun geschehen? Die Einkommensverhältnisse organisierten sich völlig neu. Der eine fällt nach unten, der andere steigt auf. Diejenigen, die jetzt nach der Neuordnung ganz oben stehen, dürften sich mit allem Recht der Welt sagen, dass sie tatsächlich die Besten sind – die berechtigte Elite. Und wahrscheinlich würden sie unerträglich arrogant werden. Das größere Problem aber bildet die untere Hälfte. Wer sich dort wiederfindet, der hat keine Ausflucht mehr, sondern muss damit leben, objektiv nichts zu leisten oder der Schlechteste zu sein. Niemand kann sich damit rausreden, dass die Welt nicht fair zu ihm war. Eine solche Wahrheit über sich will kaum jemand wissen. Doch die träte nun grell zutage und provozierte das Selbstwertgefühl von Millionen Menschen. Eine solche Menge ausfluchtsloser, zerknirschter Menschen kann keine Gesellschaft vertragen. Es gäbe Revolten und vielleicht einen Bürgerkrieg. Unsere Leistungsgesellschaft in Deutschland funktioniert also nur, weil sie dies streng genommen nicht ist und viel Platz für Illusionen lässt.

Das Illusionäre der Leistungsgesellschaft hat sogar Methode. Selbst wenn alle sich anstrengten, könnten nicht alle belohnt werden. Im Kapitalismus, sagt der Kabarettist Volker Pispers, kann *jeder* reich werden, aber nicht *alle*! Irgendjemand müsse auch für die Reichen arbeiten. Von Illusionen durchzogen ist auch die Rhetorik von der »arbeitenden Mitte«, um die jede Volkspartei wirbt. Der Satz scheint vorauszusetzen, dass es auch eine »nicht arbeitende Mitte« gibt. Wer gehört zu ihr? Sind Hausfrauen ohne Kinder damit gemeint oder gut situierte Pensionäre, um die die Volksparteien dann nicht werben? Und wer ist der arbeitende oder nicht arbeitende Rand, mit dem man auch nicht so viel zu tun haben will? Kleinverdiener, Minijobber, arme Rentner, sozial benachteiligte Kinder und Großaktionäre?

»Mitte«, gekoppelt mit »Arbeit«, ist in Deutschland heilig. Im Schatten des Altars steht dabei mehr als die Hälfte aller Menschen, die in unserer Republik zwar arbeiten, aber nicht zur »arbeitenden Mitte« gezählt werden: etwa der Rentner, der am Sonntag als Schiedsrichter die Partie zweier Fußballjugendmannschaften pfeift, und seine Frau, die sich um Geflüchtete aus Syrien kümmert; sämtliche Hausfrauen und Hausmänner der Republik, Studenten in ihren Praktika und all die Millionen Menschen im Niedriglohnsektor, die oft von zwei oder drei Jobs leben müssen. Haben sie es verdient, dass wir das Arbeitsethos exklusiv für die »arbeitende Mitte« reservieren?

Die Aufstiegsgesellschaft der alten Bundesrepublik ist auch im Jahr 2018 so präsent, dass die vom Soziologen Oliver Nachtwey diagnostizierte Abstiegsgesellschaft vielen immer noch als linke Übertreibung gilt. Noch unglaublicher erscheint, dass in Deutschland schon bald ungezählte Berufe in der klassischen Fertigung und in Sekretariaten durch Computer ersetzt werden oder dass es Branchen trifft wie den Maschinenbau und die Logistik. Haben wir nicht eine auffallend niedrige Arbeitslosenquote von fünf, sechs Prozent? Doch die Vorboten der großen Wende fahren inzwischen schon vor unserer Haustür. Bereits jetzt kommt die U-Bahn in Nürnberg auf einigen Strecken ohne Fahrer aus. In Hamburg sind hundert Kleinbusse autonom unterwegs, und die Post setzt Drohnen bei der Paketzustellung im Gebirge ein. Callcenter arbeiten mehr und mehr mit Computern und mit immer weniger Menschen. Doch dass es jenseits des Niedriglohnsektors in naher Zukunft viele Berufe der »arbeitenden Mitte« treffen wird, ist im Bewusstsein der Deutschen kaum angekommen.[33]

*

Die Situation, in der wir heute, zu Beginn der digitalen Revolution, leben, ist in der Tat gespenstisch. Auf der einen Seite sieht es so aus, als wenn die Epoche der bürgerlichen Leistungsgesellschaft langsam zu Ende ginge. Und auf der anderen Seite radikalisiert sich der Kapitalismus, jene Wirtschafts- und Gesellschaftsform, die auf eben dieser Leitfiktion beruht. Es ist *die* Ungleichzeitigkeit unseres Zeitalters!

Dass unsere derzeitige Arbeitswelt so nicht fortgesetzt werden kann, ist auch das Ergebnis der Delphi-Studie des Millennium Projects – einem internationalen Think-Tank, zu dem in Deutschland die Bertelsmann Stiftung, die Volkswagen AG, das VDI-Technologiezentrum, das Fraunhofer-Institut für System- und Innovationsforschung sowie die Freie Universität Berlin gehören. Nach Auswertung von zweihundertneunundachtzig Expertenmeinungen fällt alles weg, was mittel- oder langfristig durch Technik ersetzbar ist. Übrig bleiben vor allem jene Berufe, in denen »Empathie« gefragt ist, in denen man sich um etwas kümmert, jemanden umsorgt, ihn pflegt, ihm zuspricht, ihn coacht, ihn bildet, ihm individuell Sorgen und Nöte lindert und ihm hilft, Probleme zu lösen. Auf die Frage, was die meisten Menschen tun, meint Delphi: »Alle Menschen werden irgendetwas tun. Aber vieles davon geschieht eben nicht mehr im Rahmen von Erwerbsarbeit. Aber alle produzieren etwas: sei es Freude oder Lärm.«[34]

Lafargues und Wildes Gesellschaft mit immer weniger Lohn- und Erwerbsarbeit rückt in großen Schritten näher. Und unser System des Arbeitens, des Wirtschaftens und der sozialen Absicherung kann nicht so bleiben wie es ist, sondern muss gründlich umgebaut werden. Zugleich ertönt von allen Seiten der Ruf nach Bildung. Nur wer bestens gebildet oder ausgebildet sei, könne den Stürmen der neuen Arbeitswelt widerstehen und sich irgendwo als Mensch unentbehrlich machen. Wer zu wenig lernt und nichts dazulernt, fasst nicht mehr Tritt. Erfolgreich sein können nur die Kreativen, die Anpassungsfähigen und die Empathischen. Denn wer keine (messbare) Wertschöpfung betreibe, der verliere in der Zukunftsgesellschaft auch seinen Wert.

Der Ruf nach Bildung ist immer richtig. Aber so, wie gerade dargestellt, verfehlt er die Tiefe des gesellschaftlichen Wandels. Wer Bildung als Allheilmittel gegen die Arbeitslosigkeit der Zukunft sieht, hat nicht recht verstanden, was Bildung ist: die Befähigung zu einem gedankenreichen und hoffentlich erfüllten Leben, nicht die genaue Anpassung an den Arbeitsmarkt. Erstens ist es durchaus möglich, dass selbst eine umfassende Bildung nicht verhindert, dass jemand durch Technik ersetzt wird oder nicht ins Schema der zukünftigen Arbeitswelt passt. Und zweitens brauchen auch und gerade jene Menschen ein hohes Maß an Bildung und Kreativität, die zeitweilig oder länger keiner Erwerbsarbeit nachgehen. Seinen Tag frei zu gestalten, sich freiwillig für eine Sache einzusetzen, Pläne zu machen und Ziele zu entwickeln, die einem niemand vorgibt – all diese Fähigkeiten unterscheiden den glücklicheren Menschen ohne Brotberuf vom abgespeisten, sich nutzlos fühlenden unglücklicheren.

Viele, die heute laut »Bildung« rufen, denken weiterhin im Schema der allmählich verschwindenden Arbeits- und Leistungsgesellschaft, wie wir sie bisher kannten. Dass wir in Zukunft den Zustand, keiner Erwerbsarbeit nachzugehen, aufwerten müssen, kommt ihnen nicht in den Sinn. Doch wie anders sollen Menschen, für die keine bezahlte Arbeit mehr da ist, ihr Selbstwertgefühl behalten? Wie sollen sie die Erfahrung machen, nützlich zu sein und gebraucht zu werden? Ziel aller Bildung muss es sein, Menschen die Möglichkeit zu geben, »Selbstwirksamkeitserfahrungen« zu machen, zu spüren, dass sie etwas Sinnvolles bewirken.

Im Gegensatz zur Ideologie vom *Homo mercatorius* fühlt sich der Mensch von Natur aus nicht unbedingt dann glücklich, wenn er finanzielle Gewinne erzielt. In diesem Fall wären die Reichsten stets die Glücklichsten; ein kurzer Blick ins Leben belehrt unmissverständlich darüber, dass dem nicht notwendig so ist. Für Männer wie Platon und Aristoteles war nicht einmal die *Vita activa,* sondern die *Vita contemplativa* die glückseligste Existenzform – das Leben des Philosophen. Was Menschen als glückliches oder zufriedenstellendes Leben betrachten, ist demnach höchst abhängig von der Kultur, in der sie leben. Und eine Kultur, die die Reflexion und den Erkenntnisgewinn um seiner selbst willen schätzt, bringt andere Menschen hervor als eine, für die die höchste Tugend die Tüchtigkeit ist, gemessen an Geld und Erfolg. Ebenso haben Gesellschaften, die Tapferkeit und Kriegskunst am höchsten schätzten, stets ebensolche Krieger in großer Zahl hervorgebracht.

Vita activa und Vita contemplativa, die Sorge um das Gemeinwohl, die Pflege der Freundschaft, das Nachdenken über das richtige Leben – all das war für die alten Griechen Grundlage eines funktionierenden Staates. Und es gehört nicht unbedingt zu den Errungenschaften der bürgerlichen Kultur, beides deutlich weniger zu schätzen als den wirtschaftlichen

Erfolg um jeden Preis. Jedenfalls gingen die freien griechischen Männer ihrem Selbstverständnis zufolge keinem »unnatürlichen« Leben nach, wenn sie Frauen, Sklaven und Ausländer für sich arbeiten ließen. Sollte man es dann »unnatürlich« finden, wenn unter »griechischen« Bedingungen demnächst immer mehr Computer und Roboter für uns arbeiten?

Doch wie gestaltet man eine solche Gesellschaft? Oscar Wilde macht sich keinen Kopf über den langen Weg, auf dem aus bettelarmen ungebildeten Lohnsklaven Individuen und freie Künstler ihres eigenen Lebens werden. Schon deshalb sind seinem Essay stets ein Schuss Ironie und große Lust an der Provokation beigemischt. Denn auch Wilde dürfte gewusst haben, dass man in der Realität nie den Himmel auf Erden bekommt, sondern dass es, wie der Philosoph Odo Marquard meinte, immer nur darum geht, die Erde auf Erden etwas besser zu machen. *Gradmesser der Utopie ist die Menschlichkeit, nicht eine Perfektion.* Die Welt ist komplex und nicht smart. Endgültige »Lösungen«, eine »Freiheits-Maschine« sowie eine bessere Welt versprechen nur manche Scharlatane aus Kalifornien. Doch kratz einen Altruisten aus dem Silicon Valley – und du siehst einen Heuchler bluten …

Wenn Menschen im Jahr 2025 oder 2030 ihren Beruf als Bus- oder Taxifahrer verlieren, werden sie nicht unweigerlich kreativ. Manche werden auch aggressiv, destruktiv oder depressiv. Die große Welle der Entlassungen wird dem Umschwung der Wertevorstellungen sicher vorausgehen. Noch werden Menschen an der lieb gewonnenen Leitidee festhalten, die Entlohnung mit Geld dokumentiert, dass wir also etwas leisten und etwas wert sind. In einer solchen Lage nicht aggressiv, destruktiv oder depressiv zu werden ist große Kunst.

Diagnostiziert wurde das Problem bereits zu Anfang und Mitte der 2000er Jahre, etwa von dem US-amerikanischen Soziologen Richard Sennett oder dem polnisch-britischen Philosophen Zygmunt Bauman.[35] Sennett sprach von der »allgegenwärtigen Drohung, ins Nichts zu fallen« und Bauman von den »Ausgegrenzten der Moderne«. Während früher Kriege und Katastrophen den Menschen dazu zwangen, sich flexibel auf Neues einzustellen, sei andauernde Flexibilität im modernen Kapitalismus »alltägliche Praxis«. Eine solche Lebensunsicherheit aber irritiere viele und koste Millionen Opfer. Wo nach Sennett früher die protestantische Arbeitsethik dem menschlichen Leben einen Halt gab, herrschten heute *Hire and Fire*. Am Ende stünden immer mehr Verlierer und weniger Gewinner – ein Prozess, den der Einsatz von Computern rasant beschleunige. Wie viele uralte und tradierte handwerkliche Fähigkeiten, so fragt Sennett, werden in Zukunft nicht mehr gebraucht?

Als ich im September 2012 im Rahmen des Berliner Literaturfestivals mit Sennett darüber diskutierte, beklagte er, was er auch in seinem Buch *Die Kultur des neuen Kapitalismus* betrauert hatte: dass der Kapitalismus seine Loyalität und Verantwortlichkeit verloren habe. Das ehemalige Kulturgut der »Zusammenarbeit« verschwände, übrig blieben gehetzte Einzelkämpfer in größter Lebensunsicherheit. Ich entgegnete ihm, dass ich seine Vorstellung von der gefährdeten oder zerstörten »Arbeitsidentität« nur bedingt teilen könne. Denn die Gleichsetzung von Arbeit und Identität habe es ja auch in der Glanzzeit der protestantischen Arbeitsethik selten gegeben. Wir reden über jene Zeit, die Lafargue in drastischen Bildern von Ausbeutung, halb verhungerten Geschundenen und Kinderarbeit abgeschafft sehen wollte. Sollte Sennetts Diagnose von einer identitätsstiftenden, sorgenfreieren und besseren Arbeitswelt in der Vergangenheit zutreffend sein, dann gilt sie nur für das winzige Zeitfenster der zweiten Hälfte des

20. Jahrhunderts, nicht aber für die jüngere Menschheitsgeschichte. Nur in den Fünfziger- bis Neunzigerjahren herrschten »Anerkennung«, »Belohnung«, »Loyalität« und »biografische Sicherheit« – und das auch längst nicht für alle.

Dieses historische Zeitfenster, hier stimme ich Sennett zu, schließt sich nun. Aber muss das zwangsläufig eine Katastrophe sein? Oder liegt nicht gerade darin, zumindest potentiell, die Chance zur Weiterentwicklung? Nur wenn man, wie Sennett, einem allzu romantischen Blick auf die vergangene Arbeitswelt nachhängt, ist der Verlust der Lohnarbeitsidentität grundsätzlich zu betrauern – eine vergiftete Nostalgie, die sich auch in Deutschland bei vielen Linken findet und das Vorwärtsdenken behindert.

Sennett sieht den Verlust, den der »mp3-Kapitalismus« der Lebenswelt zufügt. Er bemängelt den Jugendwahn und die kalte Ideologie, das Neue stets und unhinterfragt dem Alten vorzuziehen. Er empört sich zu Recht über den Angriff auf die Tradition und die Erfahrung, den erfahrungslose Geeks vom Silicon Valley aus starten. Und er betrauert aus nachvollziehbaren Gründen den Beschleunigungskult. Aber solange er an der romantischen Idee festhält, Lohnarbeit stifte grundsätzlich Identität, verklärt er den Arbeitsbegriff in marxistischer Tradition doch allzu sehr.

Ob Erwerbsarbeit erfüllend oder identitätsstiftend ist, hängt von vielen Faktoren ab. Von der *Tätigkeit selbst* – Arbeit am Fließband dürfte kaum je erfüllend sein, im Callcenter auch selten – und von der *Leitkultur* der Gesellschaft. Am erfülltesten, so scheint es, ist Arbeit dann, wenn ich weitgehend unabhängiger Herr meiner Arbeit bin in gleichwohl ziemlich gesicherten Verhältnissen. Aber selbst hier fragt sich, warum solche Arbeit zwangsläufig Erwerbsarbeit sein muss. Die erste Bedingung, um die neue Welt des digitalen Zeitalters nicht zu einer menschenverachtenden Dystopie werden zu lassen, ist also die materielle Grundsicherung. Schauen wir uns diese Frage einmal genauer an.

~

Eine humane Utopie befreit den Menschen aus der Definition, ein *Homo mercatorius,* ein Händler sein zu müssen, der seine Arbeitsleistung gegen Geld tauscht. Vielmehr erkennt sie »Arbeit« als das Bedürfnis sehr vieler Menschen, etwas zu tun, das ihr Leben erfüllt und Sinn stiftet. Deshalb trennt sie den Begriff der »Arbeit« als freie Tätigkeit vom Begriff der Lohn- und Erwerbsarbeit. Seit der Antike und verstärkt seit der ersten und zweiten industriellen Revolution träumen Dichter und Denker den Traum, den Menschen von der Notwendigkeit zu befreien, unter Zwang arbeiten zu müssen. Der technische Fortschritt könnte diesen Traum im 21. Jahrhundert für sehr viele Menschen Realität werden lassen, weil intelligente Maschinen mehr und mehr Arbeit übernehmen. Der Mensch als freier Gestalter seines Lebens – diese Vision steht im Zentrum der humanen digitalen Utopie.

Frei leben

Grundeinkommen und Menschenbild

Berlin. Regierungsviertel. Im Spätsommer 2017. Auf der Wiese vor dem Reichstag spielen Migrantenkinder Fußball, Journalisten lümmeln sich auf Liegestühlen im Sand, am Spreebogen dösen Rucksacktouristen im Schatten des Kanzleramts, neugierige Passanten inspizieren den Garten des Schlosses Bellevue. Eine Allegorie der Ruhe und des Friedens; das Idealbild einer blühenden Zeit, in die Gegenwart gefallen aus der italienischen Frührenaissance. Ein Fresko, heiter und beschwingt wie jenes von Ambrogio Lorenzetti im Palazzo Pubblico in Siena: *Folgen einer guten Herrschaft.*

Ende der 2010er Jahre gehört Deutschland immer noch zu den reichsten Ländern der Welt. Die Arbeitslosenquote ist gering, es herrscht »Fachkräftemangel«. Die ungezählten Touristen, die die entspannteste Metropole der westlichen Welt besuchen, knipsen mit ihren Smartphones. Sie lieben das Dörfliche, das Verdöste. Kein Vergleich zu Städten wie London, Paris oder New York oder den gehetzten Megacitys Asiens. Noch liegt die Arbeitslosenquote bei neun Prozent; das ist weit mehr als im Bundesdurchschnitt. Aber man könnte schon jetzt meinen, in Berlin arbeiten die wenigsten, so gelassen wirkt alles. Und weil niemand, der hier knipst, einen Fotolaboranten und ein Studio braucht, über Airbnb ein Zimmer bucht und absehbar auf ein selbstfahrendes Auto per App zurückgreift, werden es wohl bald auch immer weniger sein.

Wovon werden die Menschen in Berlin dann leben? Die Verwaltungen bauen Tausende Mitarbeiterstellen ab in den Ämtern oder Krankenhäusern. Versicherungen und Banken entlassen ihre Leute in Scharen. Wer oder was fängt sie auf? Die Frage beschäftigt öffentliche und private Forschungsinstitute, sie wird auf dem Weltwirtschaftsforum heiß diskutiert, und sie beschäftigt die CEOs, die künftige Entlassungen vorbereiten. Nur in der großen Politik scheint sie nicht angekommen zu sein. »Vollbeschäftigung« nannte Angela Merkel ihr Ziel bis 2025.[36] Das erinnert an Kaiser Wilhelms Satz vom Pferd. Nie war Realitätsverlust in der Bundesrepublik größer!

In Davos, auf den Podien der großen Zeitungen und in den Think-Tanks der westlichen Welt dagegen befasst man sich mit dem entgegengesetzten Szenarium. Wird es möglich sein, dass die Beschäftigungsquote erhalten bleibt, weil alle einfach weniger arbeiten? Lafargue, den hier niemand kennt, lässt grüßen. Die Idee hat auch im 21. Jahrhundert nichts von ihrem Charme verloren. Immerhin würde sie verhindern, dass zu viele ausgegrenzt werden. Dass sich die Arbeitgeber und Gewerkschaften in der deutschen Metallindustrie im Februar 2018 darauf einigten, dass Arbeiter nach Wunsch dort nur noch achtundzwanzig Stunden arbeiten, ist ein Schritt in diese Richtung – selbst wenn das Motiv nicht die zukünftige Massenarbeitslosigkeit ist. Die Frage ist allerdings, für welche Branchen das Lafargue-Modell taugt. Im öffentlichen Dienst hat es wahrscheinlich Perspektive. Kindergärtner und Lehrerinnen können dies sicher tun. In den Verwaltungen dagegen wäre die Arbeitszeitverkürzung wohl nur ein Modell auf Zeit, bis die meisten gar nicht mehr gebraucht werden. Und einen Topmanager, Außenminister, Bundesligaprofi, Projektmanager oder Chefarzt, der Teilzeit arbeitet, wird es auch in Zukunft nicht geben.

Das größere Thema ist daher ein anderes: Wann und wie kommt das »bedingungslose Grundeinkommen«? Ein festes Mindesteinkommen, das zum Leben reicht – für die Idee begeistern sich so unterschiedliche Gemüter wie der ehemalige US-Arbeitsminister Robert Reich, der zyprische Wirtschaftsnobelpreisträger Christopher Pissarides von der London School of Economics, der Künstliche-Intelligenz-Forscher Dileep George, die Silicon-Valley-Großinvestoren Joe Schoendorf, Marc Andreessen und Tim Draper, die deutschen Unternehmer Götz Werner und Chris Boos, die Topmanager Joe Kaeser und Timotheus Höttges sowie der ehemalige griechische Finanzminister Yanis Varoufakis.

Doch die Motive sind nicht immer dieselben. Für das Silicon Valley steht fest, dass die Daten von Armen nichts wert sind. An wen soll man sie verkaufen, wenn diese sich die angebotenen Produkte nicht leisten können? Die Datenökonomie hat kein Interesse an kollektiver Verarmung; sie bedroht ihr Geschäftsmodell. Andere sorgen sich um Altersarmut, wachsende Proteste, soziale Unruhen und bürgerkriegsähnliche Zustände, wenn Millionen auf Sozialhilfeniveau herabsinken. Und wiederum andere, wie Varoufakis, sehen das Grundeinkommen als Mittel grundlegender Partizipation und Umverteilung, vielleicht sogar als Instrument eines Systemwechsels; ein Gedanke, den bereits der französische Sozialphilosoph André Gorz vorausgedacht hat.

Solche unterschiedlichen Motive gehören zur Idee des Grundeinkommens, seit Thomas Morus es in *Utopia* zum ersten Mal skizzierte. Als Morus' Freund, der spanische Humanist Juan Luis Vives, den Gedanken aufnahm, argumentierte er mit der Pflicht eines Christenmenschen, die Ärmsten nicht ohne Fürsorge zu lassen. Die Aufklärer Montesquieu, James Harrington, Thomas Paine und Thomas Spence entwickelten die Idee weiter zu einer allgemeinen Verpflichtung des Staates, für alle zu sorgen; Harrington, Paine und Spence dachten allerdings nicht an Geldzahlungen, sondern an das Recht auf eigenen Grund und Boden. Zu Beginn der industriellen Revolution schlossen sich zahlreiche englische und französische Denker dem Konzept an, ein staatliches Grundeinkommen zu zahlen. Der Philosoph und Ökonom John Stuart Mill, der große englische Denker des 19. Jahrhunderts, sah in einem garantierten Minimum die geschickteste Kombination aller Formen des Sozialismus. Und im 20. Jahrhundert machten sich Erich Fromm und Martin Luther King für ein Grundeinkommen stark, ein Psychoanalytiker und ein Bürgerrechtler.

Man muss allerdings sehen, vor welchem sozialen Hintergrund es jeweils gefordert wurde. Wenn der rechtskonservative US-amerikanische Ökonom Milton Friedman Anfang der Sechzigerjahre von einer negativen Einkommenssteuer sprach, die Geringverdienern ein Minimum garantiert, so war der angedachte Betrag äußerst gering. Das Gleiche gilt für das Konzept des US-Ökonomen James Tobin. Als ein Staat, der seinen Bürgern keine mit Westeuropa vergleichbare Grundsicherung garantiert, sind die Bedingungen in den USA völlig andere als in den wohlhabenden unter den EU-Staaten. In Anbetracht dessen sind die Vorstellungen von einem Grundeinkommen, wie sie heute aus dem Silicon Valley kommen, für Westeuropa kein Maßstab.

Dass eine neue Form der Grundsicherung im Zeitalter von immer weniger Erwerbsarbeit kommen muss, darauf kann man sich schnell einigen. (Es sei denn, man bestreitet schlichtweg das sich abzeichnende Problem.) Globalisierung und Digitalisierung verändern unsere Arbeits- und Lebenswelt so grundlegend, dass sie zwangsläufig zu einer anderen Gesellschaft führen werden. Fragt sich nur zu welcher? Zu einer Welt, in der zwar die Produktivität und die Gewinne steigen, aber selbst die meisten Angehörigen der Mittelschicht nicht mehr davon profitieren, sondern arbeitslos werden und verarmen? Oder zu einem *neuen Gesellschaftsvertrag,* der sich den veränderten Umständen anpasst, um das Gute zu bewahren, vielleicht sogar zu vergrößern? Ohne einen großen Eingriff in die bisherige Wertordnung der Arbeits- und Leistungsgesellschaft, die ihr Ideal von Tüchtigkeit an Erwerbsarbeit bindet, wird es keinen neuen Gesellschaftsvertrag geben.

Wirbt man in Deutschland für das BGE, das bedingungslose Grundeinkommen, das jeder Bürger unabhängig von seiner Bedürftigkeit erhalten soll, kommt als Erstes reflexartig die Frage: Wer soll das bezahlen? Die Frage – so automatisiert, dass augenscheinlich keiner danach fragt, warum man sie sogleich stellt – ist befremdlich. Warum sollte sich das BGE *nicht* finanzieren lassen? Schließlich leben wir im reichsten Deutschland, das es je gab. Und die Produktivität steigt durch die Digitalisierung noch einmal rasant an. Computer und Roboter kosten keine Sozialabgaben, beziehen keine Rente, kein Urlaubs- oder Müttergeld. Sie schlafen nicht, sondern arbeiten ohne Mühen Tag und Nacht.

Bezahlbar ist das BGE auf jeden Fall – allerdings sicher nicht auf althergebrachte Weise, nämlich über die Besteuerung von Arbeit. Insofern greift jede Kritik, die meint, die Steuersätze für sämtliche Arbeitenden müssten astronomisch steigen, ins Leere. Die Pointe am BGE ist, dass die Steuersätze auf Erwerbsarbeit gerade *nicht* steigen und möglicherweise sogar sinken! Wenn der *Zeit*-Redakteur Kolja Rudzio meint, »je mehr das Grundeinkommen die Menschen von schnöder Erwerbsarbeit befreit, desto stärker untergräbt es seine eigene Finanzierung«[37], so verfehlt er den entscheidenden Punkt. Wie sollen denn im Zeitalter von immer weniger Erwerbstätigen diese den Sozialstaat finanzieren? Das funktioniert nicht einmal beim bestehenden Sozialsystem! Denn auch das bricht zusammen, wenn steuerbefreite Computer und Roboter zu Millionen Tätigkeiten erledigen, die früher Menschen gemacht haben. Erstaunlicherweise fällt dies auch dem linken Politikwissenschaftler Christoph Butterwegge nicht auf, wenn er das bestehende Sozialsystem für die Zukunft bewahren möchte, das BGE aber für unbezahlbar hält: »In diesem Fall müssten riesige Finanzmassen bewegt werden, die das Volumen des heutigen Bundeshaushaltes (ca. 300 Mrd. Euro) um ein Mehrfaches übersteigen, die öffentliche Armut vermehren dürften und die Verwirklichung des BGE per se ins Reich der Utopie verweisen.«[38]

Dass viele Linke heute »Utopie« für einen negativen Begriff halten, ist traurig genug – immerhin stand gerade die Linke historisch stets für neue, sozialere Gesellschaftsideen. Doch wieso sieht Butterwegge gerade beim BGE, dass sich die öffentliche Armut vermehrt, und nicht, dass dies unweigerlich gerade dann geschieht, wenn das BGE *nicht* eingeführt wird? Doch der Armutsforscher, der die Bewegung für das Grundeinkommen für »sektenhaft« hält, gehört weiterhin zu denen, die den großen Umbruch auf dem Arbeitsmarkt für reine Science-Fiction halten: »Die Digitalisierung, der demografische Wandel und die Globalisierung sind die drei großen Erzählungen unserer Zeit. Sie sollen den Leuten Angst machen, damit sie sich mit weniger als heute zufriedengeben. Schon bei der Mechanisierung, Motorisierung und Elektrifizierung wurde geweissagt, dass uns die Arbeit ausgeht. Aber die menschenleere Fabrik gibt es bis heute nicht.«[39]

Für Butterwegge ist die Erwerbsarbeit, anders als für Marx,

Lafargue und Wilde, offensichtlich ein großer Segen. Und seine Ängste dürften ähnlich sein wie die des österreichischen Schriftstellers Jakob Lorber Mitte des 19. Jahrhunderts: »Aber es wird kommen am Ende eine Zeit, in der die Menschen zu einer großen Klugheit und Geschicklichkeit in allen Dingen gelangen werden und erbauen werden allerlei Maschinen, die alle menschlichen Arbeiten verrichten werden wie lebende, vernünftige Menschen und Tiere; dadurch aber werden viele Menschenhände arbeitslos, und die Magen der armen, arbeitslosen Menschen werden voll Hungers werden. Es wird sich dann steigern der Menschen Elend bis zu einer unglaublichen Höhe.«[40] Und auch die Philosophin Hannah Arendt bietet sich ideologisch als Schwester im Geiste an: »Was uns bevorsteht, ist die Aussicht auf eine Arbeitsgesellschaft, der die Arbeit ausgegangen ist, also die einzige Tätigkeit, auf die sie sich noch versteht. Was könnte verhängnisvoller sein?«[41]

Kein Wunder, dass für Butterwegge der Ruf nach dem Grundeinkommen so etwas wie eine neoliberale Verschwörung gegen den Sozialstaat ist, unterstützt von einigen irregeleiteten linken Träumern. Bevor es um die Finanzierung geht, sollte man daher fragen, wie hoch das Grundeinkommen eigentlich sein müsste, damit sich die Menschen gerade nicht »mit weniger zufriedengeben« müssen. Wer in Deutschland Arbeitslosengeld II (Hartz IV) bezieht, der erhält alleinstehend einen Regelsatz von 416 Euro. Dazu kommt ein Mietzuschuss je nach Region bis zu 590 Euro und etwa 130 Euro Unterstützung zur Kranken-, Pflege- und Rentenversicherung. Einige kleinere Beträge wie Warmwasser oder Umzugskosten mit eingerechnet, bekommt ein alleinstehender Hartz-IV-Empfänger in Deutschland je nach Wohnregion zwischen 950 und 1200 Euro im Monat.

In dieser Situation ist es in der Tat befremdlich, wenn der Unternehmer Götz Werner ein Grundeinkommen von 1000 Euro für jeden fordert, dabei aber gleichzeitig alle Sozialleistungen einschließlich des Wohngelds gestrichen sehen möchte.[42] Für den größten Teil aller bisherigen Hartz-IV-Empfänger bedeutet dies, dass sich ihre finanzielle Situation verschlechtert. Von Werners hehrem Ziel, ein menschenwürdiges Leben für jeden zu ermöglichen, ist der Vorschlag weit entfernt. Wer in München 590 Euro Wohngeld erhielt und die Miete nun selbst zahlen muss, dem bleiben 410 Euro, von denen er auch noch die Kranken- und Pflegeversicherung bezahlen muss! Was in der Maske des Humanitären daherkommt, ist offensichtlich nicht gut zu Ende gedacht. Und es befeuert Butterwegges Verdacht, dass sich durch all das die öffentliche Armut nur vermehrt.

Ein angemessener Betrag für das Grundeinkommen kann nicht 1000 Euro sein, sondern ein Betrag, der deutlich über dem bisherigen Hartz-IV-Satz liegt, also mindestens 1500 Euro. Butterwegges Verelendungsthese wäre damit entkräftet. Doch spätestens hier regt sich der nächste linke Unmut. Warum sollten alle, also auch Milliardäre, in Deutschland 1500 Euro vom Staat geschenkt bekommen? Das linke Herz klopft in wildem Zorn, nicht nur bei Butterwegge, sondern genauso bei Gregor Gysi.[43] Auch hier ist der Gedankengang sichtlich nicht zu Ende gedacht. Zunächst einmal fällt der Betrag, den der Staat Deutschland sechzig Milliardären ausschüttet, statistisch nicht ins Gewicht. Wichtiger ist, dass durch ein verändertes Steuermodell vor allem Millionäre und Milliardäre in Zukunft deutlich mehr Steuern zahlen, als sie durch das Grundeinkommen beziehen; allerdings nicht über die Einkommensteuer, die sich durch Wohnsitzverlagerung und Briefkastenfirmen so fein umgehen lässt.

*

Wie sollte die Besteuerung der Zukunft demnach aussehen? Seit den Tagen der ersten industriellen Revolution existiert die Idee einer »Maschinensteuer«. Warum besteuern wir nicht Dampfmaschinen, Traktoren und zukünftig Computer und Roboter? Der Gedanke ist alt und klingt hübsch, konnte aber bislang zu keinem historischen Zeitpunkt überzeugen. Denn eine Wertschöpfungsabgabe bremst genau die Wertschöpfung aus, die man braucht, um eine entsprechende Grundsicherung für alle zu finanzieren. Zudem ist völlig ausgeschlossen, dass ein einziges hochindustrialisiertes Land sie beschließt, während andere es nicht tun. Wenn Bill Gates die Vorstellung unlängst wiederbelebt hat, dann auch nicht, weil er damit den Sozialstaat finanzieren möchte. Sein Motiv ist das eines Zauberlehrlings, der die Geister entschleunigen möchte, die er rief – aus Angst, dass die Menschen dem rasanten Fortschritt der Digitalisierung nicht gewachsen sind.

Ein ebenfalls beliebtes Konzept ist die negative Einkommensteuer, zu der in Deutschland mehrere Varianten diskutiert werden, etwa das Ulmer Transfergrenzenmodell (TGM) oder das Solidarische Bürgergeld, das der ehemalige Ministerpräsident von Thüringen, Dieter Althaus, ins Gespräch brachte. Das Grundeinkommen soll über Einkommensteuern finanziert werden, je nach Modell unter Miteinbezug von Zinsen, Mieteinnahmen und Dividenden. Die meisten dieser Modelle setzen das Grundeinkommen so gering an wie Götz Werner, also um die 1000 Euro. Auch sie nehmen eine Verschlechterung der Bezüge für Hartz-IV-Empfänger in Kauf. Dafür stellen sie finanziell bessere Anreize etwas hinzuzuverdienen in Aussicht und versprechen einen massiven Abbau der Bürokratie.

Demjenigen, der dem BGE grundsätzlich kritisch gegenübersteht, erscheint die negative Einkommensteuer als die am ehesten annehmbare Lösung. Doch genau dieser Reiz ist ihre Krux. Die Idee stammt aus den Vierzigerjahren und hatte in den Sechzigern in Milton Friedman ihren prominentesten Vertreter. Angesichts von Millionen Menschen, die in Zukunft in den hoch entwickelten Industrieländern ihre Erwerbsarbeit verlieren werden, erscheint sie hingegen regelrecht abstrus; ein Versuch, einen Häuserbrand mit der Gießkanne zu löschen! Wenn immer weniger Menschen einer Erwerbsarbeit nachgehen, werden die Erwerbstätigen mit ihrer Arbeit den Sozialstaat nicht mehr finanzieren können. Und auch der für viele BGE-Skeptiker reizvolle Gedanke, Grundeinkommenbeziehern ohne Erwerbsarbeit bessere Anreize zu geben, sich eine zu suchen, ist unter den Vorzeichen des digital massiv verkleinerten Arbeitsmarkts eine abständige Vorstellung. Erst wenn man verstanden hat, dass das Zeitalter flächendeckender Erwerbsarbeit mit sehr großer Wahrscheinlichkeit zu Ende geht, versteht man die Lage. Für diese neue Situation aber enthält die alte Idee der negativen Einkommenssteuer keine Lösung.

Zukunftstauglichere Konzepte haben sich deshalb von dem Einfall, ein Grundeinkommen über Erwerbsarbeit zu finanzieren, verabschiedet. Dazu gehören Götz Werners Vorschlag, statt Einkommen nur den Konsum zu besteuern, die Überlegung, natürliche Ressourcen, vor allem den Wert von Grund und Boden, zu besteuern, eine CO_2-Steuer oder die Besteuerung von Umweltbelastungen (Pigou-Steuern). Jeder dieser Vorschläge hat Vorteile und ist erwägenswert. Allerdings kann nicht jeder, der viel Grund und Boden besitzt, hohe Steuern zahlen. Und die gute Idee, den Kohlendioxidausstoß von Unternehmen zu besteuern, scheint unter gegenwärtigen Rechtsbedingungen in Deutschland leider kaum möglich – was allerdings nicht heißt, dass man sie nicht ändern kann.

Bleibt also nur die bis heute beste Idee. Warum besteuert

man nicht den Geldverkehr? Man denke an das Modell, das eine Arbeitsgruppe um den Finanzpolitiker und ehemaligen Schweizer Vizekanzler Oswald Sigg vorschlägt.[44] Danach ist der Zahlungsverkehr der Schweiz etwa dreihundertmal so groß wie das Bruttoinlandsprodukt. Erhebt man auf jeden Geldtransfer eine »Mikrosteuer« von 0,05 Prozent, wäre für die Schweiz ein Grundeinkommen von 2500 Franken finanziert. Für den Normalbürger hätten solche Steuern so gut wie keine spürbaren Konsequenzen. Denn 90 Prozent der Summe stammen aus der Finanzwirtschaft, insbesondere aus dem Hochfrequenzhandel.

Die Finanztransaktionssteuer wird vor allem deshalb diskutiert, um zu verhindern, dass Spekulationen sich mehr lohnen als Investitionen in die Realwirtschaft. Angesichts des enormen Volumens heutiger Finanzspekulationen eine völlig realistische Befürchtung. Zudem sollte eine solche Steuer für John Maynard Keynes in den Dreißigerjahren Finanzblasen und Börsencrashs verhindern. Kein Wunder, dass angesichts der globalen Finanzmarktkrise die EU-Kommission die Idee einer Finanztransaktionssteuer 2011 aufgriff – unter heftigem Widerstand Großbritanniens, das wie kein anderes EU-Land vom Finanzsektor lebt. Als der Entwurf 2013 fertig war, war nur noch von elf EU-Ländern die Rede. Doch je länger die Krise zurücklag, umso weniger wurde das Konzept weiterverfolgt. Die Lobbys der Finanzindustrie gewannen wieder die Oberhand und fluteten die Wirtschaftsseiten der großen Zeitungen und Zeitschriften mit fadenscheinigen Argumenten. Was auch immer an Einwänden über den volkswirtschaftlichen Nachteil vorgebracht wurde, der Vorteil überwiegt sie bei Weitem. Eine Finanztransaktionssteuer macht die Finanzmärkte stabiler und verringert die Zockerei im Börsencasino. Verlierer sind nur die Extremzocker und niemand sonst.[45]

Der einzige Einwand von Gewicht ist nicht volkswirtschaftlicher Natur. Es ist die Befürchtung, den Finanzspekulanten blieben jederzeit hinreichend Möglichkeiten, die Steuer zu umgehen. Einen solchen Einwand zum Grund zu nehmen wäre, als wenn man auf die Bekämpfung von Verbrechen verzichte, weil sie gleichwohl ständig wieder vorkommen. Klar ist, je mehr Länder sich an einer Finanztransaktionssteuer beteiligen, umso besser. Zwei Überlegungen geben hier Grund zum Optimismus. Zum einen geschieht kein gesellschaftlicher Fortschritt dadurch, dass sich achtundzwanzig Regierungschefs darauf einigen. Weder wurde so die Sklaverei abgeschafft noch die Gleichstellung von Frauen durchgeboxt, noch wird so eine Finanztransaktionssteuer in der EU durchgesetzt. Aller gesellschaftliche Fortschritt geht von einzelnen Staaten aus, die dann einen Dominoeffekt in anderen Ländern auslösen.

Betrachtet man die Finanztransaktionssteuer in dem Licht, damit zukünftig ein Grundeinkommen an die Bürger zu zahlen, so sitzen viele vorher zerstrittene EU-Länder plötzlich im selben Boot. Denn nun geht es nicht mehr um mehr oder weniger Rücksicht gegenüber der Finanzindustrie – es geht um ein Riesenproblem, das sich in Frankreich, Deutschland, Polen und Italien gleichermaßen stellt: Wie verhindere ich den gesellschaftlichen Abstieg der Mittelschichten, wie beuge ich heftigen sozialen Unruhen vor? Im Vorzeichen solcher Bedrohungen dürfte schnell möglich werden, was gegenwärtig bislang völlig utopisch erscheint. Der Motor des sozialen Fortschritts war noch nie das bessere Argument, sondern immer waren es der Affekt und die Katastrophe. Die Pläne dafür aber müssen jetzt geschmiedet werden und nicht im Zustand des Dramas, der Überforderung und der Schnellschüsse.

Wenn eine Mikrosteuer von 0,05 Prozent für jede Finanztransaktion ausreichen könnte, um ein BGE für die Schweiz zu finanzieren, so lässt sich auch ausrechnen, welcher Prozentsatz benötigt würde, um das Gleiche für Deutschland zu tun. Der Prozentsatz wäre sicher höher, aber gewiss immer noch so gering, dass er den meisten Menschen kaum auffällt. Entsprechende realistische Modelle zu entwickeln ist nicht Aufgabe der Philosophen, sondern der Ökonomen. Einrechnen müssten sie dabei auch die mutmaßlichen Folgen für die Spekulation. Doch selbst wenn die Mikrosteuer einen gewissen Prozentsatz an Zockergeschäften abschafft – was für die Stabilität der Finanzmärkte von größtem Wert wäre –, ließe sich das Grundeinkommen in den reichen Ländern auf diese Weise sicher finanzieren. Immerhin beträgt das Volumen des weltweiten Derivatehandels mit 600 bis 700 Billionen US-Dollar in etwa das Zehnfache des globalen Bruttoinlandsprodukts! Am Geld also dürfte kein BGE scheitern. Und die Mikrosteuer auf Finanztransaktionen wäre zumindest kurz- und mittelfristig die beste Idee, jedenfalls solange die internationale Finanzwirtschaft noch das ist, was sie heute ist …

*

Von allen Fragen, die das BGE aufwirft, ist die Finanzierung mithin das kleinste Problem. Viel spannender sind die psychologischen Fragen, denn hier geht es um das Menschenbild der Gegenwart und der Zukunft. Weltanschauungen treffen hier aufeinander, Glaubensgrundsätze, lieb gewordene Vorurteile, kulturelle Prägungen und Mentalitäten.

Besonders die Linke hat sich, wie gezeigt, in die Vorstellung verkämpft, der Mensch brauche zu seinem Glück die Erwerbsarbeit. Doch wer ist »der Mensch«? Bei einer Podiumsdiskussion vor der Entwicklungsabteilung bei Audi erklärte mir ein dort tätiger Ingenieur, der Mensch sei von Natur aus ein »Problemlöser«. Immer wenn etwas nicht optimal ist, be-

137

mühe sich der Mensch darum, es zu verbessern. Nun, dachte ich, vielleicht sind so die Ingenieure bei Audi – in meinem persönlichen Umfeld dagegen leben fast nur Menschen, die sich kaum je Gedanken darüber machen, etwas zu verbessern, geschweige denn zu erfinden.

Mit dem Begriff »Mensch« sollte man ziemlich vorsichtig sein. Der Mensch ist, mit Nietzsche gesagt, das »nicht festgestellte Tier«. Und: »Wer Menschheit sagt«, meinte der Philosoph Carl Schmitt, »der lügt!« Zu vieles am Menschen ist abhängig von den Bedingungen, unter denen er lebt, um ihn klar zu definieren. Was einem Menschen des europäischen Mittelalters selbstverständlich war – ein Leben in Gottes Hand oder die Gewissheit, dass bald das Tausendjährige Reich der Gottesherrschaft auf Erden anbricht –, kommt uns heute eher befremdlich vor, obwohl wir noch immer Mitteleuropäer sind. Dass »der Mensch« nichts mehr mit sich anzufangen weiß und seinen Lebenssinn verliert, wenn er nicht für Geld arbeitet, ist eine steile Unterstellung. Sie stempelt jede Hausfrau, jeden Hausmann, jeden Rentner, jede Luxusgattin, jedes Königskind, jeden Regenwaldbewohner und jeden Massai-Krieger zu einem unglücklichen Menschen.

Richtig ist nur, dass in einer Gesellschaft wie Deutschland derzeit viele Menschen sich schlecht und nutzlos fühlen, wenn sie ihre Erwerbsarbeit verlieren und keine neue finden. Ihr Problem dürfte aber kein anthropologisches sein, sondern ein sehr modernes. Dass Menschen durch Erwerbsarbeit etwas »aus sich« oder »ihrem Leben machen« sollen – diese Frage hat sich dem Bauern oder dem Fabrikarbeiter des 19. Jahrhunderts nie gestellt. Dass man seine Talente nutzen, kreativ sein oder sich gar »selbst verwirklichen« soll – all das sind Ansprüche hochmoderner Gesellschaften. Sie entstanden nach und nach im Laufe des 20. Jahrhunderts. Und erst jetzt musste sich schlecht vorkommen, wer diese Ziele verfehlte. Doch noch heute gibt es genug Menschen, für die ihre Erwerbsarbeit solche Ansprüche nicht erfüllt. Lebten sie in einer Gesellschaft, die Selbstverwirklichung oder Talent zu nutzen nicht an Erwerbsarbeit koppelt, wäre das ohne Zweifel ein Fortschritt.

In der gegenwärtigen Gesellschaft aber bedeutet der Verlust von Erwerbsarbeit zugleich einen Verlust an gesellschaftlicher Anerkennung; einen Anschlag auf das Selbstwertgefühl. Wer dies erleidet, fühlt sich – und da hilft auch keine anthropologische Poesie über das angeborene Bedürfnis, kreativ sein zu wollen – als Verlierer der digitalen Revolution. Und daran ändert selbst das BGE nichts, zumal der große Abbau der Bürokratie in den Ämtern diejenigen, die vorher über Hartz-IV-Empfänger urteilten, nun selbst zu Arbeitslosen macht. Und die einzigen Jobs, die sie noch finden – Pakete ausfahren oder im Callcenter tätig sein –, sind kaum mit mehr gesellschaftlicher Anerkennung gesegnet, als gar nicht zu arbeiten. Solchen Menschen mit Sprüchen von der neuen Notwendigkeit des »lebenslangen Lernens« zu begegnen ist allenfalls zynisch.

Tatsächlich ist der Trend vom guten Beruf zum schlechten Job längst im Gange. 1993 arbeiteten 4,4 Millionen Menschen in Deutschland in nicht sozialversicherungspflichtigen Jobs. 2013 waren es schon 7,6 Millionen, Tendenz weiter steigend. Eine Unternehmenskultur, die ihnen Schutz und Verlässlichkeit bietet, kennen sie nicht mehr. Sie strampeln sich als »Crowdworker« ab oder bieten sich in der »Gig Economy«, zum Beispiel als Uber-Fahrer, feil.[46] Gerade in den südeuropäischen Ländern ist die digitale Schattenökonomie in den letzten Jahren enorm gestiegen und verdeckt damit die Krise der klassischen Arbeitsgesellschaft. Insbesondere in Spanien vermieten Menschen ihre Wohnung über Airbnb und zahlen nichts mehr in die Sozialversicherungen ein. Und was früher schlichtweg nettes Verhalten war – jemanden mit dem Auto mitnehmen, ein Zimmer für kurze Zeit einem Studenten zur Verfügung stellen –, ist nun knallhartes Geschäft. Aus Sozialverhalten wird Geschäftsdenken, und der lange Schatten des Silicon Valley untergräbt die Alltagsmoral; ersprießlich ist das nicht.

Die Welt der Erwerbsarbeit ist schon lange nicht mehr das, für das Gegner des Grundeinkommens sie halten. Und zwischen Lohnarbeit und Anerkennung liegt in der deutschen Realität des Jahres 2018 ein großes »und«. Erwerbsarbeit *kann* Anerkennung, Befriedigung und das Gefühl, gebraucht zu werden, bedeuten. Oft genug tut es das nicht. Butterwegges Satz »In einer Arbeitsgesellschaft hängen Lebenszufriedenheit, sozialer Status und Selbstwertgefühl an der Berufstätigkeit«[47] ist also doppelt problematisch. Erstens stimmt das bei vielen definitiv nicht, und zweitens beginnt gerade diese Arbeitsgesellschaft allmählich zu verschwinden – jedenfalls für eine so große Zahl von Menschen, dass sie nicht weiter die exklusive Leitidee unserer Gesellschaft sein kann.

In jedem Fall liefert all dies kein Argument gegen das Grundeinkommen. Denn nicht das BGE macht viele Menschen arbeitslos, sondern die digitale Ökonomie. Das Grundeinkommen ist ein Versuch, materielle Not zu lindern, und das Bemühen, den Zustand, nicht für Lohn zu arbeiten, psychologisch und gesellschaftlich von seinem Ächtungsfluch zu befreien. Ohne einen Wertewandel, da haben die Kritiker des BGE recht, ist das Grundeinkommen wenig wert. Es ist nicht, wie mancher glühende Anhänger meint, die Lösung, sondern nur ein Baustein dazu.

Was ist vor diesem Hintergrund von dem Einwand zu halten, das BGE zerstöre den deutschen Sozialstaat? Nun, dieser Sozialstaat ist ein Kind der Arbeits- und Leistungsgesellschaft des späten 19. und des 20. Jahrhunderts. Er stammt aus einer Zeit, als viele Menschen in sozialversicherungspflichtigen Berufen arbeiteten und Vollbeschäftigung das gesellschaftliche Ziel war. Aus dieser Zeit erwuchs die von Norbert Blüm sogenannte solidarische Selbsthilfe: der Sozialstaat, aufgebaut auf dem »Prinzip der Gegenseitigkeit«. Niemand wird ernsthaft bezweifeln, dass dies eine gewaltige Errungenschaft der Arbeits- und Leistungsgesellschaft war. Aber auch niemand wird ebenso ernsthaft behaupten können, dass der Sozialstaat intakt ist. Unterspült durch prekäre Beschäftigungsverhältnisse – Minijobs, Leiharbeit, Scheinselbstständigkeit, unbezahlte Praktika usw. –, ist er längst nicht das, was er einmal war. Wenn immer mehr Erwerbsarbeit von Sozialabgaben befreit wird, kann vom »Prinzip der Gegenseitigkeit« nicht mehr die Rede sein.

Gleichwohl stört vor allem linke Kritiker des BGE, dass sich das Grundeinkommen vom Leistungsgedanken entfernt. Der Sozialstaat alter Prägung ist eine Leistungsgemeinschaft von Beitragszahlern, die bekommen, was sie verdienen – und sich dabei wechselseitig unterstützen und aushelfen. Ein Grundeinkommen dagegen ist steuerfinanziert, man erhalte es nicht, weil man es sich durch Sozialbeiträge »verdient« habe. Was edel klingt, ist bei Lichte betrachtet oft einfältige Sozialromantik. Wer ein Leben lang einen schlecht bezahlten Beruf mit Sozialabgaben ausgeübt hat, lebt schon jetzt und erst recht in Zukunft von äußerst wenig Geld, oft genug unterhalb der beim BGE avisierten 1500 Euro. Wer das gerecht findet, hat sich auf befremdliche Weise mit dem bestehenden Sozialsystem arrangiert – vielleicht sollte er einmal mit armen Rentnern darüber sprechen? Und ist das wirklich »gerechter« als eine angemessene Mindestsicherung für jeden?

Die »Gerechtigkeit« ist ein schillerndes Wort. Immerhin hat

jeder Mensch das Recht, sie auszulegen, wie er will. Für einen Liberalen ist es gerecht, wenn jeder *die gleiche Chance* hat, zu Wohlstand zu gelangen, unbegrenzt nach oben. Für einen Sozialisten ist es gerecht, wenn jeder *das gleiche Stück* vom Kuchen abbekommt. Keine dieser Vorstellungen ist, philosophisch betrachtet, »von Natur aus« gerechter als die andere. Kein Wunder, dass die soziale Marktwirtschaft sich stets um einen Ausgleich beider Vorstellungen bemüht, allerdings unter sich wandelnden ökonomischen Bedingungen. Wenn der Wohlfahrtsstaat bedroht ist, dann deshalb, weil sich die globale Ökonomie rasant verändert. Wer heute glaubt, den deutschen Sozialstaat in seiner bisherigen Form erhalten, ihn weiter über Erwerbsarbeit finanzieren zu können und nur die Hartz-IV-Sätze erhöhen möchte, der lebt nicht mehr in der Gegenwart und ist blind für die Zukunft. Ein vergänglicher Zustand lässt sich nicht mit Regeln aufhalten. Man kann einer welkenden Blume noch so oft das Wasser wechseln, das Verwelken lässt sich nicht verhindern.

Im Deutschland des Jahres 2018 haben nur noch 53 Prozent der Beschäftigten Arbeit, die nach Tarif bezahlt wird. Parallel dazu werden immer weniger Menschen im Alter von ihrer Rente leben können. Dass ihre soziale Sicherung nach wie vor an Erwerbsarbeit gekoppelt ist, wird ihnen zum Verhängnis, denn einen Rentenbetrag von 1500 Euro werden sie nicht haben. Im Fall des BGE aber wären sie hier abgesichert. Wer hingegen ein Leben lang in die Rentenversicherung eingezahlt hat und mehr als 1500 Euro Rente bekommt, der wird den entsprechenden Betrag auch erhalten. Das Gleiche gilt anteilig für all die, die einige oder viele Jahre einbezahlt haben. Es wird ihnen angerechnet, sodass sich kein Beitragszahler über eine Ungerechtigkeit des Grundeinkommens ärgern muss. Und wer in Zukunft meint, dass 1500 Euro im Rentenalter für ihn zu wenig sind, dem steht es weiterhin frei, eine private Rentenversicherung abzuschließen.

Doch selbst wenn es keinem Rentner durch das BGE schlechter geht, sondern vielen besser, rührt sich in manchem noch immer Widerstand. Warum soll jemand, der ein Leben lang für Geldlohn gearbeitet hat, am Ende nicht mehr Rente bekommen als jemand, der es nie getan hat? Ein solcher Unmut ist verständlich. Wie bei jedem gesellschaftlichen Umbruch werden sich viele als Opfer sehen, selbst wenn sie es nur psychologisch sind und nicht materiell. Es ist nicht nichts, wenn das bedingungslose Arbeitsethos mancher Menschen (»Ich würde immer arbeiten und *nie* vom Staat leben.«) durch ein bedingungsloses Grundeinkommen ersetzt wird. Das Selbstverständnis der klassischen Arbeits- und Leistungsgesellschaft, von Generationen vererbt, ist plötzlich teilweise (natürlich nicht völlig) außer Kraft gesetzt. Nicht nur die Leitfiktion der Leistungsgesellschaft, sondern auch die geldwerte Lebensleistung vieler Menschen erscheint plötzlich in anderem Licht. Kein Wunder, dass mancher, der ein Leben lang einer Erwerbsarbeit nachgegangen ist, befürchtet, dass in Zukunft immer weniger Menschen die Motivation haben, überhaupt noch zu arbeiten. Haben wir nicht schon jetzt einen Fachkräftemangel in Deutschland und hinreichend junge Menschen, die keinen Handwerksberuf erlernen wollen und lieber nichts tun?

Zunächst einmal muss klar sein: Es gibt keine welthistorische Gerechtigkeit! Wer jetzt darüber klagt, dass er ein Leben lang für Geld arbeiten musste, während viele es in Zukunft nicht mehr müssen, der darf sich beruhigen: Was für ein Glück, dass er einer Generation angehört, die nicht in einen Weltkrieg musste, während die Väter und Großväter es mussten! Warum sollten künftige Generationen es nicht besser haben dürfen als vorangegangene? Soll man als neunzigjährige

Frau gegen die Emanzipation sein, weil man, anders als die heutige Jugend, damals nicht davon profitieren konnte?

Doch was ist mit der Angst, die Menschen verlören bei einem Grundeinkommen die Arbeitsmoral? Ist sie nicht trotzdem berechtigt? Nun, wenn einige Menschen, die bislang für Geld arbeiten mussten, es nicht mehr zwingend tun müssen, weil sie besser abgesichert sind als zuvor, ist das gewiss keine Katastrophe. Zum einen schwindet ja parallel dazu die Erwerbsarbeit. Und zum anderen geschieht dadurch endlich – und zum ersten Mal in der jüngeren deutschen Geschichte! – ein Umbruch auf dem Arbeitsmarkt. Wichtige und nützliche Berufe müssen angemessen bezahlt werden. Wer will noch die ewigen sozialdemokratischen Wahlkampfreden über die alleinerziehende Krankenschwester hören, die endlich anständig bezahlt werden sollte, wenn man weiß, dass die SPD in Jahrzehnten der Regierungsbeteiligung daran nichts Grundsätzliches geändert hat und mit dem bisherigen System vielleicht auch nicht kann? Wenn jeder 1500 Euro Grundeinkommen erhält, braucht die Toilettenfrau sich nicht mehr mit dem Geldteller irgendwo hinzusetzen. Kein Rentner muss mehr Taxi fahren, weil die Rente nicht reicht. Und die Krankenschwester und der Altenpfleger werden endlich adäquat bezahlt. Sicher wird der Friseur etwas teurer, in der Gastronomie ändert sich wenig. Warum sollte man nicht mit kellnern 1000 Euro zusätzlich zum Grundeinkommen verdienen? Die Krankenschwester und der Altenpfleger können nun, wenn sie möchten, zu ihrem Grundeinkommen durch Arbeit entsprechend dazuverdienen; der Schritt von der Ausbeutung zu Lafargues Einundzwanzig-Stunden-Woche!

Der Anspruch des Erwerbstätigen an die Qualität der Arbeit und vor allem des Arbeitsumfelds steigt. Kein Kellner wird mehr in einem Restaurant mit miesem Arbeitsklima arbeiten wollen. Geschäftsmodelle wie etwa das von McDonald's mit seinen schlechten Arbeitsbedingungen gehören der Vergangenheit an. Ein volkswirtschaftlicher Nachteil entsteht dadurch nicht. Wer vorher bei McDonald's gegessen hat, isst nun zu Hause oder in Restaurants mit besseren Arbeitsbedingungen. Auf der anderen Seite werden all die Dienstleistungen in Zukunft günstiger, die von Robotern und Computern erledigt werden. Verschiebungen im Preisgefüge gab es schon immer. Der Preis für Fleisch ist in Deutschland heute um ein Vielfaches günstiger als in den Fünfzigerjahren; eine Handwerkerstunde um ein Vielfaches teurer.

Die Motivation, stupider Arbeit nachzugehen, wird durch das BGE auf jeden Fall gedämpft. In der Masse trifft es dabei viele Bereiche, die ohnehin bald voll digitalisiert sind. Wie klein erscheint diese Not gegen den kulturellen Meilenstein im Sinne von Lafargue und Wilde: dass kein Erwerbsloser in Deutschland in Zukunft mehr von tiefer Existenzangst gequält sein muss! In diesem Sinne nennt der *Zeit*-Redakteur Bernd Ulrich das BGE treffend einen »Gesellschaftsvertrag wider die Angst bei der Arbeit«[48]. Auf eine Erziehungskultur mit immer weniger Angst folgt eine weitgehend angstfreie Arbeitskultur. Nur wer glaubt, dass der Mensch zum Arbeiten erpresst werden muss, wird das nicht mögen. Er wird dann aber gleichzeitig nicht weiter behaupten können, dass Lohnarbeit in der Natur des Menschen liegt.

Was an Existenzangst verloren geht, bietet auf der anderen Seite manchem den nötigen Spielraum, sich gut und gründlich zu überlegen, was man eigentlich tun *will*. Für den so oft kritisierten Mangel an Unternehmergeist in Deutschland nicht die schlechteste Voraussetzung, auch wenn dazu bekanntermaßen mehr gehört als eine materielle Grundabsicherung. Natürlich wird es auch mit BGE nicht wenige Menschen geben, die sich kaum zu gesellschaftlich sinnvollen Tätigkeiten motivieren können – aber die gibt es heute ebenso.

*

Wer sich für ein solches menschenwürdiges Grundeinkommen einsetzt, will eine andere Gesellschaft; eine, die den Wert des Menschen weitgehend von Erwerbsarbeit entkoppelt. Und dass reiche Gesellschaften ihren schwächeren Mitgliedern ein Auskommen garantieren, völlig unabhängig von Anträgen, Ämtern und Warteschlangen, ist ein großer Schritt in der Geschichte der Zivilisation. Bezahlen müssen diesen Schritt nicht die normalen Erwerbstätigen, sondern Menschen, Firmen, Banken und Institutionen, die mit weit mehr Geld ausgestattet sind, als sie ausgeben können, und damit an der Börse spielen. Ihre Riesengewinne werden ein bisschen kleiner, und manches blitzschnelle Geschäft lohnt sich nicht mehr; die »Leidtragenden« werden es überleben.

Selbstverständlich sind damit nicht alle Probleme gelöst. Viel gravierender ist ein strukturelles Dilemma. Dass die Digitalisierung die Produktivität enorm erhöht, wird nur von wenigen bestritten.[49] Warum sollte es nicht zu Produktionsgewinnen kommen, wenn Roboter und Computer in Zukunft viel günstiger und viel mehr produzieren als Menschen? Die Folge ist allerdings die prognostizierte Massenarbeitslosigkeit. Menschen, die vorher einen gut bezahlten Beruf hatten, haben nun keinen mehr und leben von weit weniger Geld. Da ist es volkswirtschaftlich völlig belanglos, dass Internetfirmen persönliche Daten auswerten, um ihre Kunden gezielter und manipulativer zu bewerben. Wenn Menschen weniger Geld in der Tasche haben, sinkt das Konsumvolumen, egal wie ausgefuchst ich sie bewerbe. *Produktion zu rationalisieren verspricht volkswirtschaftlich mehr Gewinn; Konsum zu ratio-*

nalisieren hingegen nicht – jedenfalls dann nicht, wenn nicht gleichzeitig die Kaufkraft steigt.

Dass Produktionskraft und Kaufkraft nicht einträchtig nebeneinander hergehen, ist seit den Siebzigerjahren in vielen westlichen Volkswirtschaften zu beobachten. In Deutschland ist die Produktion weit höher als die Kaufkraft. Die Folge dieser Entwicklung ist bekannt. Je geringer die Kaufkraft im eigenen Land im Vergleich zur Produktion, umso wichtiger wird der Export. Eine andere Möglichkeit, das Feuer künstlich weiter zu entfachen, ist die Verschuldung sowohl des Staates als auch von Privatpersonen – besonders eklatant beispielsweise in den USA. Was aber geschieht, wenn die Kaufkraft durch künftige Entlassungen rapide sinkt? Ist es dann nicht die logische Folge, den »arbeitenden Kunden« und »Prosumenten«, der zahlreiche Dienstleistungen selbst erledigt, die vorher Erwerbsarbeiter taten, angemessen zu entlohnen? Von einer solchen Warte betrachtet wäre das BGE eine Art Entlohnungspauschale für die ausgelagerte und dem Kunden überlassene Arbeit der Unternehmen.

Das strukturelle Dilemma ist damit allerdings nicht gelöst. Denn wie hoch müsste ein Grundeinkommen sein, das den Verlust an Kaufkraft durch digitale Rationalisierung tatsächlich auffängt? Die bisher angeführten 1500 Euro wären dafür gewiss noch viel zu niedrig. Ein deutlich höheres Grundeinkommen zu zahlen aber führt unweigerlich zu einer völligen Neuordnung des Arbeitsmarkts und möglicherweise – wir diskutieren das am Ende des Buchs – in ein anderes gesellschaftliches System.

Auch bei 1500 Euro erhöht das BGE zumindest die Kaufkraft derjenigen, die wenig haben, beträchtlich. Das ist gut und wichtig für den Binnenmarkt, führt aber leicht zu Mieterhöhungen in sozialschwachen Bezirken. Dass hier Staat,

Land und Kommunen ein scharfes Auge darauf haben und das Nötige dagegen tun müssen, sollte gleich zu Anfang bedacht sein. Und natürlich ist jeder Verwaltungsum- und -abbau einer solchen Größenordnung alles andere als einfach. Insbesondere die Frage, welche Hürden der Staat aufrichtet, um Migranten davon abzuhalten, in ein Land mit einem Grundeinkommen von 1500 Euro einzuwandern. Realistisch betrachtet allerdings stellt sich die Frage unter BGE-Bedingungen nicht anders als heute. Für einen Geflüchteten aus Afghanistan oder dem Sudan ist der deutsche Sozialstaat schon jetzt ein Paradies; das Grundeinkommen wird diesen enormen Anreiz kaum noch verstärken können.

Wird es zu einem bedingungslosen Grundeinkommen in Deutschland kommen? Ja, es wird, und zwar spätestens dann, wenn die Zahl der offiziellen Arbeitslosen die Vier- oder Fünf-Millionen-Grenze übersteigt. Die spannende Frage wird dann sein, welches Grundeinkommen eingeführt wird. Eines mit 1000 Euro, bezahlt durch die negative Einkommenssteuer? Das wäre ohne Zweifel kein Menschheitsfortschritt, sondern ein Verhängnis; eine soziale Kahlschlagfantasie, die nichts verbessert, aber vieles verschlimmert. Oder arbeiten wir daran, die Utopie Wirklichkeit werden zu lassen und die vierte industrielle Revolution zu nutzen, um Armut und Repression zu überwinden? Die Frage entscheidet sich nicht allein an der Höhe des Grundeinkommensbetrags. Sie ist auch eine Frage danach, ob wir unsere Gesellschaft durchlässig halten. Tun wir, was wir tun können, um Menschen dazu zu befähigen, ein erfülltes Leben zu leben? In welcher Kultur werden wir leben? Und welche Rolle wird die Technik in ihr spielen?

~

Um Menschen zu ermöglichen, frei zu leben, müssen ihre Grundbedürfnisse erfüllt werden. In einer humanen Gesellschaft der Zukunft sind sie durch ein bedingungsloses Grundeinkommen materiell abgesichert. Damit wird der Missstand beseitigt, dass wir nur das als »Leistung« zählen, was auf Erwerbsarbeit gründet. Die soziale Absicherung wird von diesem einseitigen Leistungsbegriff gelöst, der ohnehin blind ist für die sozialen Lebensleistungen vieler Menschen. Der Zwang, monotone und demoralisierende Arbeit auszuüben, entfällt. Damit sind die materiellen Grundlagen für eine Gesellschaftsutopie geschaffen, die den Menschen als freies Individuum begreift.

Gute Ideen für den Tag

Neugier, Motivation, Sinn und Glück

Die glücklichsten Menschen der Welt leben nicht im Silicon Valley. Sie leben in Norwegen, gefolgt von Dänemark, Island und der Schweiz. Für ein Land, in dem die Zukunft gemacht wird, getreu dem Google-Motto *»Do the right thing«*, liegen die USA mit Rang vierzehn nicht allzu gut im Rennen. Tendenz: seit zehn Jahren fallend! Der Weltglücksbericht der Vereinten Nationen aus dem Jahr 2017 (*World Happiness Report*) bescheinigt den Vereinigten Staaten sogar eine Fehlkonditionierung. Wer nur auf Wirtschaftszahlen schaue, der mache seine Gesellschaft unsolidarisch und misstrauisch und forciere die Korruption, den sozialen Unfrieden und die ethnischen Konflikte.[50]

Dass die Technik dem Menschen im Laufe der Zivilisation viele gute Dienste geleistet hat, werden nur wenige bestreiten. Doch dass Technik und Glück deshalb im Gleichschritt durch die Welt marschieren, ist eine steile Behauptung. Singapur, der Sieger des Rankings der am meisten digitalisierten Länder der Welt,[51] liegt im Glücksranking auf Rang sechsundzwanzig hinter Argentinien und Mexiko. Die radikale Gleichsetzung von Technik und Glück ist eine Ideologie: eine einseitige Übertreibung des Menschenbilds und eine einseitige Interpretation der Geschichte. Nach Ansicht derjenigen, die den *World Happiness Report* erstellen, liegt das Glück in der sozialen Fürsorge, der Gesundheit, der Freiheit, dem Einkommen und an einer guten Regierungsführung. Dass die Technik zur Gesundheit oder zum Einkommen viel beitragen kann, ist klar. Für sich genommen garantiert sie aber weder Freiheit noch soziale Fürsorge noch eine gute Regierungsführung. Möglicherweise, davon wird noch zu reden sein, steht sie all dem – bei falschem Einsatz – sogar entscheidend im Weg.

Zu den großen Beeinträchtigungen des Glücks zählen die Verantwortlichen des *World Happiness Report* »Arbeitslosigkeit«. Unter den Spielregeln von Arbeits- und Leistungsgesellschaften nach kapitalistischer Ethik alter Schule nicht verwunderlich. Als ebenso glücksmindernd gelten allerdings auch »schlechte Arbeitsbedingungen«. Zumindest diese Misere lässt sich in Ländern mit einer Produktivität wie Deutschland durch ein Grundeinkommen weitgehend beseitigen. Wer weiß, ob sich die Bundesrepublik in Zukunft weiterhin, wie jetzt, auf Platz sechzehn wiederfinden wird? Ein höheres Bruttoinlandsprodukt allerdings wird unser Land nicht von allein glücklicher machen. Als eindringliches Beispiel warnen die Glücksberechner der Vereinten Nationen vor China. Seit den Neunzigerjahren hat sich das BIP in China verfünffacht. Und fast jeder städtische Haushalt verfügt heute über Waschmaschine, Fernseher und Kühlschrank. Gleichwohl steht China mit Platz neunundsiebzig im Glücksranking nicht besser da als vor fünfundzwanzig Jahren! Das Glück, das durch Technik und Komfort hinzukam, frisst die soziale Vereinzelung und die Unsicherheit wieder auf.

Nun kann man über Glücksrankings gerne schmunzeln. Ist das Glück nicht genau das, was man nicht messen kann? Wer vermag schon von sich selbst zu sagen, wie glücklich er ist? Und wechselt das gefühlte Glück nicht von Tag zu Tag, mitunter in Stunden und Minuten? Die sogenannte Glücksökonomie ist eine fragwürdige Wissenschaft, weil sie exakt misst, was sich exakt nicht messen lässt. *Wer das Glück messen will, hat es nicht verstanden!*

Was zum Glück beiträgt – Achtsamkeit, Respekt, eine Kultur des Vertrauens, Selbstbestätigung, Selbstwirksamkeit, die Kunst, mit seinen Ansprüchen umzugehen, keine Existenzangst zu haben, ein gutes Umfeld, Freunde usw. –, ist seit den Tagen der antiken Griechen gut bekannt. Und um das Glück der Menschen zu mehren oder zu bewahren, braucht ein reiches Land wie Deutschland kein weiteres materielles Wachstum. Die Prozente, in denen das BIP wächst, sind nicht jene, die an Glück hinzukommen. Das BIP muss nicht steigen, damit die Menschen glücklicher werden. Es muss steigen, um unseren Sozialstaat alter Machart zu finanzieren. Und es muss steigen, um eine wirtschaftliche Dynamik weiter voranzutreiben, die uns mehr Wohlstand verspricht, wenn auch längst nicht für alle, dazu mehr Energieverbrauch, mehr Ressourcenausbeutung, stetigen Klimawandel und mehr Müll.

Jeder technische Fortschritt, was auch immer er an Annehmlichkeiten mit sich bringt, kürzt zugleich eine Dimension des Lebens heraus. Das Maschinenzeitalter des 19. und frühen 20. Jahrhunderts dynamisierte die fortgeschrittenen Gesellschaften, machte sie lauter, greller, hektischer und bunter. Stille und Muße waren keine Werte mehr, Selbstzufriedenheit und Genügsamkeit keine Tugenden. Die Natur war nicht mehr gegeben als das, was sie war. Sie war jetzt eine Ressource, die *effizient* und *optimal* genutzt und ausgebeutet werden sollte. Mit der Natur umzugehen bedeutete, sie, soweit es eben möglich war, zu *verändern*. Und das Leben wurde getaktet, *das Werden wurde wichtiger als das Sein.* Überall lauerte eine Zukunft, die besser sein sollte als die Gegenwart. Die Moderne ist die Zeit der notorischen Unzufriedenheit mit dem Status quo; etwas Besseres als die Gegenwart findest du überall!

Zu Anfang des 20. Jahrhunderts hatten viele Menschen das noch lange nicht internalisiert. Die Generation meiner Großeltern, kurz nach der Jahrhundertwende geboren, suchte weitgehend nicht das Risiko, sondern die Sicherheit. Erschüttert durch zwei Weltkriege, die Hyperinflation und die Systemwechsel vom Kaiserreich zur Weimarer Republik, von dort zur Hitler-Diktatur und dann in die Bundesrepublik, suchte man Ruhe, Gewohnheit, Routine und bescheidenen Wohlstand. In den Sechziger-, Siebziger- und Achtzigerjahren stieg die Erwartung. Mehr Reisen, mehr Konsum, mehr Status. Aber wer, außer Punks, Rockstars und Formel-1-Fahrern, wünschte sich schon ein disruptives Leben? Selbst wenn die Gier nach immer mehr Konsum von der Werbung täglich angeheizt wird – die neuen Versprechungen der Digitalisierung, ein Leben in permanentem Wandel, der ökonomischen Totalumbrüche und der Nichtung vieler bisher geltender ökonomischer Regeln, treffen auch heute nicht das Bedürfnis der meisten Menschen. Von einer Verschmelzung von Mensch und Maschine, Realität und Fiktion ganz zu schweigen.

Ein paar Fans dafür gibt es vielleicht schon, aber es sind wenige. Und was Investoren im Silicon Valley glauben, dabei zu gewinnen oder zu verlieren, muss nicht für Limburg und Wuppertal gelten. Augenscheinlich gibt es hierzulande deutlich mehr Menschen, denen authentisches Erleben etwas wert ist, oder einfach im Hier und Jetzt zu sein. Das reale vom virtuellen Leben zu unterscheiden ist ihnen wichtig, und sie ziehen das erste dem zweiten vor. Ihr Glück bemisst sich, wie im *Happiness Report* gezeigt, nicht am technischen Fortschritt, sondern noch immer an dem, was seit alters her zur Humanität gehört.

Wenn dies stimmt, so wäre es das Ziel jeder Utopie, so viel Humanität wie möglich zu bewahren, zurückzugewinnen oder ihre Reichweite unter veränderten Vorzeichen sogar zu vergrößern. Und so wie die erste industrielle Revolution die Arbeiterbewegung als Korrektiv brauchte, um Menschen trotz erklärter Menschenrechte nicht länger als nützliche Werkzeuge zu betrachten, so braucht es auch heute eine starke Bewegung gegen die Schattenseiten der vierten industriellen Revolution. Wieder geht es darum, die Arbeitswelt humaner zu gestalten. Und wieder geht es darum, auch jenseits der Erwerbsarbeit die Authentizität und das Humane zu verteidigen und einer technoiden Verengung des Menschenbilds den Spielraum zu nehmen. Der Mensch als Teil des Räderwerkes der Maschine oder der Mensch als steuerbares Konglomerat von Daten – hinter beiden Menschenbildern steht die gleiche Missachtung dessen, was Menschen ausmacht.

Die Aufgabe ist damit klar markiert: *in einer Zeit radikalisierten Effizienzdenkens das Andere der Effizienz wiederzuentdecken!* Denn die technische Entwicklung, so wie das Silicon Valley sie erträumt und predigt, macht uns nicht zu »Supermenschen«, sondern zu Wesen, die ohne Hilfsmittel nichts mehr können. Unser handwerkliches Können erlischt, unser sprachlicher Ausdruck reduziert sich, unser Gedächtnis, ausgelagert in Memory-Funktionen, lässt nach, unsere Fantasie besteht aus vorgefertigten Bildern, unsere Kreativität folgt ausschließlich technischen Mustern, unsere Neugier weicht der Bequemlichkeit, unsere Geduld permanenter Ungeduld; den Zustand der Nicht-Bespaßung halten wir nicht mehr aus. Wenn so der »Supermensch« aussieht – wer wollte dann einer sein?

*

In der Geschichte der Menschheit diente die Kultur dem Leben und die Technik dem Überleben. Heute bestimmt die Technik unser Leben, aber welche Kultur sichert unser Überleben? Darauf eine Antwort zu geben ist die Aufgabe der Utopie. Wie schaffen wir es, dass unsere aus guten Gründen lieb gewordenen »menschlichen« Werte überleben und damit am Ende die Spezies Mensch nicht ausstirbt?

Von einem wichtigen Bereich war bereits die Rede. Die Grenzen zwischen unbezahlten Tätigkeiten und Erwerbsarbeit dürfen nicht weiter starr sein. Bleiben sie es, droht eine Zweiklassengesellschaft von durch Grundeinkommen, Konsum und Bespaßung abgespeisten »Nutzlosen«, die nur als Datenträger noch von einigem Wert sind. Und von der kleineren Gruppe derer, die immer mehr erwirtschaften, ihre Berufstätigkeit vererben und im »Elysium« wohnen. Stattdessen brauchen wir ein Modell, das es allen BGE-Empfängern grundsätzlich leicht macht, jederzeit Teil- oder Vollzeit wieder ins Berufsleben einzusteigen oder als Existenzgründer ihren Weg zu machen. Zwei Jahre ohne Erwerbsarbeit gelebt zu haben darf unter veränderten Arbeitsmarktbedingungen kein Stigma mehr sein. Gewiss: Auch die Zukunft braucht gut ausgebildete Spezialisten, die nicht morgens jagen und Schafe hüten, bevor sie nachmittags den OP-Saal betreten. Aber sie muss den Jägern, Hirten und Kritikern gleichwohl jede Hürde nehmen, von einem Status in den anderen zu wechseln – zumal Zuverdienste nicht mit dem Grundeinkommen verrechnet werden.

Die Zauberwörter der Zukunft heißen »Selbstorganisation«, »Selbstverantwortung« und »Selbstermächtigung« auf Basis zureichender materieller Absicherung. Doch seine Lebenswelt aktiv zu gestalten, Pläne zu schmieden und das, was man tut, als sinnvoll zu erachten sind voraussetzungsreiche Fähigkeiten. Sein Leben in die Hand nehmen kann nur, wer es auch gelernt oder zumindest nicht durch schlechte oder keine Erziehung verlernt hat. Nur unter solchen Voraussetzungen ist denkbar, dass tatsächlich ein neues selbstbewusstes Bürgertum entsteht, das die digitalen Mittel nutzt, um sich gut zu informieren und zu organisieren. Die Frage nach einer humanen Gesellschaft der Zukunft wird zudem nicht allein »von unten« entschieden werden können. Wie bei jeder gesellschaftlichen Veränderung brauchen die selbst organisierten Bürger die Hilfe staatlicher Politik, die den Bewusstseinswandel aufgreift.

Soziale Netzwerke, die nicht als geschlossene Systeme funktionieren, sind dafür wesentlich hilfreicher als solche wie etwa Facebook, Twitter oder Instagram. Zwar schaffen auch die Dienste der Datenspione riesige Plattformen zum Austausch. Aber hinter den Kulissen regiert nicht die Freiheit, sondern der Kommerz. Die Plattform selbst hat ein Interesse, das sich von dem der Menschen unterscheidet, die sie nutzen. Von Mitbestimmung bei dem, was die Betreiber der sozialen Netzwerke mit den Daten der Menschen machen, kann keine Rede sein. Ihr Geschäftsmodell ist nicht Transparenz, sondern Dunkelheit. Und ihre Macht ist so groß, dass sie schon lange nicht als unbeteiligte Akteure der Gesellschaft begriffen werden können, sondern als Manipulatoren mit eigenen Interessen. Wer sich auf Facebook austauscht, trägt parallel zu einer gewaltigen Machtverschiebung von der Sphäre der Politik in die der Technikkonzerne bei. Selbstermächtigung beginnt also bereits dort, wo ich beschließe, einen digitalen Raum zu betreten oder nicht. Diese Anstrengung fällt vielen Menschen noch immer äußerst schwer, denn die Folgen sind gespenstisch unsichtbar. Ohne tätige Hilfe des Gesetzgebers, der bestimmte unsittliche Geschäftsmodelle unterbindet, ist hier offensichtlich nichts zu machen.

Ein zweiter Punkt der neuen »Bewusstseinskultur« – ich

entleihe das Wort Ciceros »*cultura animi*« – ist, den Wert der Dinge und Umstände, mit denen wir leben, wieder mehr zu schätzen: genauer hinzuschauen, sich mehr Zeit zu nehmen, etwas es selbst sein zu lassen, ohne irgendwo draufzudrücken, damit es piept oder ein neues Bild kommt. Wenn Google-Vizepräsident Sebastian Thrun sagt: »Wir Menschen sollten keine repetitiven Dinge tun. Dafür sind wir doch zu schade«[52], scheint er nicht zu wissen, was ein Mensch ist. Das menschliche Leben ist voller repetitiver Dinge, für die man sich nicht zu schade sein sollte: Essen, Trinken, Schlafen, Sich-den-Tag-Erzählen, Sich-Umarmen, Kochen, Miteinander-ins-Bett-Gehen. Zu einem erfüllten Leben gehören für die meisten Menschen ein Maß an Gleichförmigkeit und lieb gewordene Rituale.

Das Besondere daran ist: Nicht jede dieser Tätigkeiten hat ein äußeres Ziel. Man braucht es nicht tun, um zu überleben, und man verdient damit auch kein Geld. Karten oder Fußball zu spielen, seinen Garten zu verschönern, sein Aquarium zu pflegen, einen Hund zu halten oder sich gemeinsam zu betrinken ist weder überlebensförderlich, noch macht es im finanziellen Sinne reich (von Berufszockern, Hundezüchtern usw. einmal abgesehen). All das gilt in der Gesellschaft auch nicht als Leistung; im Gegensatz zu Tätigkeiten wie ein Versicherungsimperium aufzubauen oder gefährliche Pflanzenschutzmittel in alle Welt zu verkaufen.

Wertvoll wird eine Tätigkeit für Menschen nicht zwangsläufig dadurch, dass sie einem gesellschaftlich als wichtig erachteten Ziel dient. Vieles hat seinen Zweck schlichtweg in sich selbst: Ich tue etwas, weil ich es gerne tue. Eine solche »Zweckmäßigkeit ohne Zweck« erachtete Immanuel Kant schon vor mehr als zweihundert Jahren als das Wesen der Kunst. Nichts anderes meinte Oscar Wilde, als er den Menschen der Zukunft als Künstler beschrieb. Und auch im

21. Jahrhundert trägt es erheblich zur Lebenskunst bei, Dinge zu tun, die ihren Zweck in sich selbst tragen. Humor, Alkohol, Sport und der meiste Sex haben allesamt keinen praktischen Zweck, tragen aber oft zum Lebensglück bei.[53]

All das muss jeder Utopist berücksichtigen. Die *intrinsische Motivation* – das selbstbestimmte Interesse – muss im Mittelpunkt jeder Utopie stehen. Sie macht in ihrer schillernden Fülle das Menschsein aus. Ständig das Nützliche zu tun charakterisiert dagegen die niederen Tiere. Ameisen und Termiten machen jeden Tag nur das Nützliche. Gerade die bunte Vielfalt des biologisch Verzichtbaren macht Menschen zu Menschen. Glücklich und ein netter Mensch zu sein bedeutet, sich aus der »Diktatur des Um-zu« zu befreien. Freundschaften sollten nicht nach Kosten-Nutzen-Kalkül gepflegt werden, und ebenso wenig sollte man seine Kinder danach erziehen. Natürlich kann man ihnen gleichwohl eintrichtern, nur das zu machen, wovon sie sich einen handfesten und geldwerten Lebensvorteil versprechen. Man kann sie darauf konditionieren, immer die Besten in allem sein zu wollen, um viel Ruhm und viel Geld zu erlangen. Im Zweifelsfall kennen sie dann, wie Oscar Wilde meinte, von allem den Preis und von nichts den Wert. Was anderen die helle Freude an einer Symphonie oder ein tiefes literarisches Erlebnis ist, wird ihnen zu verkaufbarem *Content*. (Menschen ohne echte Bildung und Herzensbildung erkennt man an der Verwendung dieses Wortes.) Doch *warum* man es wollen sollte, viel Ruhm und Erfolg um jeden Preis – zum Beispiel dem einer unglücklichen Kindheit – zu erlangen, darauf gibt es, wie der englische Kulturphilosoph Terry Eagleton schreibt, »keine besonders erhellende Antwort. Erklärungen müssen irgendwann zu einem Ende kommen.«[54]

Kultur ist mehr als das Nützliche. Und Fortschritt ist nicht um seiner selbst willen gut, sondern wenn er Fortschritt zu

mehr Menschlichkeit ist. Gerade deshalb geben sich die Chef-
ideologen des Silicon Valley so viel Mühe, ihre Geschäftsmodelle als einen solchen zu verkaufen: Transparenz, unbegrenz-
te Kommunikation und die völlige kognitive Entgrenzung des
menschlichen Bewusstseins werden als ebensolcher Menschheitsfortschritt angepriesen. Wollte der Mensch nicht schon
immer Zeit und Raum überwinden? Wollte er nicht den engen Kasten seines begrenzten Bewusstseins sprengen? Ja, vielleicht gab es stets Menschen, die das wollten. Und andere,
die das nicht wollten, die lieber in Frieden die Menschen und
Dinge hegen und pflegen wollten, die ihnen lieb und teuer
waren. Auch hier gilt die große Vorsicht: Man hüte sich vor
ideologisch verkürzten Aussagen darüber, was »der Mensch«
will und vor allem wohin! Solche Fragen werden nicht durch
willkürliche Behauptungen über die Natur des Menschen entschieden. Sie entscheiden sich durch den langen Blick ins Leben, durch gute Kenntnis der Bedürfnisse realer Menschen
und in Diskussionen, Kontroversen und politische Debatten.

In jedem Fall scheint das Hegen und Pflegen von Bewähr-
tem ebenso zum menschlichen Bedürfnis zu gehören wie das
Wegwerfen, Ablegen, Veralten-Lassen, Entsorgen und Entwer-
ten des Vergangenen. Die Jugend liebt die Sessel ihrer Urgroß-
eltern ebenso wie ihr Tablet. *Das Werden ist nicht in jedem
Fall wertvoller als das Sein; die Disruption hat keinen selbst-
verständlichen Mehrwert vor der Kontinuität.* Dass Menschen
in Westeuropa im Laufe des 19. Jahrhunderts, je weniger sie
an Gott glaubten, umso mehr den Fortschritt anbeteten, sollte nicht darüber hinwegtäuschen, dass der Fortschritt kein
Gott ist.

Die Zukunft hat keinen Wesentlichkeitsvorsprung vor
der Gegenwart. Doch spätestens mit dem Franzosen Au-
guste Comte wird der Fortschritt im 19. Jahrhundert zu ei-

ner Zivilreligion. »*Ordem e Progresso*« – die Inschrift auf der brasilianischen Flagge ist dem Philosophen des Positivismus entnommen. Triebkraft des Menschen ist sein Antrieb zu Höherem, Fortschritt sein Ziel. Mit dem Grundzustand der Zufriedenheit allerdings ist es unter diesen Vorzeichen vorbei. Die Gegenwart wird zu einem uneigentlichen Zustand, nur die Zukunft zählt. Auf diese Weise wurde die Unzufriedenheit mit dem Status quo zum Motor des Fortschritts von der viktorianischen Zeit zu den heutigen Gesellschaften des 21. Jahrhundert. Keine Zufriedenheit eines Kunden darf lange währen, ansonsten ist er nicht bereit, Neues zu kaufen. *Aus der Bedarfsdeckungsgesellschaft ist eine Bedarfsweckungsgesellschaft geworden.* Und das Glück liegt immer in der Zukunft.

Es wäre albern zu behaupten, dass dieser Prägung eine Art höherer Logik oder Vernunft entspricht. Die Lebensweisheiten aller Völker, insbesondere die ostasiatische Philosophie, widersprechen dem zutiefst. Und dass der Tag zu würdigen, zu bewahren und auszukosten sei, findet sich ebenso in den antiken Weisheitslehren wie im Christentum. Doch in einer Gesellschaft, in der viele schlaue Apparaturen alles messen – Schritte, Treppenstufen, Blutdruck, Puls, Schlafstunden, Kalorien, Stimmung, Tagesablauf, Periode, Vitamine und Leberwerte –, ist es nicht leicht, den Tag anders zu bewahren als in Daten. Wer sich unentwegt misst, tritt zu sich selbst in eine exzentrische Position. Er behandelt sich als Objekt, statt einfach nur zu sein. Man denke an Martin Seels Satz, dass die messbare Seite der Welt nicht die Welt ist, sondern nur die messbare Seite der Welt. *Auch die messbare Seite des Selbst ist nur die messbare Seite des Selbst und nicht das Selbst.* Was könnte Langweiligeres von einem in Erinnerung bleiben als Daten – ausgenommen vielleicht die Millionen Selfies, die man seinen

Kindern als persönliches Vermächtnis hinterlässt: Mama oder Papa waren immer nur mit sich selbst beschäftigt!

Doch je mehr Menschen sich durch sogenanntes Self-Tracking überwachen, desto alltäglicher wird es. Das, was mich selbst ausmacht, ist dann nicht mehr meine Lebensgeschichte und meine Selbstinterpretation; kein »Narrativ«, sondern eine Addition. Statt Erzähler unserer Identität zu sein, werden wir zu Zählern und zu freiwilligen Zulieferern all derer, die uns diese feinen Dienste zur Verfügung stellen, um uns einzutüten und zu verkaufen.

Gesund leben zu wollen ist ein leicht nachvollziehbarer Wunsch. Doch dass es bei unserer Gesundheit immer auf die effizienteste Lösung ankommen soll, eine Ideologie. Das Streben nach Effizienz ist dem Menschen nicht von Natur vorgegeben. Die Natur ist nicht effizient – ihr Wesen ist Verschwendung. Das eindimensionale Menschenbild des Viktorianismus, das auch Darwin prägte, hat unseren Blick auf die biologische Natur einseitig verengt. Schon Darwins Zeitgenossen Karl Marx war das nicht entgangen: »Es ist merkwürdig«, amüsierte er sich, »wie Darwin unter Bestien und Pflanzen seine englische Gesellschaft mit ihrer Teilung der Arbeit, Konkurrenz, Aufschluss neuer Märkte, ›Erfindungen‹ und Malthus'schem ›Kampf ums Dasein‹ wiedererkennt.«[55] Nichtsdestotrotz sehen Biologen und evolutionäre Psychologen noch heute überall »Strategien«, »Vorteile« und »Kalkül« der Natur am Werk, wo keine sind. Geht es nach ihnen, so besteht das Ziel tierischen Verhaltens vor allem darin, Energie zu sparen. Und das, wo die Natur als ganze eine einzige große sinnlose Verprassung von Energie ist!

Vor diesem Hintergrund erscheint auch der Optimierungsauftrag an den Menschen in anderem Licht. Warum sollte die Selbstoptimierung das Ziel des einzelnen Menschen sein oder gar das der Spezies Mensch? Und warum soll der Mensch sich vollständig von seiner Animalität befreien, bis er oberflächenpoliert und geruchsneutral wie eine Maschine ist? Es scheint, als hätte der eine oder andere Geek aus dem Silicon Valley kein allzu gesundes Verhältnis zu seinem Körper. Man denke auch an den Hygiene- und Sterilitätswahn, der dort stärker verbreitet ist als in allen anderen Winkeln der Welt. Zwar empfahlen schon die griechischen Philosophen der Antike, an sich zu arbeiten und seine Erkenntnisse und Tugenden auszuweiten und zu schleifen. Aber dass der Mensch das Menschsein überwinden solle, findet sich höchstens in den esoterischen Lehren Plotins. Und hier ist nicht die Maschine das Ziel, sondern die Verschmelzung mit dem sphärischen Einen.

Wer den Menschen überwinden und einen Supermenschen hervorbringen will, dem fehlt es an Menschenliebe oder an sittlicher Reife – oder an beidem. Eigentlich gehört er auf die Couch. Doch wer soll ihm sagen, dass er einer Therapie bedarf, wenn man mit diesem Denken und Streben so formidabel Geld verdienen kann? So lässt man dem Mythos freien Lauf, die Geschichte der Menschheit sei bereits evolutionär vorgezeichnet. Und am Ende steht das Technozän mit seiner Verschmelzung von Mensch und Maschine, oder aber, im ungünstigeren Fall, die Diktatur der autonom gewordenen Maschinen. Nicht anders hatten schon die Christen im Mittelalter ein Tausendjähriges Reich Gottes auf Erden vorausgesagt und die Nationalsozialisten die »Vorsehung« bemüht, die ihnen gleichsam naturgesetzlich ein solches bescheren sollte. Aber man darf sich beruhigen: Einen wirklich perfekten Supermenschen hat das Silicon Valley zu keinem Zeitpunkt im Auge. Nur unperfekte Menschen garantieren, dass sie sich auch in Zukunft von jeder Kaufempfehlung anreizen, von jeder Manipulation verführen lassen. Ein perfekter Mensch, Herr seiner Antriebe und Durchschauer seiner Umwelt, ist des Valleys Tod ...

*

Die Geschichte des Menschen wird von Menschen gemacht, nicht von Naturkräften, geologische Katastrophen einmal ausgenommen. Und die Fiktion vom vorgezeichneten Lauf der Welt ist nicht mehr als ein Marketingtrick, mit dem das Silicon Valley *seine* Zukunftsfantasien als *die* Zukunft ausgibt. Eine humane Utopie lässt sich davon nicht beeindrucken. Ihre Fortschrittsidee sieht *die digitale Technik als ein Hilfsmittel für eine bessere Zukunft, nicht aber als Zweck der Menschheitsentwicklung.* Gewiss streben Menschen seit alters her danach, sich als körperliches Mängelwesen mithilfe ihrer Intelligenz von Unbilden zu befreien und das Leben weniger mühsam zu gestalten. Doch so viel Bequemlichkeit und Komfort wie möglich wird damit nicht zum Menschheitsziel. Immer mehr an Komfort kann zugleich ein immer weniger an Glück bedeuten, jedenfalls dann, wenn es nichts mehr gibt, was einem zu tun bleibt. Ein Zustand des ultimativen Komforts ist ein Zustand des Stillstands. Und dass der Mensch als ein Bewegungstier – er ist kein Steinfisch, keine Spinne, kein Polyp – am glücklichsten sein soll, wenn es außer Knopfdruck und Wischbewegung nichts mehr zu machen gibt, ist eine schräge Interpretation.

Eine humane Utopie setzt also keinen festgelegten Weltenlauf voraus, sondern orientiert sich an echten Bedürfnissen. An kaum etwas anderem lässt sich das so schön zeigen wie an unserem Verhältnis zur *Zeit.* »Unsere Zeit rast« und »Die Erde dreht sich immer schneller«: Beide Sätze drücken aus, was viele Menschen heute fühlen, obwohl sie wissen, dass es faktisch nicht stimmt. Doch wie kommt es, dass fast jeder in unserem Kulturkreis etwas fühlt, was nicht der Fall sein kann?

Der Hauptgrund dafür ist, dass wir glauben, unsere Zeit effizient nutzen zu müssen. Dabei können wir aus einem immer größeren Angebot an Möglichkeiten wählen, was wir tun wollen. Gehetzt wie wir sind, bedrohen wir uns ständig mit all dem, was wir in der zur Verfügung stehenden Zeit nicht erledigt haben. Um mehr in gleicher Zeit zu schaffen, unterwerfen wir uns einem Zeitregime und legen Zeitfenster für bestimmte Dinge fest. Doch das schlechte Zeitgewissen ist unser ständiger Begleiter.

Seit der ersten industriellen Revolution betrachtet die europäische Kultur Zeit als eine Ressource und setzt sie dem Geld gleich: »Zeit ist Geld.« Wer schneller produziert, schafft sich einen Wettbewerbsvorteil. Er kann schneller Neues auf den Markt bringen und die Stückzahl erhöhen. Parallel zur Taktung der Arbeit erhöhte sich die Mobilität durch neue Formen des Verkehrs: Eisenbahn, Autos und Luftfahrt. Schnellerer Transport und schnellere Produktion erschufen das von Goethe so genannte »veloziferische Zeitalter«. Und wo früher Telefone die Aktienkurse vermittelten, herrscht heute Echtzeitkommunikation an den Börsen der Welt. Je schneller sich die Zeit überwinden lässt, umso kleiner wird die Welt.

Menschen leben heute nicht in einer Zeit, sondern sie »haben« Zeit – oder eben nicht. Der Arbeitszeit steht die Freizeit gegenüber mit gleichen Regeln: Man muss sie so gut wie möglich »nutzen«, denn auch diese Ressource ist begrenzt. Alle Zeit untersteht heute der »Diktatur des Um-zu«. Da hilft es wenig, dass uns die Erfinder digitaler Apparaturen stets versprechen, wir könnten damit Zeit sparen. Bislang hat noch jeder technische Fortschritt Menschen die Zeit geraubt. Wie der

Soziologe Hartmut Rosa gezeigt hat, wächst mit den Möglichkeiten zugleich der Anspruch. Wer früher sechs Briefe beantwortet hat, muss heute auf sechzig E-Mails reagieren.[56]

Dabei wird kaum hinterfragt, dass der Leitspruch »Zeit ist Geld« ziemlich irrig ist. Mit Geld lässt sich die menschliche Lebenszeit oft genug nicht verlängern. Und auch sonst haben Zeit und Geld äußerst verschiedene Eigenschaften. *Geld halbiert sich, wenn man es teilt – Zeit nicht!* Sie wird nicht schneller weniger als sonst auch. Im Zweifelsfall bleibt sie uns als »erfüllte« Zeit in Erinnerung, jedenfalls eher als jene Zeit, die wir damit verbracht haben, unsere Schritte und Treppenstufen zu zählen. Am wichtigsten aber ist: Geld kann man sparen, Zeit nicht. Eine »Zeitsparkasse« gibt es nur in Michael Endes *Momo*. Doch weder Fast Food, Speed Dating, Power Napping oder Multitasking sparen uns Zeit. Sie sind nur andere Verhaltensweisen in derselben Lebenszeit. *Und immer mehr ist oft immer weniger.*

Auf der anderen Seite zeitigt die Vollbeschäftigung des Lebens eine ganze Reihe unbeabsichtigter Effekte. Die Gegenwart scheint zu schrumpfen. Schon Goethe legt seinem Romanhelden Eduard 1809 in den *Wahlverwandtschaften* die Worte in den Mund: »Es ist schlimm genug … dass man jetzt nichts mehr für sein ganzes Leben lernen kann. Unsere Vorfahren hielten sich an den Unterricht, den sie in ihrer Jugend empfangen, wir aber müssen jetzt alle fünf Jahre umlernen, wenn wir nicht ganz aus der Mode kommen wollen.«[57] Nichts scheint mehr dauerhaft zu gelten. Wie soll man sich da orientieren? Besonders betroffen davon ist die Politik. Kein Wunder, dass die Langfristigkeit aus dem politischen Denken verschwunden ist, die Taktik die Strategie ersetzt. Wenn das Schritthalten keine Zeit zum Denken mehr lässt, geht mit dem Zeitverlust ein Utopieverlust einher. Und die Retropie –

die Zeit, in der die Uhren noch langsamer liefen – tritt an die Stelle der Zukunftsgedanken.

Eine Utopie für das digitale Zeitalter kann daraus viel lernen. Die Lebenswelt weiter beschleunigen zu wollen ist kein Versprechen, sondern eine Drohung. Die Gesellschaft der Zukunft braucht Ruhezonen und Inseln der Entschleunigung. Und statt alles steigern zu wollen, benötigen wir eine Kultur der Achtsamkeit, die den Wert all der Beziehungen wahrnimmt, die Menschen zu ihrer Mit- und Umwelt aufbauen. Um eine solche »Resonanz«, von der Hartmut Rosa spricht, wahrzunehmen und zu pflegen, bedarf es in unserer reizüberfluteten Gesellschaft hoher Konzentration. Sie in den Köpfen unserer Kinder zu bewahren und zu trainieren ist eine der wichtigsten Aufgaben von Bildung im 21. Jahrhundert. Intelligente Maschinen verlangen eine intelligente Nutzung. Und ihre virtuose Beherrschung schließt das Benutzen des Ausschaltknopfs mit ein …

*

Die Kultur zu Anfang des 21. Jahrhunderts ist eine Kultur der »Sofortness«. »Der Kunde will alles, und zwar sofort. Er ist faul und ungeduldig«, durfte ich auf ungezählten Veranstaltungen lernen. Ein Schuft, wer sich fragt, ob der Vortragsredner glücklich wäre, wenn seine eigenen Kinder ihm »faul und ungeduldig« geraten? So denkfaul und ungeduldig wie Donald Trump vielleicht? Doch wie kann in der Wirtschaft als fraglos vorausgesetzt werden, was Pädagogen ein Albtraum ist? Ist es tatsächlich notwendig, aus wirtschaftlichen Gründen Fehlentwicklungen zu bedienen, die wir aus pädagogischen, sozialen, politischen und ethischen Gründen ablehnen?

Wer alles will, und zwar sofort, ist auf die großen Umbrüche unserer Zeit schlecht vorbereitet. Was zählt, sind langfristiges Denken, Entscheidungsstärke in komplizierten Vorgängen und ethische Haltungen. All dies zu trainieren, ist eine wichtige Aufgabe unseres Bildungssystems. Dass unsere Kinder in den Schulen nur äußerst unzureichend auf die Herausforderungen ihres künftigen Lebens vorbereitet werden – in dieser Frage sind sich alle einig; einige Vertreter des etablierten Systems, wie manche Lehrer oder Kultusbürokraten, einmal ausgenommen.

»Deutschland muss mehr für die Bildung tun!« Doch was ist damit gemeint? Vereinfacht gesagt, treffen hier zwei Positionen aufeinander, die gegensätzlicher nicht sein können. Für viele Wirtschaftsvertreter und manche universitären Bildungsexperten ist die Sache ganz einfach: Eine digitale Gesellschaft braucht mehr digitales Know-how. Je mehr digitale Technik im Unterricht eingesetzt wird und je stärker die MINT-Fächer gefördert werden, umso besser werden Kinder auf den zukünftigen Arbeitsmarkt vorbereitet. Nicht zu vergessen sei auch das frühzeitige Antrainieren von Unternehmergeist. Je mehr Kinder später ein Start-up gründen, umso besser ist es um eine Schule bestellt.

Für viele klingt das plausibel. Zumindest auf den ersten Blick. Doch wer sich mit dem Thema länger beschäftigt, dem fällt auf, wie voraussetzungsreich ein solches Bildungsziel ist. Es unterstellt erstens, dass es die Aufgabe unseres Bildungssystems ist, dem Arbeitsmarkt passgenau die entsprechenden Arbeitskräfte bereitzustellen. Und es nimmt zweitens an, dass die Arbeitsmärkte der Zukunft so aussehen wie jetzt, zusätzlich mit einer weit höheren Nachfrage nach Informatikern und Entrepreneuren. Größere gesellschaftliche Umbrüche durch die digitale Revolution kommen in diesem Modell nicht vor. Und Bildung ist vor allem eines – *Ausbildung!*
Die zweite Position formuliert ein anderes Bildungsziel:

Bildung bedeutet, so viele junge Menschen wie möglich dazu zu befähigen, ein erfülltes Leben zu leben. Der gegenwärtige und gemutmaßte Bedarf der derzeitigen Arbeits- und Leistungsgesellschaft ist für sie nicht der höchste Maßstab. Wer weiß schon, ob die Prognosen zutreffen, dass wir in zehn Jahren viel mehr Informatiker brauchen? Möglicherweise benötigen wir vor allem »Empathie-Berufe«, wie das Millennium-Projekt vermutet. In solcher Lage Bildung an kurzfristigen Spekulationen über den Arbeitsmarkt auszurichten ist fahrlässig und gefährlich.

Das höchste Bildungsziel kann auch nicht darin bestehen, möglichst viele Kinder dazu zu bringen, hohe unternehmerische Gewinne erzielen zu wollen. Unsere Gesellschaft funktioniert offensichtlich nur, wenn die eiskalten Kosten-Nutzen-Maximierer ihres finanziellen Vorteils in der Minderheit sind. Wer würde unter solchen Voraussetzungen noch Kindergärtnerin oder Altenpfleger? Alle Bildungsziele, die den Arbeitsmarkt über die Persönlichkeitsbildung stellen, sind kurzsichtig. Es braucht nicht nur Menschen, die in der digitalen Ökonomie erfolgreich sind. Es braucht auch solche, die unsere Werte und unsere Handwerkskunst bewahren, sich für andere Menschen einsetzen, Traditionen pflegen, sich kümmern und über alternative Gesellschaftsmodelle nachdenken. Eine Welt allein aus Geeks, Finanzspekulanten, YouTube-Stars und Influencern ist weder möglich noch wünschenswert. Und es muss kein Nachteil sein, wenn morgen noch jemand Koch, Ökobauer, Sozialarbeiter, Tischler oder klassischer Musiker werden will.

Maßstab für ein neues Bildungssystem kann nicht ein gemutmaßter Arbeitsmarkt sein, sondern das Ziel, unsere Kinder dazu zu befähigen, sich in der zukünftigen Welt gut zurechtzufinden. Dabei müssen sie nicht nur lernen, Technik zu

168

beherrschen (das können sie meist schon von selbst). Sondern sie müssen lernen, sich in einer Gesellschaft, in der die Technik eine immer größere Rolle spielt, orientieren zu können. Sie müssen das, was sie als Mensch und als Individuum ausmacht, kultivieren. Wer jedem äußeren Reiz sofort nachgibt, wer verlernt hat, sich lange auf eine einzige Sache zu konzentrieren, wer seine Sprache nicht pflegt, wer keinen Bedürfnisaufschub verträgt, wird dies gewiss nicht tun. Sich und seine Wünsche kennenzulernen und sie zu reflektieren, seine Urteilskraft sich selbst und anderen gegenüber zu schulen, Zurückstecken zu lernen, Selbstkontrolle zu bewahren, seine Nachdenklichkeit zu erhalten, mit Stress umgehen zu können – alles das wird in der Zukunft noch bedeutender sein als bisher.

Ebenso wichtig ist, in einer reizüberfluteten Welt die eigene Neugier nicht zu verlieren. Wer überall (technische) Antworten bekommt, hat irgendwann keine Fragen mehr. *Keine zweite Herausforderung dürfte unsere Schulen und Universitäten so sehr zum Umdenken zwingen, wie die intrinsische Motivation unserer Kinder zu bewahren und zu pflegen.* Denn bislang beruht unser Bildungssystem auf dem Gegenteil – der extrinsischen Motivation. Unsere Kinder lernen in der Schule (was immer man ihnen auch erzählen mag) für Noten. Solange dies der Vorbereitung auf das Berufsleben diente, hatten die Kritiker dieses Systems einen schweren Stand. In der klassischen Arbeitswelt arbeitet man schließlich ebenso für eine extrinsische Belohnung – für Geld. In gleichem Maße aber, wie die flächendeckende Erwerbsarbeit im Zuge der Digitalisierung zurückgeht, verliert diese Konditionierung ihren Sinn. Unsere Kinder müssen später in der Lage sein, aus intrinsischer Motivation heraus in hoch qualifizierten Berufen Außergewöhnliches zu leisten. Und sie brauchen noch viel mehr intrinsische Motivation, wenn sie zeitweilig oder länger keiner Erwerbsarbeit nachgehen! Seinem Leben selbst einen Rahmen zu setzen und gute Pläne für den Tag zu entwickeln ist *die* Herausforderung der Zukunft! Je mehr intrinsische Motivation die Menschen haben, umso besser ist es um die Gesellschaft bestellt.

Was das für unsere Schulen, ihre Struktur, die Lehrerausbildung, die Lehrinhalte und den Unterricht bedeutet, habe ich an anderer Stelle bereits ausführlich beschrieben.[58] Doch bedauerlicherweise dreht sich die Bildungsdiskussion weiterhin vor allem um formale Fragen: Welche Schultypen? G8 oder G9? Und: »Wie hoch soll die Abiturquote sein?« Das Gleiche gilt für die Diskussion um die Folgen der Digitalisierung für die Schule. »Ab welchem Alter sollen die Schüler Tablets benutzen?«; »Viel digitales Gerät in der Schule oder lieber wenig?«; »Wie baue ich schnelle WLAN-Verbindungen auf?« Und: »Wer bezahlt die digitale Infrastruktur?« Dass die Digitalisierung das bisherige extrinsische Lernsystem infrage stellt, wird dagegen kaum diskutiert. Die Parallele zur Arbeits- und Leistungsgesellschaft ist unverkennbar. Der Ernst der Lage wird dramatisch unterschätzt. Beide Male glaubt man, ein halb totes Pferd weiter durchs Ziel reiten zu können: das über Erwerbsarbeit finanzierte Sozialsystem hier, das auf extrinsische Belohnung ausgerichtete Bildungssystem dort.

Übereinstimmung bei allen Bildungskritikern gibt es immerhin in zwei Punkten. Wer jetzt in die Schule geht, eine Berufsausbildung macht oder eine Hochschule besucht, muss willens und bereit sein, ein Leben lang weiter zu lernen. Dass das nicht ohne viel intrinsische Motivation möglich ist, ist ebenfalls klar. Und einig ist man sich auch, dass es ohne Kreativität nicht gehen wird. »Kreativität« ist allerdings ein äußerst schillernder Begriff. Kreativ sind nicht nur Komponisten, Schriftsteller, Köche und Softwareentwickler, sondern auch findige Geschäftemacher, Trickbetrüger und die Mafia.

Kreativität ohne Moral ist gesellschaftlich nicht erstrebenswert. Und Bildung ohne Herzensbildung auch nicht. Fragen der Moral und der Urteilsbildung kommt damit in der Zukunft große Bedeutung zu. Das Gleiche gilt für den Umgang mit technischen Geräten. »Messen« und »Messbares« richtig einzuschätzen ist eine Bildungsfrage. *Wer sich selbst kennenlernen will, zählt nicht einfach seine Schritte, sondern er hinterfragt, warum er es tut.* »Digitale Selbstkontrolle« und »digitale Risikokompetenz«, zwei Begriffe des Psychologen Gerd Gigerenzer, beschreiben, worauf es dabei ankommt: auf »die Fähigkeit, mit digitalen Technologien informiert umzugehen, mit dem Ziel, deren Nutzen zu erhöhen und möglichen Schaden zu verringern«.[59] In den Schulen der Zukunft müssen die Heranwachsenden lernen, digitale Risiken (wie Telefonieren am Steuer) abzuschätzen und psychologische Zusammenhänge zu verstehen. Wer zu viele Dinge auf einmal erledigt, betreibt kein Multitasking, sondern schädigt dauerhaft sein Gedächtnis. Und wer sein Erinnern an eine Maschine auslagert, kann sich bald kaum noch etwas merken. Umso wichtiger werden klassische, fast schon in Vergessenheit geratene Praktiken, wie Gedichte auswendig zu lernen und das Erinnerungsvermögen zu schulen. Denn auch jenseits der Schulen wird es zukünftig Situationen geben, in denen man sich ohne Hilfe einer Apparatur etwas gut merken muss. Und je weniger im Gedächtnis gespeichert ist, umso weniger steht unseren Kindern zur freien eigenen Kombination von Gedanken zur Verfügung. Wer Kreativität will, muss das Gedächtnis trainieren.

Von solchen Schwerpunkten in der Pädagogik ist Deutschland 2018 weit entfernt. Zwar möchte der 2016 vom Bundesbildungsministerium beschlossene »Digitalpakt« die Schulen fürs digitale Zeitalter flottmachen. Doch wie ein entsprechender Unterricht in Zukunft aussehen soll, bleibt so dunkel wie die erdabgewandte Seite des Mondes. Die Utopie dagegen verlangt, unseren Kinder ganz konkret dabei zu helfen, sich vor Aufmerksamkeitsraub und Suchtpotenzialen zu schützen. Sie will deren angeborene Neugier geschützt und bewahrt sehen. Die Schulen der Zukunft müssen Orte sein, an denen die Urteilskraft jedes einzelnen Kindes entwickelt wird – denn der Anschlag darauf ist gewaltig!

~

Eine humane Utopie richtet sich an dem aus, was Menschen im Allgemeinen glücklich macht und ihrem Leben Sinn gibt. Alle moderne Technik ist in diesem Zusammenhang zu sehen und zu bewerten. Dabei sollte sie nicht versuchen, den Menschen an die Technik anzupassen, sondern sich an seinen Bedürfnissen orientieren. Damit Menschen in einer Welt mit weniger Erwerbsarbeit glücklich sein können, müssen sie viel Zeit und Energie darauf verwenden, sich selbst zu kultivieren; insbesondere deshalb, weil die digitale Technik ihnen abverlangt, angemessen mit ihr umzugehen. Für das Bildungssystem stellt sich die Aufgabe, die Neugier und die intrinsische Motivation der Kinder in den Mittelpunkt der Pädagogik zu stellen, um sie zu einem erfüllten Leben in der Zukunft zu befähigen – und zwar auch dann, wenn Erwerbsarbeit nicht länger im Mittelpunkt ihres Lebens stehen sollte.

Betreutes Leben?

Vom Reiz des Unvorhergesehenen

In dem deutsch-finnischen Film *Zugvögel ... Einmal nach Inari* von 1996 gibt es eine sehr berührende Szene. Der Lastwagenbeifahrer Hannes, gespielt von Joachim Król, lebt ein ziemlich einsames Leben. Unattraktiv, schüchtern und ohne Freunde hat er sich ganz in seine kleine Privatwelt eingesponnen. Er studiert die Kursbücher der Eisenbahnen und lernt alle Fahrpläne auswendig. Sein Ziel ist der erste Internationale Fahrplan-Wettbewerb in Inari, einem kleinen Ort in Lappland, den er unbedingt gewinnen will. Auf der Bahnfahrt lernt er eine schöne Frau kennen, die Finnin Sirpa, die sich darüber wundert, dass Hannes ausgerechnet mit dem Zug nach Inari fährt. Das ist zwar die kürzeste Strecke, aber gewiss nicht der schönste Weg. Der nämlich führt, wie Sirpa ihm erzählt, durch Nordschweden über Haparanda und weiter über das Meer. Hannes verliebt sich Hals über Kopf in die bezaubernde Sirpa. Als er schließlich am Wettkampf um den Preis des größten Fahrplanexperten teilnimmt, führt er vor der letzten Frage mit großem Vorsprung. Diese letzte Frage lautet: »Was ist der beste Weg nach Inari?« Hannes zögert. Statt die kürzeste Verbindung anzugeben, nennt er die schönste, den Weg über Haparanda, den Sirpa ihm genannt hat. Die Antwort kostet ihm den Sieg, denn wie Hannes weiß, bedeutet der »beste« Weg für die Preisrichter »der kürzeste«. Doch mit Sirpa im

Publikum kann Hannes den kürzesten Weg nicht länger für den besten halten. Er verliert den Wettkampf, auf den er sich so lange vorbereitet hat – aber er erobert Sirpas Herz!

Das menschliche Leben ist nicht auf Abkürzungen programmiert. Wer Umwege geht, so heißt es, sieht mehr von der Landschaft. Und »das Schicksal erkennt man«, wie der österreichische Dichter Radek Knapp so schön sagt, »an seiner Undurchschaubarkeit«. Mag sein, dass viele Menschen oft den bequemsten Weg suchen. Doch andere besteigen in ihrer Freizeit Berge, kämpfen sich durch den Regenwald oder bestreiten Marathonläufe. Und sicher, häufig suchen wir das, was uns ein schnelles Vergnügen bereitet, und meiden das, was Anstrengungen und Mühe kostet. Doch Wert und Sinn messen wir oft genau den Tätigkeiten und Erfahrungen bei, die gerade nicht mühelos waren.

Dass der beste Weg nicht zwingend der kürzeste oder effektivste ist, ist eine wichtige Maxime, die uns im digitalen Zeitalter vor schlechten Entscheidungen bewahrt. Denn unsere Gesellschaft und unsere Wirtschaft werden durch all die technischen Möglichkeiten gleichsam bombardiert mit neuen Abkürzungen. Sie versprechen die maximale Steigerung der Effizienz, die beste Selbstkontrolle und die smarteste Lösung für alle Probleme. So etwa hat der Online-Handel große Vorteile. Im Internet zu bestellen spart die Zeit, die man brauchen würde, um in ein Geschäft zu gehen. Es ermöglicht viel bessere Vergleiche von Produkt und Preis, und man muss das Gekaufte nicht mitschleppen. Also, in Zukunft alles online bestellen?

Ich nehme mich selbst als Beispiel. Ich sammle antiquarische Bücher, vornehmlich aus den 18. und 19. Jahrhundert. Warum tue ich das? Nun, ich liebe nicht nur den Geruch, das Aussehen und die Haptik alter Bücher, sondern auch alles, was mit dem Sammeln zu tun hat; in einer fremden Stadt nach Antiquariaten zu suchen, die mitunter recht kauzigen Antiquare kennenzulernen, die Unordnung in vielen alten Bücherstuben und die Entdecker- und Finderfreude in dieser abgeschlossenen Welt. Ich liebe die Atmosphäre und bin stolz, wenn es mir gelingt, völlig zufällig ein Buch zu finden, das ich haben möchte. Der Online-Handel nimmt mir all diese Erlebnisse ab, und die Antiquariate in den Städten sterben aus. Im Internet finde ich nun, was ich suche, wohlgeordnet nach Zustand und Preis. Niemals kaufe ich jetzt ein Buch zu teuer. Doch wenn all das fehlt, weswegen ich überhaupt angefangen habe, alte Bücher zu sammeln, warum sollte ich es dann noch weiter tun?

Wenn der kürzeste Weg mir die ganze Reise erspart, verschwindet zugleich die Aufbruchsstimmung! Und gilt Ähnliches nicht auch für Kleidung? Die Schuhe, die ich mir in Rom gekauft habe, verlieren sofort ihre Besonderheit, wenn ich sie auch online bestellen kann. Nichts findet sich mehr nirgendwo, was es nur dort gibt. Es ist nicht schwer, diese Welt hochzurechnen. Wozu braucht es noch Geschäfte in den Innenstädten, wenn jeder ohnehin im Netz bestellt? Und wie sähe eine Innenstadt ohne Läden aus? Vielleich sähe sie aus wie Marl, die nicht ganz so berühmte Stadt im nördlichen Ruhrgebiet. Die Stadtväter hielten es in den Siebzigerjahren für eine kluge Idee, den Marler Stern zu errichten, das größte innerstädtische Shoppingcenter in Nordrhein-Westfalen. Nachdem der »Stern« 1974 eröffnet wurde, versteppte schlagartig die Marler Innenstadt. Noch in den Neunzigerjahren fanden sich Geschäfte, deren Schaufenster mit Paletten zugenagelt waren. Die Marler Innenstadt war über kurz mausetot. Dass inzwischen der »Stern«, das Gebäude mit dem größten Luftkissendach des Kontinents, fast genauso tot ist wie die Innenstadt, macht die traurige Geschichte nicht besser.

Für Bewohner des Silicon Valley ist der Verlust an urbaner Kultur keiner – dort gibt es ja ohnehin keine. Und Geeks gehören gemeinhin auch nicht zu den Menschen, die Innenstädte mit buntem Leben bereichern. Das Silicon Valley ist weitgehend urbanes Ödland auf dem Gebiet ehemaliger Obstplantagen. Für seine Bewohner ist die Stadt als Forum, als Begegnungsstätte, als Ort des Einkaufens und Flanierens, der absichtsvollen und zufälligen Begegnungen im digitalen Zeitalter nicht mehr notwendig. Man erledigt ja nichts mehr selbst: Das Essen wird geliefert, man hat einen Fahrer, keiner wäscht mehr selbst, und für Flirten und Sex gibt es Portale, Apps und Filme.

Dass urbane Metropolen sich weit jenseits des Landstrichs zwischen San Francisco und San José gleichwohl größter Attraktivität sogar bei jungen Menschen erfreuen, ist deshalb umso erfreulicher. Berlin dürfte davon auch in der Zukunft stark profitieren. Hier wollen weit mehr junge US-Amerikaner leben als in Palo Alto! Mannheim, Halle und Wuppertal dagegen profitieren weniger. Allerdings schafft der grassierende Online-Handel nichts völlig Neues. Er verstärkt nur eine Tendenz, die schon in den Achtziger- und Neunzigerjahren begann. Der alteingesessene qualifizierte Einzelhandel verschwindet aus den Städten, und internationale Ketten treten an seine Stelle.

Wer in zwanzig Jahren noch lebenswerte Klein- und Mittelstädte in Deutschland will, braucht kluge Kommunalpolitiker. Es kann nicht schaden, sich rechtzeitig zu fragen, ob man wirklich volldigitalisierte Supermärkte in seiner Stadt haben will. Ein kleiner Vergleich zwischen einem provenzalischen Wochenmarkt und einem verkäuferfreien Supermarkt mit ständig wechselnden Preisen reicht aus, um sich darüber im Klaren zu sein, was Menschen anregt und erfreut. Völlige Sterilität ist im OP-Saal eine Notwendigkeit, beim Einkaufen nicht. Unübersichtlichkeit weckt die Entdeckerfreude. Und einem Menschen etwas abzukaufen ist definitiv nicht das Gleiche wie einem Roboter.

In Fragen wie diesen sind wir im Jahr 2018 noch Suchende. Wo ist der Einsatz digitaler Technik eine Lebensbereicherung, und wo führt er in die Ödnis? Sicher ist es für körperbehinderte und ältere Menschen gut, einen Kühlschrank im Hause zu haben, der selbstständig nachbestellt, was an grundlegenden Lebensmitteln fehlt, und diese entsprechend aufnimmt; allerdings nur dann, wenn es die Angehörigen nicht von ihrer gefühlten Verpflichtung entbindet, sich weiterhin zu kümmern und zu sorgen. Dass selbst Menschen, die es nicht benötigen, einem »denkenden Zuhause« entgegenfiebern, ist ihr gutes Recht; wenn es auch gerne für Schmunzeln sorgt. Eine Wohnung, deren Beleuchtung sich durch permanente Auswertung medizinischer Daten der Stimmung ihrer Bewohner anpasst wie die Filmeinstellungen im Kino, mag manchem reizvoll erscheinen. Ob es allerdings wirklich sexy ist, zum Candle-Light mit Partner in der Badewanne die entsprechende Beleuchtung bereits vorzufinden, oder nicht doch romantischer, eigenhändig Kerzen anzuzünden und die Stimmung selbst zu inszenieren, mag jeder für sich entscheiden. Und nicht jeder träumt von vier Wänden, die im Fall einer Depression die eigene Düsternis optisch widerspiegeln und dazu Werbeangebote für Räucherstäbchen oder Antidepressiva auf die Tapete projizieren.

Nicht alles, was perfektionierbar ist, muss perfektioniert werden. Und manches technisch Verbesserbare wird durch die technische Verbesserung lebensqualitativ nicht besser, sondern schlechter. Einige Dinge, wie etwa der Fußball, leben sogar von einer Artistik des Misslingens. In den allermeisten Fällen gelingt ein Angriff nicht, sondern wird rechtzeitig unterbunden oder führt zu einem schlechten Abschluss. Wäre jeder Schuss ein Treffer, wäre das Spiel reizlos. Gerade das macht den Fußball zu einer so schönen Metapher des Lebens, wo die Erfolge, die Höhepunkte, das Spektakuläre und Außergewöhnliche die Ausnahme sind und nicht die Regel. Auf einen solchen Normalzustand sind Menschen seit Hunderttausenden von Jahren offensichtlich ausgerichtet. Wer daran grundsätzlich etwas ändern will, muss nicht nur die Lebensumstände ändern, sondern auch den Menschen – mit äußerst ungewissen Folgen. Experimente mit Drogen und Medikamenten, die die biochemische Werkseinstellung des Menschen aufmischen, sprechen hier eine deutliche Sprache. Nichts davon schafft eine neue innere Balance, sondern stets nur eine zeitweilige Verschiebung mit Gegenreaktionen oder Abhängigkeit.

Nicht alles, was vorgibt, mit digitalen Mitteln ein Problem zu lösen, löst überhaupt ein Problem. Deshalb ist es nicht uninteressant, echte Probleme von unechten zu unterscheiden. Zu den besonders ungeeigneten Feldern der Effizienzsteigerung gehört sicher die Kunst. Sie ist, geradezu per Definition, das Andere der Effizienz. Man denke an das schöne Büchlein des Schweizer Künstlers Ursus Wehrli *Kunst aufräumen*.[60] Berühmte Werke der Malerei werden darin sorgfältig in ihre Einzelteile – Menschen, Striche, Farben – zerlegt und sortiert, bis alles hübsch ordentlich gestapelt ist. In ähnlicher Weise sortieren die Online-Angebote der Zeitungen ihre Artikel nach individuellen Leserinteressen. Man bekommt, fein aufgeräumt, immer das zu lesen, was einen ohnehin interessiert oder früher interessiert hat. Allzu stark Abweichendes verschwindet dagegen aus dem Blickfeld. Das ist wunderbar effizient – zumindest, wenn man es für effizient ansieht, bestehende Interessen zu verstärken und neue nicht zu wecken. Teure Filme werden

178

in Hollywood schon jetzt von einem Testpublikum vorgefiltert und auf emotionale und dramaturgische Effizienz überprüft. Misst man die Stimmung des Testpublikums digital, so geht das in Zukunft noch genauer. Die Dramaturgie erfolgreicher Filme ist ohnehin schon algorithmiert, die Werke Rembrandts auch, und mit Büchern ist es am leichtesten. Ob man in Zukunft noch Drehbuchschreiber oder Romanautoren braucht, wird von manchen Geeks inzwischen bestritten.

Alles perfekt und nichts mehr überraschend – wenn es wirklich so kommt, braucht niemand mehr Kunst. Ist es nicht ihre Aufgabe, die Formel der Erfahrung zu sprengen und Aufstand gegen die kulturelle Norm zu sein? Zumindest Kunsttheoretiker haben das jahrzehntelang behauptet. Aber vielleicht ist jene Kunstform in der perfekten Welt nicht mehr nötig? Auch die Kunst des Stalinismus sollte keine Erfahrungen sprengen, sondern ein unveränderliches Ordnungssystem auf dramaturgisch überwältigende Weise bestätigen. Bereits jetzt sprengt eine Van-Gogh-Ausstellung oder ein Mozart-Konzert kaum jemandes Erfahrung mehr auf. Und die Konzerthäuser, Opern und Theater spielen vor allem das, was bei der Masse ankommt. Mit digitalen Techniken lässt sich die Befindlichkeit des Publikums noch weit genauer ablesen und voraussagen. Kultur und Kunst werden zur Bestätigung des Immergleichen – eine Tendenz, die seit den Neunzigerjahren besteht und Intendanten, Ausstellungsmacher und Regisseure schon lange verzweifeln lässt. Gar nicht zu reden von der Monokultur der Fernsehangebote, denen die Digitalisierung erlaubt, Quoten und Zielgruppen noch besser zu messen als zuvor. Die Abhängigkeit des Programms von solchen Erhebungen ist inzwischen so groß, dass eine ganze Garde von Programmverantwortlichen wahrscheinlich nicht entfernt wüsste, was sie ausstrahlen sollten, wenn man keine Quoten mehr messen würde.

Steht das Erfassen von Daten hier tatsächlich im Dienste von Kunst und Kultur? Oder definieren wir umgekehrt das als sehens-, hörens- und lesenswert, was »ankommt«? Digitale Datenerfassung mag in vielen Bereichen zum Fortschritt führen, im Bereich der Kultur und der Kunst zeichnet sich das Gegenteil ab – Innovationsfeindlichkeit und Stagnation. Und sie verstärkt damit genau jene Tendenz, die durch den vermeintlichen Sparzwang der Kommunen im Zeitalter neoliberaler Kulturpolitik ohnehin schon da ist. Vorauseilender Gehorsam gegenüber dem Publikum und dem Massengeschmack haben Kunst und Kultur jedenfalls noch nie vorangebracht.

Wer seine Kunst und Kultur nicht »aufgeräumt« haben will, der wird in der Gesellschaft der Zukunft weit mehr dafür tun müssen als bisher. Denn je stärker der Effizienzgedanke unser Leben bestimmt, umso mehr müssen wir uns für Räume einsetzen, die wir bewusst davon freihalten. Das Unkonventionelle zu fördern und Qualität nicht nach Quantität zu bemessen ist ein wichtiger Auftrag an alle Verantwortlichen für Kunst und Kultur. Denn gerade diese Bereiche folgen definitiv nicht dem Schema von »Problem« und »Lösung«.

In einer positiven Utopie braucht Deutschland eine andere Kulturpolitik, die nicht das Alte, das Bestehende und Etablierte fördert, sondern das Kleine, das Unkonventionelle, das Schräge. Wenn in Zukunft viele Menschen nicht mehr von Erwerbsarbeit leben, ist es wichtig, dass sich so viele von ihnen wie möglich lebenskünstlerisch entfalten können. Wie schön, wenn das Deutschland der Zukunft einmal tatsächlich das Land der Dichter und Denker sein würde und nicht das der Gammler und Gamer!

Doch der dunkle Schatten der Nützlichkeit und des wirtschaftlichen Erfolgs, den der Neoliberalismus geworfen hat, liegt noch immer schwer auf der Kultur. Ich erinnere mich an eine Veranstaltung zum Thema Wirtschaft, Kultur und Kreativität 2016 in Essen. Eine der Vortragenden entschied bei der Hamburg Kreativ Gesellschaft darüber, welche jungen Leute mit neuen Ideen von der Stadt gefördert werden sollten und welche nicht. Dabei sagte sie gleich zu Anfang ihres Vortrags: »Ich frage immer als Erstes: Welches Problem wollen Sie lösen?« Ich musste zweimal hinhören. Was für eine seltsame Frage für eine Kreativbeauftragte! Welches Problem hat Velázquez gelöst? Welches Mozart? Und welches Franz Kafka? Doch wie das Beispiel zeigt, hat der mathematisch-technische Begriff von Kreativität bei vielen, selbst denen, die es von Berufs wegen besser wissen müssten, alle anderen Vorstellungen von Kreativität erstickt. Dabei ist Kreativität in den meisten Fällen des Lebens das, was man einsetzt, wenn man eben nicht ganz genau weiß, was dabei herauskommen soll. Das Schema »Problem« und »Lösung« bringt uns in vielen Fragen menschlicher Kreativität nicht weiter. Oder anders gesagt: *Alle reden von Lösungen – Philosophen nicht!*

Ein weiteres Beispiel, das das Schema von »Problem« und »Lösung« sprengt, ist das Kochen. Auf einer Veranstaltung in Bonn, organisiert durch eine große Bank, hatte ich das Vergnügen, einem der Samwer-Brüder zu lauschen, Mitinhaber des Beteiligungsunternehmens Rocket Internet für digitale Projekte. Der smarte junge Entrepreneur erzählte dabei von den Häusern der Zukunft. Das besonders Schöne an ihnen sei: Man brauche keine Küchen mehr! Ein smarter Kühlschrank genügt, den Rest liefern die Drohnen aus dem Supermarkt oder aus der Küche eines Feinschmecker-Restaurants. Auf meine Frage, was man denn damit gewänne, meinte er: »Zeit.« Doch auf meine Nachfrage, was man denn mit der gewonnenen Zeit anfangen sollte, hatte er keine passende Antwort. Dass es Menschen gibt, für die gemeinsames Kochen eine weit erfülltere Zeit ist, als auf dem Sofa sitzend Computerspiele zu zocken oder Online-Bestellungen aufzugeben, lag offensichtlich außerhalb seiner Fantasie. Manche Soziobiologen behaupten, die menschliche Kooperation und Geselligkeit sei dadurch entstanden, dass niemand ein Mammut alleine jagen kann. Und vielleicht ist auch tatsächlich etwas dran. Mindestens ebenso wichtig aber scheint zu sein, dass auch niemand ein Mammut alleine *aufessen* kann! Und wahrscheinlich ist das der Grund, dass die meisten Menschen lieber gesellig kochen und in Gemeinschaft essen – einige Nerds und Geeks einmal ausgenommen.

*

Was die digitale Technik bringt, kann also sowohl ein Rückschritt als auch ein Fortschritt sein. Beginnen wir zunächst mit den Gefahren des kulturellen Rückschritts.

Viele visionäre Ideen, die aus dem Silicon Valley kommen, sind bei näherer Hinsicht keine. Nicht wenigen mangelt es an Menschenkenntnis. Und ersonnen wird, was die Technologie hergibt, und nicht, was viele Menschen oder die Gesellschaft dringend brauchen. Vieles, was sich technisch perfektionieren lässt, muss und sollte, wie gesagt, gar nicht perfektioniert werden – jedenfalls nicht, ohne damit Folgen zu produzieren, die niemand im Sinn hat und keiner tragen will. Man stelle sich des Ernstes halber einmal eine Gesellschaft vor, in der alles effizient und perfekt optimiert ist – was kommt eigentlich dann? Nichts kann mehr verändert oder variiert werden, ohne die Dinge weniger effizient zu machen. Und was bedeutet es eigentlich, Effizienz als höchsten Maßstab anzulegen? Der effizienteste Zustand des Menschen, die perfekteste »Lösung« aller Lebensprobleme ist – der Tod: der Zustand, in dem man sich nicht mehr bewegen muss, keine Energie mehr verbraucht, sich nicht mehr anstrengen muss und von allen Wirrnissen und Unbilden des Lebens befreit ist. Eine bessere Lösung als den Tod gibt es nicht, er ist der smarteste Zustand des Menschen. Das Leben aber ist nicht smart. Es ist widerständig, unberechenbar, unausgegoren und uneindeutig – und gerade das macht es lebenswert und aufregend!

Eine menschenfreundliche Utopie für das digitale Zeitalter muss genau hier ansetzen. Sie muss den Blick dafür schärfen, welcher technische Fortschritt erstrebenswert ist und welcher nicht. Dass man sich gegenwärtig anschickt, Personalchefs durch Software zu ersetzen, wird sicher als Schnapsidee in die Geschichte eingehen. Im Zweifelsfall eröffnet es neue Berufsfelder für »Exnovateure« und »Reanalogisierungsbeauftragte«, die den Unsinn wieder rückgängig machen. Denn wen der Computer als optimale Besetzung errechnet, muss nicht zu den Menschen passen, mit denen er zusammenarbeitet! Hier wird derzeit viel alkoholfreies Bier verkauft, an dem man sich nicht berauschen kann.

Schlimmer dagegen sind Abkürzungen, die sich später als gefährlich erweisen. So wurde in den USA zwischen 1997 und 2007 jedes dritte (!) Kleinkind durch CDs und DVDs dabei unterstützt, seine Muttersprache zu lernen. Mithilfe von »Brainy Baby« und »Baby Einstein« sollten die lieben Kleinen bestmöglich trainiert werden. Das Ergebnis war eine Katastrophe. Bei wissenschaftlichen Tests schnitten die solchermaßen trainierten Kleinkinder auffallend schlecht ab.[61] Um seine Muttersprache zu erlernen, reagiert das Kind nicht nur auf Worte, sondern ebenso sehr auf Augenkontakt, Mimik, Gesten und Zuwendungen. Die nonverbale Kommunikation ist beim Menschen mindestens so wichtig wie die verbale – nicht anders als bei allen anderen Primaten auch.

Konzerne wie Disney erwirtschafteten mit derartigen Lernprodukten 400 Million US-Dollar Gewinn und hinterließen ein desaströses Ergebnis bei den betroffenen Kindern. Das Beispiel ist ein hübscher Beleg dafür, wie der Glaube an eine neue Technologie, die eine Erleichterung oder Abkürzung verspricht, schnell zu einem *Objektivitätsschaden* führen kann. Und es zeigt auch, dass der Hinweis darauf, dass Menschen ein Produkt kaufen, annehmen oder begrüßen, nicht alleiniger Maßstab dafür sein kann, dass es gutzuheißen ist. Überall da, wo typisch Menschliches und psychologisch Bedeutsames durch Technik ersetzt wird, drohen unübersehbare Folgen. Der ziemlich verlässliche Kompass dabei ist: Wird eine psychologische Bedeutsamkeit durch die Technik *unterstützt,* oder wird sie *ersetzt?* Ersteres kann oft nützlich sein, Letzteres ist meist gefährlich.

Der Mensch ist ein seltsames Wesen. Das Lebensglück braucht den Widerspruch und den Widerstand. Kaum jemand hat das so schön gezeigt wie der US-amerikanische Philosoph Robert Nozick. Im Jahr 1974 stellte er seinen Lesern die Idee einer »Erlebnismaschine« vor.[62] Geniale Neuropsychologen haben eine Maschine entwickelt, die es uns ermöglicht, in eine ideale Wunschwelt einzutauchen. Die Illusion ist so perfekt, dass wir sie nicht von der Realität unterscheiden können. Alles, was wir erfahren, erscheint uns völlig real. All unsere Wünsche gehen in dieser Welt in Erfüllung, alles ist perfekt und genau so, wie wir es haben wollen. Würden wir in diese Maschine steigen?

Nozick war der Ansicht, dass die meisten es sicher nicht tun würden. Bei einem Vortrag vor rund tausend IT-Entwicklern in München im Februar 2018 entschied sich auf meine entsprechende Frage nur ein Zehntel des Publikums dafür, sein Leben gegen das in der Erlebnismaschine zu tauschen. Wahrscheinlich erschraken die meisten vor der Vorstellung, in einer perfekten Illusion zu leben. Und vermutlich würde es ihnen nicht mal gefallen, dass alle ihre Wünsche in Erfüllung gehen. Irgendetwas erscheint uns faul daran. Aber wenn das so ist, dann bedeutet dies vor allem eines: dass es im menschlichen Leben Wichtigeres gibt als das vollkommene Glück. Das Erschreckende ist jedoch, dass wir möglicherweise trotzdem alle in Nozicks Erlebnismaschine steigen. Und zwar nicht in Form eines großen Sprungs, eines gewagten Schritts, sondern in tausend kleinen Schritten. Keiner davon kommt uns besonders riskant oder spektakulär vor.

Früher hat es den Menschen gereicht, die Realität zu betrachten. Es gab so viel Staunenswertes in ihr! Kinder interessierten sich für Dinosaurier, von denen sie nichts kannten als Knochen im Museum und gemalte Abbildungen. Das Leben der Indianer und Piraten begeisterte sie, ein Zoobesuch war ein Erlebnis, und Lokomotiven, Autos und Flugzeuge waren faszinierend. Für viele Zehnjährige im Westeuropa des 21. Jahrhunderts ist all das inzwischen ziemlich langweilig. Sie haben sich längst an schnell geschnittene Filme und die perfekte Illusion von Spielwelten gewöhnt. Und die Realität kommt nur selten dagegen an. In Zukunft können sie sogar völlig in einer »Mixed Reality« leben. Und wenn das Leben nicht reicht, und das könnte dann immer öfter sein, können sie mit ihren Virtual-Reality-Helmen oder holografischen Brillen in ein Paralleluniversum abtauchen. Ihre Alltagsexistenz färbt sich langsam und unsichtbar um. Und für all das muss man sich nicht anstrengen. Man muss nichts können, erkunden oder irgendwo ins kalte Wasser springen, wie es so viele Zehnjährige über Generationen hinweg getan haben. All das erledigen nun Apps. Ihren eigenen Kindern werden sie nicht viel zu erzählen haben über das, was sie als Kind so gemacht haben. Eigene Welten, auf die sie zurückschauen können, ha-

185

ben sie nicht; nur fremde. Der emotionale, kreative und moralische Grundstock, den man sich als Heranwachsender für sein Leben erwirbt, tendiert gegen null. Alles im Leben war vorgefertigt, nichts selbst erlebt. Und am Ende ist man so faul und ungeduldig, wie die Werbewirtschaft ihre Kunden braucht – ein Mensch, der eher auf sein Wahlrecht verzichten würde als auf sein Smartphone oder ein neues Zaubergerät, mit dem er in Zukunft verbunden ist.

Ob solche Kinder die Mehrheit werden oder doch nur eine Minderheit bleiben, ist 2018 noch nicht entschieden. Eine Utopie der Menschlichkeit im digitalen Zeitalter setzt sich deshalb das Ziel, *Autonomie zu bewahren.* Es ist ein Wert, Dinge selbst zu können und über Fähigkeiten und Fertigkeiten zu verfügen, ob nun handwerklich, moralisch oder in der gesamten Lebensorientierung. Ein *betreutes Leben* jedenfalls, in dem einem alles abgenommen wird, das Praktische ebenso wie das Erleben von Außergewöhnlichem, ist kein Menschheitsfortschritt. Statt mit Supermenschen hätten wir es mit Menschen zu tun, die sich nie allzu weit über das Kindheitsstadium hinaus entwickeln, weil sie es nicht müssen.

Große Philosophen der Aufklärung wie Kant, Schiller und Herder haben dagegen argumentiert, sich ins Paradies der Unmündigkeit zu träumen. Eine Gesellschaft der Lustbefriedigung und Leidvermeidung erschien ihnen nicht erstrebenswert. Freiheit – ihr großer Wert – besteht nicht in einer Abkürzung zum Glück. Nicht das Paradies mit einem unmündigen Menschen war ihr Ziel, sondern ein Mensch, der sich im Fortschritt seiner Kultur tätig am Leben abarbeitet und dabei reift. Frei zu sein bedeutet, Verantwortung gegenüber sich selbst und anderen zu übernehmen, nicht, sich betreuen zu lassen. Wo der technische Fortschritt dazu führt, dass wir immer weniger Verantwortung für uns übernehmen müssen, widerspricht er der Grundvorstellung unserer Gesellschaft, auf der unsere Verfassung beruht: dem mündigen Bürger!

Auch im Jahr 2018 verstehen viele Menschen ganz intuitiv, was damit gemeint ist. Ein Leben nur aus schönen Tagen ist wahrscheinlich nicht allzu lebenswert; seine irreparable Folge ist der Überdruss. *Viel Zeit zu haben ist schön – aber nur, wenn man eigentlich was zu tun hätte.* Und Befriedigung ist etwas anderes als Lebenssinn. Dass es im Leben immer um Effizienz geht, um den kürzesten Weg und die maximale Befriedigung, ist eine einseitige Übertreibung dessen, was der Mensch ist und worauf es im Leben ankommt.

Vergleichbare Fragen stellen sich ebenso für die deutsche Wirtschaft. Nicht alles, was im Silicon Valley (oft nur kurzfristig) erfolgreich ist, ist in Deutschland ein gutes Geschäftsmodell. Man kann sich heute kaum genug über all jene Topmanager amüsieren, die vor Jahren in Nadelstreifen ins Valley zogen und als Vollbärte in Kapuzenpullovern zurückkamen. Nicht anders hatte man in den Siebziger- und Achtzigerjahren versucht, die Philosophie der japanischen Wirtschaft zu kopieren. Dass Japans ehemals schillerndes Erfolgsmodell effektiver Arbeit nach dem Prinzip des Kaizen (»Wandel zum Besseren«) das Land nicht vor anschließender Stagnation und Rezession bewahrt hat, sollte man nicht so schnell vergessen. Man sollte sich mithin gut überlegen, den Trends des Augenblicks allzu gutgläubig und gehorsam hinterherzulaufen. Dass es in Deutschland an einer »Fehlerkultur« mangelt, ist sicher richtig. Aber erstens ist es mit der vermeintlichen Kultur des Scheiterns im Silicon Valley nicht so weit her, wie auf den Podien der deutschen Wirtschaft oft behauptet wird. Und zweitens ist es gewiss nicht falsch, fragwürdigen Geschäftsmodellen mit gesunder Skepsis zu begegnen. Die deutsche Unternehmenskultur ist nicht zu Unrecht weltweit geachtet; das Qualitätssiegel deutscher Produkte ist höher als das der US-amerikanischen. Und eine Gesellschaft, deren wirtschaftliches Rückgrat der Mittelstand ist, hat andere Sitten, Gebräuche, Traditionen und Erfolgsmodelle als ein Land, das von wenigen großen Unternehmen beherrscht wird. Auch spielt für die deutsche Wirtschaft die Konsumgüterindustrie nur eine vergleichbar geringe Rolle. Und bestimmte Geschäftsmodelle und Unternehmenskulturen, die sich in Deutschland seit zwei Jahrhunderten bewährt haben, gibt es in den USA gar nicht. Man denke nur an die Volks- und Raiffeisenbanken und die Sparkassen, deren Geldgeschäfte dem Prinzip der Genossenschaft oder regionaler Gemeinnützigkeit unterliegen. Sie durch Blockchains oder FinTechs zu ersetzen ist nicht nur ein anderes Geschäftsmodell, sondern ein tief greifender Kulturwandel weg vom Prinzip der Gegenseitigkeit und der Förderung von Städten und Kreisen.

All das befreit die deutsche Wirtschaft nicht davon, kreative Geschäftsmodelle zu entwickeln und die neuen digitalen Techniken bestmöglich einzusetzen. Man denke nur an die Energie- und Umwelttechnik, an die Müllentsorgung, aber auch an viele weitere Geschäftsfelder. Zwei davon wollen wir ein wenig genauer betrachten. Zwei Felder, auf denen sich der Reiz des Unvorhergesehenen in sehr engen Grenzen hält. Gerade das macht sie, im Sinne einer humanen Utopie, besonders wichtig und attraktiv.

*

Es gibt nichts Gutes und Bewahrenswertes an Verkehrstoten und tödlichen Krankheiten. Was wir davon in Zukunft verhindern können, ist erstrebenswert. Und in beiden Bereichen lässt sich in Zukunft viel von digitaler Technik erwarten.

Beginnen wir mit der Zukunft des Verkehrs. Dass der fetischisierte Individualverkehr, wie er unsere Groß- und Mittelstädte verstopft, keine lange Zukunft mehr vor sich hat, ist eine gute Nachricht. Seit sich die meisten Deutschen ein Auto, oft noch einen Zweitwagen leisten können, sind die Verkehrsprobleme immer größer geworden. In Deutschland gab es im Jahr 2017 über dreitausend Verkehrstote und fast 400 000 Verletzte. Im Vergleich dazu lag die Zahl der Menschen, die in Deutschland 2016 ermordet wurden, bei dreihundertdreiundsiebzig![63] In den Jahren 2015 und 2016 starben in ganz Westeuropa hundertfünfzig Menschen an den Folgen terroristischer Anschläge. In dieser Lage ist das Versprechen, den Verkehr auf deutschen Straßen sehr viel sicherer zu machen, ein Segen.

Mehr Mobilität in der Zukunft bedeutet weniger Verkehr. Denn je mehr Verkehr auf deutschen Straßen, umso eingeschränkter ist die Bewegungsfreiheit des Einzelnen. Die Entwicklung selbstfahrender Fahrzeuge – der Begriff »autonomes Fahren« ist irreführend, denn man fährt gerade nicht mehr selbst, also autonom – kann hierzu einen wichtigen Beitrag leisten. Diese selbstfahrenden Fahrzeuge, die bereits vereinzelt in den USA an der West- und Ostküste fahren, sind als Statussymbole unbrauchbar. Leise Elektrofahrzeuge mit schlichter, leichter Karosserie bieten sich nicht dazu an, sie mit Fuchsschwänzen auszustatten, sie laut aufheulen zu lassen oder Nachbar und Nachbarin zu beeindrucken. Das Auto wird zum reinen Nutzfahrzeug und deshalb vermutlich auch nur selten privat gekauft, jedenfalls nicht in großen Städten. Stattdessen lädt man eine entsprechende App herunter, bezahlt einen entsprechenden Tarif und hat jederzeit und an jedem Ort einer Großstadtregion Zugriff auf ein solches selbstfahrendes Fahrzeug.

Was sind die Folgen? Weltweit existieren mehr als eine

Milliarde Autos, die alle viel Energie verbrauchen und die Luft verpesten. In Zukunft aber werden nur noch diejenigen Fahrzeuge benötigt, die auch in Betrieb sind (und eine kleine Reserve). In der heutigen Welt stehen Kraftfahrzeuge in erster Linie herum. Die ganze Nacht über auf einem Parkplatz und bei vielen, die mit dem Auto zur Arbeit fahren, ebenso tagsüber. Schätzungen zufolge würde damit, zumindest in den Städten, nur noch ein Fünftel der heutigen Zahl an Autos gebraucht.[64] Parkstreifen werden weitgehend überflüssig und können hübsch begrünt oder für die Gastronomie genutzt werden. Die Autos kommen aus zentralen Tiefgaragen oder wechseln wegesparend ihren Fahrgast. Ein stärkeres dörfliches Flair zieht in unsere Großstädte ein; ein bisschen so wie auf den Kupferstichen aus der Mitte des 19. Jahrhunderts. Die Stadt wird leiser, grüner und vor allem: sicherer! Mehr als 90 Prozent aller Verkehrsunfälle gehen auf menschliches Versagen zurück. Bei selbstfahrenden Autos könnten sie gegen null tendieren. Den Kindern der Zukunft muss nicht mehr ganz so scharf eingetrichtert werden, was jedes deutsche Kind lernen musste: große Angst vor Autos und Verkehr zu haben! Staus können weitgehend vermieden werden, und die Schadstoffemissionen sinken beträchtlich. Was für ein Zugewinn an Lebensqualität!

Was ist der Preis dafür? Der Deutsche müsste seine in den fernen Jahren des Wirtschaftswunders lieb gewonnene Passion, sich über sein Auto zu definieren, aufgeben. Allerdings ist der Prozess schon längst im Gange. Die Anzahl junger Menschen in Deutschland, deren Identität etwas mit ihrem Auto zu tun hat, hat rapide abgenommen. Ein Mittelklassewagen taugt kaum noch noch als Statussymbol. Allenfalls Sportwagen und SUVs erfreuen sich noch einer gewissen Statusbeliebtheit. Doch gerade SUVs sind ein schönes Beispiel für die

Sackgasse des Statuskults. Noch größer kann ein Personen-kraftwagen kaum werden, ohne anschließend nicht mehr in eine Tiefgarage fahren zu können oder andere Verkehrsteil-nehmer zu behindern. Es scheint, als tanzten die SUV-Fahrer ein letztes Mal auf dem Vulkan, indem sie Autos fahren, deren Energieverbrauch die Lebensgrundlagen ihrer Kinder ruiniert. Um dieses Statussymbol des ökologischen Gefahrenindustria-lismus ist es nicht schade. Nie waren die Dinosaurier so groß wie in der Kreidezeit – kurz bevor sie ausstarben!

Der Meteoriteneinschlag wird Deutschland nicht verscho-nen. Denn selbstfahrende Autos sind ebenso wenig für die Bundesrepublik konzipiert wie das Smartphone. Stattdessen haben wir es mit globalen Entwicklungen zu tun, die über-all greifen werden, völlig unabhängig von dem Willen ein-zelner Parteien oder dem Unwillen einzelner Verbände. Über das selbstfahrende Auto wird in Deutschland nicht in Wahlen entschieden werden. Dass es noch ein paar Probleme bis zum flächendeckenden Einsatz solcher Robocars gibt, darf darü-ber nicht hinwegtäuschen, dass sie wohl schon recht bald auf deutschen Straßen fahren werden. Was gegenwärtig im Weg steht, sind auch keine Versicherungs- und Haftungsfragen – die lassen sich lösen. Keiner der in Zukunft existenzgefährde-ten Kfz-Versicherer wird sich das Geschäft entgehen lassen.

Auch die ethischen Fragen, etwa die, wie ein selbstfahren-des Auto beim Ausweichen programmiert sein soll, halten den Verkehr der Zukunft nicht auf. Man muss sich nur von dem Gedanken verabschieden, dass ein selbstfahrendes Auto »lernen« soll. Noch soll jede schwierige Verkehrssituation als Lernerfahrung die Software verändern. Um diese zu kontrol-lieren, bedarf es einer Überwachungssoftware, die wiederum von anderer Software überwacht wird. Und auch dieses Soft-waresystem soll lernfähig sein. Am Ende steht eine Verkehrssoftware, die niemand so programmiert hat und die außer Kontrolle gerät. Dass das keine allzu gute Idee ist, ist klar. Die Frage ist, warum die Software im Auto tatsächlich lernen soll und muss? Wenn ein Auto in einer schwierigen Verkehrssituation ausweichen muss, sollte man gar nicht erst versuchen, es »ethisch« zu programmieren. Eine rein technische Lösung ist viel besser: Fahrer schützen, nach rechts ausweichen, wenn das nicht geht, nach links. Solange man das Auto nicht mit einer Sensortechnik zur Gesichtserkennung ausstattet, die Personen nach Alter, Geschlecht und so weiter erkennt (und man muss ja nicht!), sind all die bizarren Gedankenspiele um den Lebenswert von Rentnern und Kleinkindern bei der Auto-Programmierung weitgehend gegenstandslos. Das Auto bleibt ethisch neutral, und Angst vor seinen »Lernerfahrungen« braucht niemand zu haben.

Tatsächlich ungeklärt ist etwas anderes: Wie soll man bei smarten Autos, die immer rechtzeitig abbremsen und nie ungeduldig werden, Fußgänger – und weit dramatischer, Fahrradfahrer – daran hindern, den Verkehr zu stören, zu ignorieren oder zu blockieren? Das selbstfahrende Auto nimmt all das gelassen hin. Umso härter muss der Gesetzgeber darauf reagieren und die Polizei solche Verkehrsdelikte ahnden. Ein kleiner Schritt ist das nicht.

Ungeklärt ist zudem der Übergang, obgleich seine Entwicklung weitgehend vorgezeichnet sein dürfte. Selbstfahrende Autos in Leichtbauweise und harte Metallkarossen PS-starker Boliden passen nicht wirklich zusammen – nicht anders als Pferdekutschen und Autos. Als das Automobil in den Städten Einzug hielt, scheuten die Pferde. Ziemlich bald darauf waren sie verschwunden. Naheliegend, dass bald der gleiche Prozess eintritt. Die Bewohner der kinderreichen Quartiere in den Innenstädten werden nicht mehr wollen, dass »normale« Autos durch ihre Straßen fahren, sobald sie die Vorzüge selbstfahrender Autos erkannt und genossen haben. Stück für Stück werden die Städte für herkömmliche Pkw gesperrt, bis niemand, außer Polizei, Feuerwehr usw., noch damit herumfahren darf. Am Ende werden die herkömmlichen Selbstfahrerwagen ersetzt, und die Menschen werden wieder gefahren wie in der Zeit der Pferdekutschen.

Bleibt die Frage, was eigentlich mit jenen ist, die sich den Tarif fürs selbstfahrende Auto nicht leisten können? Sie sind auf den öffentlichen Personennahverkehr angewiesen. Um preislich eine echte Alternative zu sein und auch um Staus zur Rushhour zu vermeiden, sollte der ÖPNV steuerfinanziert sein und nicht durch den Verkauf von Fahrausweisen. Die Benutzung ist damit für jedermann frei, und keiner ist von einem bestimmten Geschäftsmodell abhängig.

Logistisch kommt auf die Verkehrsplaner in den Städten also einiges zu, mit dem sie sich nicht früh genug befassen können, um späteres Chaos zu verhindern. Und denjenigen, die meinen, dass Autofahren zu können eine bedeutsame Kulturtechnik sei, bietet sich noch die Möglichkeit, daraus Sport zu machen. Vom Nutztier Pferd in den Städten blieb auch der Reitsport übrig. Warum sollten nicht beim Autofahren denen, die es wirklich wollen und können, entsprechende Sportgelände zur Verfügung stehen?

*

Kommen wir zum zweiten Feld der positiven Utopie: die Medizin. Ein ganzes Arsenal neuer Möglichkeiten tut sich auf, um Krankheiten besser vorherzusehen, frühzeitig zu erkennen und zu therapieren. Das Spektrum beginnt mit präziseren Instrumenten mit immer besserer Sensortechnik. Ultraschallgeräte können schon heute Organe hochauflösend abbilden und in mathematischen Funktionen grafisch darstellen. Je mehr Gesundheitsdaten, zum Beispiel Blutwerte, Anamnese, Befunde, anonymisiert gespeichert werden, umso besser lassen sich Krankheiten erforschen. Voraussetzung dafür ist eine entsprechende digitale Infrastruktur, die gleichzeitig sicherstellt, dass meine Gesundheitsdaten nur vom behandelnden Arzt mit mir persönlich in Beziehung gebracht werden können. Digitales Know-how verbessert die Diagnose und ermöglicht zugleich hochindividuelle Therapien. Statt eines Standardverfahrens hat der Patient nun die Chance, in genauer Kenntnis seines individuellen Organismus therapiert zu werden. Für Menschen mit Diabetes oder gefährlichem Bluthochdruck ist es ein Segen, wenn eine kleine Apparatur am Handgelenk ihren körperlichen Zustand überwacht. Angeschlossen ist sie an ein Universitätsklinikum, wo ein Computer bei jeder stärkeren Abweichung Alarm funkt und Ärzte sofort bereitstehen. Und nicht zuletzt erlauben digitalisierte und vernetzte Krankenakten dem Arzt, weniger Zeit mit Verwaltungsaufgaben zuzubringen.

All das sind gute Nachrichten! Ob sie zu einer humaneren Medizin führen werden, liegt allerdings nicht am medizinischen Fortschritt allein. Denn wie bei jeder technischen Innovation stellt sich auch hier die Frage, wie die Gesellschaft damit umgeht, mit welchen Ideen die Veränderung flankiert wird und wie man Folgen vermeidet, die im Sinne einer guten oder gar besseren Gesellschaft nicht wünschenswert sind.

Dass Menschen, die ein hohes Gesundheitsrisiko haben, sich mithilfe eines digitalen Geräts permanent überwachen lassen, ist, wie geschildert, sicher ein großer und manchmal lebensrettender Vorteil. Die Frage ist nur, ob sie die Einzigen sind, die sich in Zukunft darauf verlassen. Wo fängt ein Gesundheitsrisiko an? Und was halten die Krankenkassen davon? Bekommt derjenige einen besseren Tarif, der sich auch ohne höheres Gesundheitsrisiko permanent selbst überwacht? Die Folge könnte aus einer Gesellschaft bestehen, in der Menschen einen großen Teil ihrer Zeit mit Selbstmonitoring beschäftigt sind – einer reichlich egozentrischen Beschäftigung. Sie bringt Menschen hervor, die ohne ihr digitales Helferlein schon bald nicht mehr wissen, wie krank oder wie gesund sie sind, weil der innere Kompass verloren gegangen ist. Die Abhängigkeit von einer Maschine ist für normal Gesunde nicht wünschenswert; ein solches Verhalten zu begünstigen, durch Ärzte oder Krankenkassen, noch weniger.

Eine zweite Gefahr – und sie ist die größte – besteht darin, eine Sorge an Maschinen auszulagern, die besser von Menschen getragen wird. Es wäre schon eine bittere Pointe, wenn die »personalisierte Medizin« des Digitalzeitalters dazu führt, immer weniger mit realen Personen zu tun zu haben. Gesundheitsberatung online ist nicht das Gleiche, wie die Hände eines sorgenden und kümmernden Menschen auf der Haut zu spüren. Und ob das mit Krankenakten gefütterte Computersystem »Watson« von IBM in jedem Fall eine bessere Diagnose stellt als ein Arzt, der seinen Patienten seit zwei oder drei Jahrzehnten kennt, steht nicht fest.

Digitale Systeme können in der Medizin assistieren; gefährlich wird es, wenn sie den Arzt ersetzen sollen. Die Regel »Assistieren ja, Substituieren nein!«, die beim Einsatz von Digitaltechnik in sozialen und ethisch relevanten Fragen gilt, gilt ganz besonders in der Medizin. Erschreckend, aber durchaus denkbar ist, wenn auch in der Medizin die messbare Seite der Welt für die Welt – das heißt die Krankenakte des Patienten für den Patienten selbst – gehalten wird. Das Manko der Schulmedizin, dass sie das komplexe und individuelle Zusammenspiel von Körper und Psyche oft nicht richtig in den Blick bekommt, könnte sich in der Medizin des Digitalzeitalters noch vergrößern. Und ob es Abhilfe schafft, wenn zudem die Psyche eines Tages in Millionen Daten zerlegt vorliegt, darf bezweifelt werden. Das Prinzip, wonach das, was ich mit meinem Datennetz nicht fangen kann, kein Fisch – das heißt kein körperlich spürbares Befinden – sein kann, könnte sich jedenfalls verschärfen.

Umso wichtiger ist es, die neue segensreiche Digitaltechnik in der Medizin mit einer ebenso großen Mobilisierung an Empathie zu begleiten. *Je exakter und rationaler die Technik wird, umso wichtiger wird der einfühlende und mitfühlende Arzt.* Sollte es stimmen, dass die Digitalisierung Ärzten viel der Zeit spart, die sie bislang mit Bürokratie verbringen, so wäre der Boden dafür eigentlich gut bereitet. Von den Aufgaben eines zukünftigen Helfers der Menschheit war bereits die Rede. Er wird ein echter Lebenshelfer werden müssen, der sich, wie so mancher Hausarzt und manche Hausärztin alter Schule, kümmert und seine Rolle nicht an Informationsverarbeitungsprogramme abtritt. Dass es dafür eines anderen Auswahlkriteriums als des Numerus clausus für Medizinstudenten bedarf, ist ohnehin klar. Nicht die Fleißigsten oder rational Höchstbegabten werden in der Welt der realen Medizin händeringend gebraucht, sondern die Geeignetsten und Fähigsten unter den Liebevollen.

Je mehr die Medizin zeigt, dass es ihr wirklich um das Wohl der Menschen geht, umso größer wird deren Vertrauen in digitale Hilfsmittel sein. *Je größer der Kulturwandel in der Medizin, umso höher die Akzeptanz der Technik!* Das Gleiche gilt ganz besonders im Bereich der Pflege. Soll man Pflegeroboter begrüßen oder verdammen? Die Frage ist im Prinzip recht einfach zu beantworten. In Japan sind Pflegeroboter eine große Sache und werden mit viel Geld gefördert. Dabei geht es im Wesentlichen um zwei Robotertypen: Hilfsroboter und Kuschelroboter. Hilfsroboter können wie rollende Mülleimer aussehen und den Arzt bei der Visite begleiten. In ihrem Innenraum bieten sie Platz für allerlei Gerätschaften und Krankenakten. Andere, bislang leider nicht zur Serienreife gelangte Prototypen, sollen helfen, die Bettpfanne zu wechseln, einen bewegungsunfähigen Patienten in den Rollstuhl zu hieven, oder sie sollen sich gleich selbst in einen Rollstuhl verwandeln. Kuschelroboter dagegen sind klein, leicht und flauschig und werden schon jetzt in Japan dementen Patienten und Patientinnen in den Arm gedrückt. Wenn man ihr Kunstfell krault, schnurren sie, bewegen sich und schlagen vor Vergnügen mit den Robbenflossen.

Nirgendwo greift der Unterschied zwischen »Unterstützen« und »Ersetzen« so schön wie an diesem Beispiel. Der erste Robotertypus leistet eines Tages sicher gute Hilfe, nicht nur in Japan. Wer weiß, welche Mühe es macht und welche Qualen es einem Patienten bereiten kann, wenn man einen schwer Bettlägerigen in einen Rollstuhl hebt, der sieht sofort, welches echte Problem der Hilfsroboter lösen soll. Doch welches »Problem« löst der Kuschelroboter? Dass auch demenzkranke Menschen liebesbedürftig sind? Wer das für ein »Problem« hält, hat in keiner Pflegestation etwas zu suchen. Sicher lässt sich einwenden, dass der Demenzkranke den Unterschied zwischen einem echten Tier oder einem sorgenden Menschen und einem Kuschelroboter nicht merkt; genau darauf basiert ja der Einsatz.

Aber damit ist die ethische Dimension der Sache nicht erfasst. Würde man es für unproblematisch und belanglos halten, wenn Menschen einen geistig Schwerstbehinderten verspotten? Wahrscheinlich nicht. Und zwar auch dann nicht, wenn der Betroffene gar nicht in der Lage dazu ist zu erfassen, dass er verspottet wird. Gleichwohl würden wir es falsch oder sogar unanständig, geschmacklos und obszön finden, sich über den geistig Schwerstbehinderten lustig zu machen. Wir empören uns allerdings weniger im Namen des Verspotteten (der es ja nicht merkt) als im Namen der Moral. Wir sind entrüstet, weil wir es grundsätzlich für moralisch falsch halten, dass Menschen geistig Schwerstbehinderte ins Lächerliche ziehen. Wir kritisieren ihre Haltung. Warum aber halten wir es dann für richtig, einen Demenzkranken in die Irre zu führen und mit einem Roboter abzuspeisen, den er für ein lebendiges Wesen hält, das auf seine Zuneigung reagiert? Möglicherweise ist sein Bedürfnis, Liebe zu geben und zu empfangen, eines der letzten psychischen Begehren, die ihm geblieben sind. Und genau hier soll gespart werden und der Patient getäuscht und in die Irre geführt?

Wie in der Medizin so gilt auch in der Pflege: Wer mehr Technik einsetzen will, darf den sorgenden Menschen nicht ersetzen wollen. Ansonsten vergeigen wir das Versprechen, für das die Digitalisierung stehen soll: die Welt menschlicher zu machen!

~

Das Versprechen digitaler Technologie besteht darin, unser Leben besser zu machen. Doch was heißt besser? In einer humanen Utopie bedeutet besser nicht gleich kürzer, bequemer oder smarter. Die Technik muss sich nach den tatsächlichen Bedürfnissen des Menschen richten, und die sind nicht einfach quantifizierbar. Wer seine Kultur danach ausrichtet, was bislang am massentauglichsten war, der hat nicht verstanden, was Kultur ist. Kultur soll keine Probleme lösen oder immer das bestätigen, was ohnehin akzeptiert ist. Oftmals ist der naheliegendste Weg also nicht der beste. In einer Gesellschaft, die sich an Menschen ausrichtet, darf nicht zu viel normiert werden, um abweichendes Denken und Verhalten nicht zu beschneiden. Im Zentrum muss immer die Autonomie stehen. Nur wo tatsächlich ernsthafte Probleme vorliegen – etwa im Straßenverkehr und in der Medizin –, sind smarte Lösungen auch tatsächlich Lösungen. Ein neuer Verkehr, der das Unfallrisiko stark minimiert, und eine digital unterstützte Medizin, die, richtig und sehr bewusst angewendet, das Leben der Menschen verbessert, sind zu begrüßen.

Geschichten statt Pläne

Die Rückkehr des Politischen

Die Robert Taylor Homes in Chicago waren eine glänzende Idee. Mit großer Geste und schönen Worten warben die Stadtplaner dafür, dass all die Armen und Abgehängten der Stadt, in erster Linie Schwarze, aus ihren Wellblechhütten in die neuen modernen Hochhäuser ziehen sollten. Reihe um Reihe hatten sie die achtundzwanzig Silos hintereinander in den reichen Süden der Stadt gesetzt, nicht weit von der Universität und den schönen Prairie Houses des Stararchitekten Frank Lloyd Wright. Doch von den ersten Bewohnern, die 1962 mit Blumen empfangen worden waren, lebte bald niemand mehr in den Blöcken. Als ich die Gebäude 1997 in Begleitung des Polizeireporters der *Chicago Tribune* besuchte, befand ich mich im gefürchtetsten Ghetto oder Stadt. Die Hauseingänge und Briefkästen waren mit Kot verschmiert, die Kinder schliefen nachts in der Badewanne, aus Angst vor den Querschlägern der Gangs, und die abgenutzten Rasenflächen waren übersät mit bunten Patronenhülsen wie nach einer Silvesternacht. Bereits im Jahr 1993 hatten die ersten Umsiedlungen der Bewohner begonnen. Im Jahr 2005 begann der Abriss, und zwei Jahre später war auch der letzte Block verschwunden.

Irgendetwas war hier schiefgelaufen. Verdammt schief. Und dabei war doch alles so eine gute Idee! Die neuen Häuser waren übersichtlich und hygienisch, hatten Fahrstühle, Zentralheizung und warmes Wasser. Warum sollten sich die sozialen Verhältnisse hier nicht bessern gegenüber den armseligen und dreckigen Hütten, aus denen die Bewohner stammten? Doch die fantasieverlassenen Blocks ermunterten niemanden zu einem tugendhaften Leben. Und 27 000 Menschen in sozial prekären Verhältnissen stimulieren sich auch nicht gegenseitig in Sitte und Anstand. Der Traum der Stadtplaner, am Reißbrett eine smarte Lösung für ein gewichtiges soziales Problem zu finden, mündete in der Katastrophe.

Großspurige Pläne wie in Chicago, Masterpläne ohne einen Funken Einsicht in die menschliche Psychologie, fallen unter den Spottbegriff »Solutionismus«.[65] Es gibt in der Architektur der Moderne dafür ungezählte Beispiele. Immer geht es um das Versprechen einer einfachen, klaren und übersichtlichen Lösung für ein hochkomplexes Problem. Man denke nur an die Pläne des schweizerisch-französischen Architekten Le Corbusier, fast die gesamte alte Bebauung am rechten Seine-Ufer in Paris abzureißen, um dort planquadratisch achtzehn monumentale Hochhäuser zu errichten. Berauscht vom Geist der Disruption kannte der Entwurf keine Rücksicht auf Verluste, insbesondere auf die historisch gewachsene Altstadt mit ihrem unverwechselbaren Charme.

Im Jahr 2013 übertrug der weißrussische Journalist Evgeny Morozov den Begriff »Solutionismus« aus der Architekturtheorie auf zahlreiche Ideen, Zukunftsentwürfe und Geschäftsmodelle des Silicon Valley. Auch hier sieht er einen kurzsichtigen Willen zu vervollkommnen am Werk, der sich einmal böse rächen wird. Denn dieser Wille »interessiert sich nur beiläufig für die Handlungen, die verbessert werden sollen. Das Bestreben, alle komplexen sozialen Zusammenhänge so umzudeuten, dass sie entweder als genau umrissene Probleme mit ganz bestimmten, berechenbaren Lösungen oder als transparente, selbstevidente Prozesse erscheinen, die sich – mit den richtigen Algorithmen! – leicht optimieren lassen, wird unerwartete Folgen haben.«[66]

Viele gesellschaftliche Fragen lassen sich nicht durch technische Mittel beantworten, ohne ihnen viel unbeabsichtigte Gewalt anzutun. »Auf Architekturzeichnungen ist es immer still. Im wirklichen Leben nicht«, meinte der niederländische Schriftsteller Cees Nooteboom. Wenn man, was in vielen US-amerikanischen Städten längst der Fall ist, Städte so mit Kameras und Bewegungssensoren ausrüstet, dass niemand mehr unbeobachtet ist, senkt man damit die Kriminalitätsrate. Man lebt allerdings auch nicht mehr in einer freien Welt, sondern in permanenter Überwachung. Eric Schmidts berühmter Satz »Wenn es etwas gibt, von dem Sie nicht wollen, dass es irgendjemand erfährt, sollten Sie es vielleicht ohnehin nicht tun« bringt es treffend auf den Punkt. Die Aufklärer wollten die Urteilskraft der Menschen schulen, damit sie sich tugendhaft verhalten. Die Kybernetiker dagegen nehmen ihnen die Möglichkeit, sich untugendhaft zu verhalten. »Vertrauen ist gut, Kontrolle ist besser« – ein Jahrhundert lang stand der Lenin-Satz für das zynische Menschenbild des Stalinismus, heute steht er für die Sozialtechnik des Silicon Valley.

Die Suche nach Überwachungs- und Kontrolllösungen ist nicht auf Kalifornien oder die USA beschränkt. Auch in Deutschland springen Geheimdienste und Polizei auf den Zug auf und »optimieren« im Zuge der »Terrorbekämpfung« ihre Möglichkeiten. Und wieder haben wir es dabei mit *shifting baselines* zu tun. Empörten sich viele Menschen in Deutschland in den Achtzigerjahren über die Volkszählung und den maschinenlesbaren Personalausweis, so sind sie heute bereit, Überwachungstechniken in ihrem Alltag zu dulden. In vielen kleinen Schritten verschiebt sich damit das Verhältnis von Sicherheit und Freiheit gewaltig – und zwar nicht, weil sich die Bedrohungslage in Deutschland in den letzten Jahren vergrößert hat, sondern schlicht, weil heute viele technische Möglichkeiten da sind, die es früher nicht gab. Das Vorhandensein der Mittel entscheidet über ihren Einsatz und nicht der Zweck. Tatsächlich zeigt die Kriminalstatistik bei vielen Delikten in Deutschland nach unten. Angestiegen ist vor allem die Cyberkriminalität.

Die Situation ist tückisch. Denn jeder neu bewilligte Einsatz von Überwachungstechnik hat ja Argumente für sich. Dass die ganze Entwicklung hingegen wichtige Werte zerstört, gerät leicht aus dem Blick, denn jeder einzelne Schritt ist ja so schlimm nicht. Doch unter der Hand wird Transparenz wichtiger als das Recht auf Privatsphäre, und Kontrolle ersetzt Freiheit. Am Ende steht kein freiheitlicher, sondern ein kybernetischer Staat, ein Wandel in ungezählten kleinen Schritten. Und nirgendwo auf diesem Weg lag ein Punkt, an dem man zwingend hätte Halt machen müssen …

*

Intransparenz stellt in unserer Gesellschaft einen großen Wert dar. Angesichts von Klüngel, Korruption und Mauschelei scheint diese Aussage zunächst befremdlich. Und auch die Solutionisten haben die Intransparenz nicht auf ihrem Zettel, sondern nur die Transparenz. Doch für diejenigen, die daran zweifeln, sei die Glosse »On Being Found Out« des englischen Dichters William Makepeace Thackeray aus dem Jahr 1861 ans Herz gelegt, die Vision einer völlig transparenten Gesellschaft: »Stellen Sie sich einmal vor, dass jeder, der ein Unrecht begeht, entdeckt und entsprechend bestraft wird. Denken Sie an all die Buben in allen Schulen, die verbläut werden müssten; und darin die Lehrer und dann den Rektor … Stellen Sie sich den Oberbefehlshaber vor, in Ketten gelegt, nachdem er vorher die Abstrafung der gesamten Armee überwacht hat. Kaum hätte der Geistliche sein ›heccavi‹ gerufen, würden wir den Bischof ergreifen und ihm einige Dutzend verabreichen. Nachdem der Bischof dran war, wie wäre es mit dem Würdenträger, der ihn ernannt hat? … Die Prügel ist zu schrecklich. Die Hand erlahmt, entsetzt über die vielen Rohre, die sie schneiden und schwingen muss. Wie froh bin ich, dass wir *nicht* alle entdeckt werden, ich wiederhole es – und, meine lieben Brüder, ich protestiere dagegen, dass wir bekommen, was wir verdienen.«[67]

Natürlich ist Thackerays Gesellschaft noch weit entfernt. Aber wir befinden uns gleichwohl auf dem Weg dorthin. Noch weiß nicht jeder alles über den anderen, sondern nur die GAFAs. Für unser Zusammenleben ist es allerdings von unschätzbarem Wert, dass wir nicht alles über die Menschen wissen, mit denen wir zu tun haben. Die Verhaltenskonten, die wir von anderen führen, sind ebenso unvollständig wie die der anderen von uns. Und das ist gut so. Denn wenn jeder die Möglichkeit hätte, alles über jeden anderen zu wissen, bräche unsere Gesellschaft zusammen. Schon Thackeray vermutet, dass die größtmögliche Transparenz nicht zum sozialen Frieden führt, sondern zum Unfrieden: »Was für eine wundervolle, schöne Fürsorge der Natur, dass das weibliche Geschlecht meist nicht geschmückt ist mit der Begabung, uns zu entlarven … Möchten Sie, dass Ihre Frau und Ihre Kinder Sie so kennen, wie Sie sind, und Sie präzis nach Ihrem Wert würdigen? Wenn ja – mein lieber Freund: Sie werden in einem tristen Hause wohnen, und frostig wird Ihr trautes Heim sein … du bildest dir doch nicht ein, dass du so *bist,* wie du ihnen erscheinst.«[68]

Eine völlig transparente Gesellschaft wäre nicht entfernt wünschenswert. Das Gleiche gilt auch für eine Gesellschaft, die normabweichendes Verhalten gar nicht mehr zulässt. »Kein System sozialer Normen könnte einer perfekten Verhaltenstransparenz ausgesetzt werden, ohne sich zu Tode zu blamieren«, schreibt der Soziologe Heinrich Popitz. »Eine Gesellschaft, die jede Verhaltensabweichung aufdeckte, würde zugleich die Geltung ihrer Normen ruinieren.«[69] Denn wenn alles öffentlich wird, würden die Menschen dadurch nicht anständiger. Vielmehr würden alle Normen wahrscheinlich über kurz oder lang ihre Geltung verlieren, da man sie ja ohnehin nicht hundertprozentig einhalten kann.

Normen haben »zwangsläufig etwas Starres, Unverbindliches, Fixiertes, etwas ›Stures‹ – und damit stets auch etwas Überforderndes, Illusionäres«.[70] Sozialverhalten und Moral aber leben von Grauzonen, von Verhalten, das man nicht so genau kennt. Es lässt sich nicht normieren wie die Größe von Nägeln oder Schrauben. Wo wirkliche Menschen leben, gehört der Regelverstoß zum Sozialleben dazu. Schon was überhaupt ein Regelverstoß ist, ist hochgradig kulturell bedingt. Wer in Beirut über eine rote Ampel geht, wird von der Polizei dafür nicht belangt. In Bayreuth dagegen ist das Risiko höher. Der Grund dafür ist klar. Würde sich die Polizei in Beirut um Verstöße bei Fußgängern kümmern, käme sie zu nichts anderem mehr. Auch Normen unterliegen dem Prinzip der *shifting baselines*. Wenn alle gegen die Norm verstoßen, wird der Normverstoß belangloser, als wenn alle sich daran halten. Denn je mehr wir über die Verstöße der anderen wissen, umso gerechtfertigter erscheint uns unser eigenes Fehlverhalten. Wenn es öffentlich wäre, wie viel andere bei ihrer Steuererklärung tricksen, führte dies gewiss nicht zu einer besseren Steuermoral. Gemäß unserer Vergleichslogik wäre es wohl eher der Anfang einer mutmaßlichen Abwärtsspirale.

Was ist aus dieser Sicht von Einkaufswagen zu halten, die

automatisch blockieren, wenn man mit ihnen den Parkplatz des Supermarkts verlässt? Oder von U-Bahn-Systemen, wie in New York, die Barrieren haben, dass niemand mehr schwarzfahren kann?[71] Sie verhindern nicht nur, dass Menschen sich fehlverhalten, sie nehmen ihnen zugleich auch die Wahl ab, es zu tun oder zu lassen. Je mehr technische Sicherheitsvorkehrungen unser Leben bestimmen, umso weniger müssen wir unser Urteil schulen und unser sittliches Verhalten selbst bestimmen. Wir halten uns nur deshalb an bestimmte Dinge, weil wir gar nicht mehr anders können, als es zu tun. Soziale Normen dagegen lassen uns die Wahl, sie zu befolgen oder gegen sie zu verstoßen. Gerade dass wir ihnen nicht folgen *müssen,* macht sie bedeutsam. Ihre Gültigkeit besteht nicht aus Zwang, sondern aus Freiwilligkeit. Und sie sind selbst dann wichtig, wenn sich nicht jeder daran hält. Wir leben nämlich gut und gerne mit einer Art »Unschärferelation des sozialen Lebens, die letztlich ebenso der guten Meinung dient, die wir voneinander, wie der, die wir von unserem Normensystem haben. Tiefstrahler können Normen nicht ertragen, sie brauchen etwas Dämmerung.«[72]

Unser reales Leben verlangt auch immer wieder eine Entscheidung zwischen verschiedenen Normen. Denn das Befolgen der einen kann einer anderen widersprechen. Diese Situation müssen wir aushalten. »Mit sich im Reinen sind nur die Doofen« – der Satz von Martin Seel gilt ebenso für Gesellschaften. Und was für die Wahrheit gilt, das gilt mithin für jede andere moralische Tugend: Man sollte sie ernst nehmen, aber nicht zu ernst. Normen sind Regeln, die unser Zusammenleben erleichtern sollen. Jede dieser Regeln soll einem Konflikt vorbeugen. Die Frage ist nur: Wenn man jedem Konflikt vorbeugt, wie viel Spaß macht dann noch das Leben? Und wer denkt noch selbst?

Das Ziel der Ethik ist nicht die größtmögliche Lebenssicherheit. Es ist die Chance auf ein erfülltes Leben für möglichst viele Menschen. Normen sollen uns dazu dienen. Keinesfalls ist es ihr Sinn, dass wir ihnen dienen. Und wenn wir uns über Normverstöße aufregen, so ist es doch gut, dass es sie gibt. Wer wollte in einem Land leben, in dem *jeder* Verstoß bemerkt und geahndet wird? Jeder moralische Grundsatz wird zu einem Gräuel, wenn er uneingeschränkt zur starren Regel erhoben wird. Immer ehrlich sein, immer gerecht, immer fair, immer mitfühlend, immer großzügig, immer dankbar und so weiter – wer möchte so sein? Ist dies tatsächlich ein erfülltes Leben?

Wenn uns die Technik der Zukunft verspricht, analoge Fragen digital zu beantworten, indem sie uns in eine Sicherheitsmatrix einspinnt, so sollten wir uns unsere Skepsis bewahren. Kriminalität um den Preis der Unfreiheit zu besiegen ist ein Pyrrhussieg: zu viele davon, und wir leben nicht mehr in einer selbstbestimmten Gesellschaft. Und Menschen, die das »Gute« tun, weil sie sich permanent selbst »tracken« und »nudgen« lassen, sind nicht sittlich autonom, sondern abhängige Junkies. Ganz zu schweigen von der unheimlichen Macht derjenigen, die alle unsere Daten haben und mehr über uns, unsere Motivationen, Bedürfnisse und etwaigen Handlungen wissen als wir selbst.

Wer eine humane Utopie des digitalen Zeitalters zeichnen will, muss diese Gefahr ernst nehmen und bewusst machen. Die stillen Architekturzeichnungen der Solutionisten dürfen nicht zu einem stillgestellten Leben führen. Man denke nur an den Bauhaus-Architekten Walter Gropius, der den Bewohnern seiner Wohnkomplexe verbot, Blumentöpfe in die Fenster zu stellen, weil sie das schöne uniforme Gesamtbild störten. Solche »Blumentöpfe« stehen heute überall herum, wo

Menschen leben und arbeiten. Aber wie lange noch dulden die Hohepriester der Effizienz und der Optimierung die Unordnung und das Unaufgeräumte in unserer Lebenswelt und in den Charakteren: Menschen, die bei der Arbeit nicht zu hundert Prozent belastbar sind, Einzelkämpfer mit ihren Macken, die Ruppigen, die Ungehobelten, die schwer Zugänglichen, die Aufgekratzten, die Aufbrausenden, die Langsamen, die Spötter, die Leichtfüßigen und so weiter?

All das ist Teil des wirklichen, bunten und sperrigen Lebens. Es macht es anstrengend, aber zugleich interessant. Und es sorgt für Geschichten, die keine Pläne sind. »Eine Geschichte ist das, was sich ereignet, wenn etwas dazwischenkommt«, definierte einst der Philosoph Odo Marquard. Ein Plan hingegen geht dann auf, wenn *nichts* dazwischenkommt. Wer seinem Navigationssystem auf dem Smartphone folgt, muss nicht mehr nach dem Weg fragen und niemanden kennenlernen. Doch wenn nichts dazwischenkommen soll, was ist dann noch Leben?

*

Auf dem Weg zu einer humanen Utopie müssen wir dieser Gefahr ins Auge sehen: Wenn wir nicht aufpassen, so mündet der gegenwärtig eingeschlagene Pfad in den kristallinen Kältetod der Perfektion. Dabei schaffen wir, geradezu zwangsläufig und ohne bösen Willen, die Politik ab. Wenn »wir nicht die Stärke und den Mut aufbringen, der Silicon-Valley-Mentalität zu entfliehen, die heute den Drang nach technischer Perfektion befeuert«, meint Morozov, »dann müssen wir wohl eines Tages mit einer Politik leben, die überhaupt nichts mehr von dem hat, was Politik überhaupt wünschenswert macht; mit Menschen, die ihre grundlegende Fähigkeit zum moralischen Handeln verloren haben; mit farblosen (oder sogar leblosen) kulturellen Institutionen, die keine Risiken mehr eingehen und nur noch ihre Bilanzen im Blick haben; schließlich mit einer perfekt kontrollierten Gesellschaft, in der Opposition nicht nur unmöglich, sondern vielleicht undenkbar ist.«[73]

Wer alles unter dem Gesichtspunkt der Effizienz sieht, kann mit der Politik in den demokratischen Staaten Europas oder den USA schon jetzt nicht viel anfangen. Die führenden Köpfe des Silicon Valley machen meist wenig Hehl daraus, dass sie meinen, das Politiksystem müsse optimiert werden, am besten von ihnen selbst. Dabei bleibt ihnen gut verborgen, dass unsere Demokratien zum Beispiel *mit Absicht langsam* sind. Zweikammersysteme und Gewaltenteilung dienen nicht nur dazu, die Macht ausbalancierter zu verteilen, sondern auch politische Entscheidungen zu entschleunigen. Die antiken Griechen in Athen verurteilten ihre Angeklagten vor Gericht noch am selben Tag in einfacher Abstimmung, zahlreiche dramatische Fehlurteile eingeschlossen. Die demokratischen und rechtstaatlichen Systeme, im 18. Jahrhundert ersonnen und im 19. und 20. Jahrhundert durchgesetzt, verhindern solchen Aktionismus. Der kürzeste Weg mag zwar als der effizienteste erscheinen – aus der Sicht einer guten Demokratie ist es effektiver, ihn zu verlängern. Was Zeit, Aufwand und Geld spart, ist nicht unweigerlich gut und oft genug sogar grundfalsch.

Die Gesetze der Wirtschaft, nach denen Zeit Geld sein soll und immer der Schnellste belohnt wird, gelten nicht für die Politik. Viele gute Ideen sind langwierig, kompliziert, anspruchsvoll und schwierig durchzusetzen. Wer die Sphäre der Politik immer effizienter machen will, der schafft sie am Ende ab und ersetzt sie durch Sozialtechnik. Und je transparenter sich die Bürger durch Einwilligungen in zweifelhafte Geschäftsverträge machen, umso leichter gelingt diese Verschiebung. Ein, wie der ehemalige Verfassungsrichter Udo Di Fabio schreibt, »schwer korrigierbarer Wandlungsprozess« tritt ein. »Aus der eigenwilligen und kritischen Persönlichkeit, von der westliche Demokratien existenziell abhängig sind, würde dann womöglich eine durch kostenlose Umgarnung von Leistungen eingesponnene Person werden, die buchstäblich durch technische Selbstkontrollstandards und Trends der jeweiligen Netzgemeinde angepasst ist und ihrerseits abweichendes Verhalten anderer sucht.«[74]

Konformitätsdruck, Konkurrenz und Argwohn gegenüber den anderen sind nicht die besten Stützpfeiler für eine offene Gesellschaft. Doch die Konditionierung, vor allem an sich selbst zu denken und andere dabei auszumüllern, ist längst im Gange und älter als die Digitalisierung. Wer tagtäglich indoktriniert wird, sich Vorteile gegenüber anderen zu verschaffen, genießt eine staatsbürgerliche Erziehung von zweifelhaftem Zuschnitt. Ein Milliardenaufwand an Werbegeldern bombardiert die wackeligen Behausungen unserer Werte: die Moral der Kindheit, ein kleiner, meist winziger Rest Religion und ein bisschen Demokratieverständnis aus der Schulzeit. Ein ungleicher Kampf. Niemand fragt heute mehr, ob sein Premiumtarif gegenüber anderen fair ist.

Das sogenannte Individualprinzip als elementarer Kern der Marktwirtschaft muss mit einem durchdachten Sozial- und Humanitätsprinzip in Balance gehalten werden, predigte einst Ludwig Erhards Lehrmeister Wilhelm Röpke. Doch wo ist dieses Sozial- und Humanitätsprinzip heute? Wer setzt sich dafür ein? Liberales Wirtschaften und funktionierende Demokratie sind in Westeuropa untrennbar miteinander verbunden, so untrennbar, dass wir uns das eine ohne das andere kaum vorstellen können. Doch bilden sie mitnichten jene viel beschworene harmonische Einheit. Der grenzenlose Kapitalismus, durch nichts gebremst, hat nicht nur Markennamen auf unsere Wäsche gestanzt: Bis in die feine Unterwäsche unseres Bewusstseins hat er unsere Staatsbürgerschaft gelöscht und uns zu Konsumenten gemacht. Wir verschwenden immer mehr Lebenszeit damit, über Preise nachzudenken und Tarife zu vergleichen, um auf Kosten anderer zu profitieren.

Unsere Seelen befinden sich dabei meistens im Zustand unausgesetzter Gereiztheit, übersättigt und angestachelt zugleich. Und genau das ist das Telos unserer Ökonomie: Nicht der zufriedene Konsument ist ihr Ziel, sondern der immer wieder neu unzufriedene. Kein Wunder, dass so viele Menschen ebenso übersättigt und gereizt auf die Politik reagieren. Ihre gesellschaftlichen Wünsche, Hoffnungen und Ziele changieren wie die Spuk-Identitäten der Netzwelt, grenzenlos inszeniert, austauschbar und belanglos wie die Milliarden Selfies in den Smartphones. Förderlich für das staatsbürgerliche Bewusstsein ist das nicht. Hyperkonsumgesellschaft und Demokratie sind keine natürlichen Verbündeten, sondern, wie es scheint, möglicherweise nur Partner auf Zeit.

Die plausibelste Erklärung dafür ist bereits über hundertachtzig Jahre alt, sie findet sich im ersten der beiden Bände, die Alexis de Tocqueville über die Demokratie in Amerika schrieb. Der kluge junge französische Adelige fand 1835 in den USA, der Vorzeigedemokratie des frühen 19. Jahrhunderts, uninteressierte Bürger, ein Volk von Händlern, nicht mit dem Gemeinwohl beschäftigt, sondern mit sich selbst. Je stärker der Wohlstand steigt, umso unpolitischer die Menschen. Und je unbegrenzter der Liberalismus schaltet und waltet, umso blasser das politische Bewusstsein der Bürger. Am Ende, so prophezeite Tocqueville, werde die Demokratie ausgehöhlt sein. Die Bürger verzichteten auf ihre Beteiligung, und der Staat wandele sich zu einer alles erfassenden Wohl-

fühldiktatur, ästhetisch egalitär, politisch totalitär und bestechend smart.

Wird Tocqueville recht behalten? Die Frage stellt sich heute
dringlicher als je zuvor. Wird der »Konsumenten-Zuschauer-
Bürger«, wie Richard Sennett ihn nennt, seine demokratische
Macht an die großen Digitalkonzerne abtreten und sich seine
Freiheit für Annehmlichkeiten abkaufen lassen?[75] Und stimmt
es, was der ehemalige US-amerikanische Arbeitsminister und
Politik-Professor Robert Reich sagt, dass wir als Verbraucher
und Anleger immer mehr Macht bekommen, als Arbeitnehmer und Bürger dagegen immer weniger?[76] Ist dieser Prozess
alternativlos? Oder lässt sich das ändern?

*

Dass Staaten stark von ökonomischen Interessen dominiert
werden, ist kein neues Phänomen. Im England des späten
18. Jahrhunderts bis tief ins 19. Jahrhundert war dies nicht
anders. Der Britischen Ostindien-Kompanie konnte es ebenso
gleich sein, wer unter ihr König war, wie heutigen Großkon-
zernen, wer in Deutschland Bundeskanzler ist. Neu ist allerdings, dass die mit Abstand mächtigsten Großunternehmen
keine nationalen Unternehmen mehr sind. Die GAFAs operie-
ren weitgehend staatenlos und überstaatlich.

In solcher Lage stellt sich die Frage nach Staat und Bürgern anders als in den vergangenen Jahrzehnten. Wie halten
sie in Zukunft zusammen? Wie achtet der Bürger den Staat?
Und wie schützt der Staat den Bürger? Beide Fragen bedin-
gen einander, denn das entscheidende Wort heißt »Vertrau-
en«. Vertrauen wir dem Staat, dass er uns vor skrupellosen
Geschäftsinteressen schützt? Und vertrauen wir ihm zugleich,
dass er uns nicht selbst über den notwendigen Staatsschutz
hinaus ausspioniert? Nur wenn wir dem Staat in beiden Hin-

sichten vertrauen können, werden wir ihn auch entsprechend respektieren.

In den letzten Jahrzehnten ist die Bindung an den Staat, insbesondere an die Parteien, die die staatsbürgerliche Willensbildung mit verantworten sollen, stets geringer geworden. Stattdessen übertragen viele Menschen die gleiche Haltung, die sie als Konsumenten haben, an den Staat. Sie fragen: »Was bringt mir das?« Oder: »Welchen Vorteil habe ich davon?« Und was die großen Fragen der Zeit anbelangt, so erwarten sie, ganz im Geiste der Technik, Lösungen. So soll der Staat das Flüchtlings*problem* lösen. Am besten dadurch, dass man, ganz mathematisch, eine Zahl als Obergrenze definiert. Und dann ist das Problem weg. Das Gleiche gilt für das Umwelt*problem* oder das Gerechtigkeits*problem*.

Wer von der Politik in erster Linie Lebenskomfort und Lösungen für Probleme erwartet, der hat sich aus dem politischen Denken weitgehend verabschiedet. Und genau hier liegt die Einflugschneise für sozialtechnische Lösungen. Zu verhindern, dass Menschen kriminell werden, ist ein schwieriger und langwieriger Prozess. Eine Stadt mit Sensoren und Kameras vollständig zu überwachen, einfach und smart. Schon aus diesem Grund sind »Smart Citys« eine von vielen geteilte Vision. Die Sensortechnik kann alle erfassten Daten einer städtischen Umgebung in einer Cloud verfügbar machen. Die Menschen, die in der Stadt leben, und die Technologie, die sie umgibt, treten so in permanente Interaktion. Je nach Perspektive werden die Dinge um uns herum »menschlich«, oder aber die Menschen erscheinen als Teil der technischen Infrastruktur.

Die Idee der smarten Stadt verführt viele zum Träumen. Die Vernetzung aller Menschen und Dinge soll die Wirtschaft effektiver machen und tausend neue Geschäftsideen aus dem Boden sprießen lassen. Alles, was ich tue, und alles, was ich weiß, hinterlässt Daten, die dabei helfen, meine Stadt zu »optimieren«. Die ganze Stadt wird damit zu einem fortwährend lernenden System, in dem kein Müllauto einen unnötigen Weg fährt, keine Bücherei Bücher hat, die nicht ausgeliehen werden, kein Kaufhaus sich bei der Zahl seiner Kunden verkalkuliert, keine Energie zu keinem Zeitpunkt unnötig vergeudet wird. Für global operierende Firmen ist das in Zukunft ein ganz großes Geschäft. Ob IBM, Cisco Systems, Siemens oder Vattenfall – wenn Städte zu Smart Citys werden wollen, können sie sich von einer dieser Firmen über viele Jahre hinweg ausrüsten und betreuen lassen.

Ein anderer Weg besteht darin, sich von der EU fördern zu lassen und beispielsweise mit Universitäten zusammenzuarbeiten, etwa in Berlin, Wien oder Barcelona. Die zentrale Frage bei solchen Projekten ist allerdings immer: Wer bestimmt eigentlich darüber, wie smart eine Stadt werden soll und in welchen Bereichen? Der Technikphilosoph Armin Grunwald sieht hierin einen besonders sensiblen Bereich der Entwicklung. Nicht Politiker oder Technologieunternehmen, sondern die Menschen selbst sollten in ihren jeweiligen Stadtquartieren darüber entscheiden können, wie die technische Infrastruktur ihres Viertels aussehen soll.[77] Denn so richtig es ist, dass die Technologie unsere Handlungsroutinen prägt, so wenig kann ich jemanden dazu zwingen, sich einer bestimmten Technik anzupassen. Wer die Entwicklung von Städten zu Smart Citys als naturgegebene Evolution ohne Alternative betrachtet, der behauptet einen »Technikdeterminismus«, den es so gar nicht gibt.[78]

Auch hier sollte also der Mensch im Mittelpunkt stehen und nicht die Technik. Dass eine Stadt oder ein Stadtteil alles tut, um Energie zu sparen, dürfte schnell mehrheitsfähig sein. Dass jeder Bürger im öffentlichen Raum jederzeit überwacht wird, wahrscheinlich nicht. Deutschlands Kommunen sind also gut beraten, keine solutionistischen Gesamtpakete für ihre Mega-Infrastruktur zu kaufen oder sie sich auch nur zu wünschen. Denn wer die Bürger nicht mitnimmt und an den Prozessen intensiv teilhaben lässt, der erntet Vertrauensverlust und Widerstand. Noch dürfte den meisten Menschen die Fantasie dafür fehlen, wie es sich wirklich in einer Smart City lebt – wie in einem Wunschtraum oder wie in einem Albtraum? *Roboter fühlen sich in völlig geregelten Verhältnissen wohl, die Jäger, Hirten und Kritiker der Zukunft nicht unbedingt.* Urbanität und ein quirliges Stadtleben leben von Zufällen, Unvorhergesehenem, Zwischenräumen und Spontanem. *Komplett durchplanbar ist nur ein Friedhof.*

Ohne Aufklärung, Information und Transparenz bei den Entscheidungsprozessen und größtmögliche Bürgerbeteiligung wird es im digitalen Zeitalter nicht gehen. Doch bislang schaffen es Staat und Kommunen kaum, auch nur die Mindestanforderungen an E-Government und Smart Governance zu erfüllen. Ob Steuerakte oder Baugenehmigungsverfahren – noch zeigen sich die Behörden von schneller und transparenter Verwaltung weit entfernt. Doch ohne solche Formen von E-Democracy braucht kein Stadtrat oder Bürgermeister davon zu träumen, seine Stadt smart zu machen. Und wer sich Bürger wünscht, die tatsächlich Bürger sind und nicht einfach ungeduldige und faule Politikkonsumenten, der muss sie entsprechend in politische Prozesse mit einbeziehen und am besten schon in der Schule damit anfangen.

Was im kleinen Raum einer Stadt gilt, gilt erst recht für überregionale »Lösungen« durch künstliche Intelligenz. Während wir den Bürger bestürzenderweise immer transparenter machen, bleiben die Entwicklung des Internets der Dinge und der Geschäftsideen mit künstlicher Intelligenz viel zu intransparent. Doch wer in solchen ethisch sensiblen Bereichen forscht, sollte jederzeit Rechenschaft darüber ablegen, was er eigentlich vorhat! Das gilt insbesondere für die Neurotechnik, etwa Gehirn-Computer-Schnittstellen, die unsere inneren Vorstellungswelten sichtbar machen können. Wenn es um taubstumme und gleichzeitig gelähmte Menschen geht, die nicht sprechen können, so können solche Forschungen äußerst hilfreich sein. Aber wer berichtet rechtzeitig davon, was man mit dergleichen Technologien noch beabsichtigt? Interessierte Anwender gibt es genug, insbesondere die Geheimdienste. Was haben wir von »digitalen Zwillingen« zu erwarten, die reale Produktionsanlagen virtuell verdoppeln. Ist der Anwendungsbereich solcher Simulationsmodelle nur auf den Maschinenbau beschränkt?

Besonders sensibel wird es, wenn künstliche Intelligenz »ethisch« programmiert werden soll. Das Problem tauchte bereits beim selbstfahrenden Auto auf, wo die beste Idee wahrscheinlich darin besteht, die Sensoren für das Erkennen von Physiognomien nicht allzu intelligent, sondern gesichtsblind zu machen. Nichtsdestotrotz träumen Techniker und manche Technikphilosophen davon, Maschinen ethisch zu programmieren. Die Folgen sind allerdings kaum abschätzbar. Wenn Maschinen moralisch programmiert handeln, steht bei umstrittenen Entscheidungen, im Fall von Unfällen oder Katastrophen, der Programmierer am Pranger – und das auch völlig zu Recht. *Viel besser wäre es, die Grenze dessen, was man erlauben soll, genau hier zu ziehen. Was ethisch programmiert werden muss und damit die moralische Entscheidung von Menschen ersetzt, sollte schlichtweg nicht zugelassen werden.* Wer nach einer Grenze sucht, welcher Einsatz von KI moralisch unbedenklich und welcher bedenklich ist – der hat sie hier gefunden. Es ist die gleiche Grenze wie zuvor schon beim Einsatz von Pflegerobotern. Was dem Menschen hilft, ist im Prinzip nicht moralisch verwerflich (es sei denn, es ist gezielt dazu entwickelt, bei Straftaten zu helfen). Was den Menschen in sozial sensiblen Bereichen ersetzen soll, ist moralisch zu verurteilen.

Mit dieser Unterscheidung ist allerdings nicht entschieden, wann und wo es wünschenswert ist, künstliche Intelligenz einzusetzen. Die Gefahr, dass zu viel intelligente Technik die Menschen in vielerlei Hinsicht dümmer und unsensibler macht, wurde bereits ausführlich beschrieben. Vielleicht sollte man sich hier ein Beispiel an einem Menschen nehmen, wie dem niederländischen Verkehrsplaner Hans Monderman. Gerade beim Verkehr kommt es gemeinhin auf die höchste Sicherheit an. Doch Monderman demontierte in den Achtziger- und Neunzigerjahren in mehreren niederländischen Städten zahlreiche Verkehrsschilder. Seine Einsicht: Zu viele Regeln schaden dem Selbstdenken! »Wenn man die Leute ständig anleitet und behandelt wie Idioten, dann benehmen sie sich auch wie Idioten!«[79] Stattdessen gestaltete Mondermann die Straßen so, dass sie enger und dörflicher aussahen. Die Autofahrer reagierten darauf intuitiv und gingen vom Gas runter – und zwar eher, als wenn Schilder sie dazu aufforderten. Mehr Denker vom Schlage Mondermans täten unserer Gesellschaft heute sehr gut – auch wenn ausgerechnet der Verkehr im Zeitalter von Robocars kein passendes Anwendungsfeld fürs Selbstdenken mehr sein wird. Umso wichtiger ist, dass genügend andere übrig bleiben. Und dass der Staat uns im digitalen Zeitalter vor Entwicklungen schützt, die unsere Grundrechte bedrohen …

~

In einer humanen Gesellschaft der Zukunft werden viele Bereiche durch digitale Technik verbessert, allen voran der effektivere Umgang mit Energie und anderen natürlichen Ressourcen. Auch Staat und Kommunen müssen smarter werden und sich den Bedürfnissen der Bürger besser anpassen. Austausch und Bürgerbeteiligung ermöglichen, dass in der Zukunft die Menschen sich mehr in ihr Lebensumfeld einbringen und dies mitgestalten. Dabei gilt es Vorsicht zu wahren vor solutionistischen Totalentwürfen, die versprechen, soziale Probleme technisch zu lösen. Intransparenz im menschlichen Verhalten, Grauzonen und die Möglichkeit, gegen Regeln und Normen zu verstoßen, sind ein elementarer Bestandteil der menschlichen Freiheit. Eine humane Utopie will diese Freiheit bewahrt sehen. Wo Technik diese Freiheit einschränkt oder sich aufschwingt, anstelle des Menschen »ethisch« zu entscheiden, ist ihren Anwendungen Einhalt zu gebieten.

Regeln für die Menschlichkeit

Von schlechten und guten Geschäften

Aus der Zukunft betrachtet waren die 2010er Jahre eine merkwürdige Zeit. Man fühlte sich mitgerissen oder überwältigt von der Wucht der digitalen Revolution. Ohne Kompass und mit verlorener Orientierung glaubte man den digitalen Supermächten aufs Wort, wenn sie eine ganz bestimmte Zukunft verhießen und der Welt erklärten, welchen Lauf die Geschichte unweigerlich nehmen würde. Alles schien programmiert zu sein, und außer mitzumachen, so glaubte man, bliebe den Staaten der westlichen Welt bei Strafe ihres wirtschaftlichen Niedergangs nichts anderes übrig. Man glaubte auch, dass es »das Internet« gäbe, einen virtuellen Raum mit komplett anderen Gesetzen als den irdischen und den staatlichen. Man hielt es für wahr, dass Gesetze der irdischen Welt hier nicht gälten. Und man glaubte am Ende sogar, dass es *den* Fortschritt gäbe und nicht viele mögliche; etwa so, wie Menschen in den Siebzigern geglaubt hatten, die Kernenergie wäre *der* Fortschritt und *die* Zukunft und nicht eine Option unter anderen und besseren.

All dieser Glaube war in den 2010er Jahren weit verbreitet. Und wer daran zweifelte, der galt als rückständig, als antiquiert, als weltfremd und Feind der Technik und des Fortschritts; nicht anders eben als in der Atomkraft-Diskussion der Siebzigerjahre. Wer mehrheitsfähig bleiben wollte, der tat noch 2018 gut daran, nicht allzu weit von diesem Glauben abzurücken, um nicht als Spinner dazustehen. Allenfalls konnte er zur Mäßigung aufrufen, den Wert der Bildung und der Urteilskraft betonen und mehr Transparenz der Digitalkonzerne fordern. Dass *die* Digitalwirtschaft nicht existiert, dass beileibe nicht jedes digitale Geschäftsmodell volkswohlstandsmehrend ist und dass das, was das Internet ist, eine Machtfrage ist und keine Gegebenheit – all das konnte damals nur selten differenziert dargestellt werden.

Wie wiederholt sich doch die Geschichte! Man denke nur an die erste industrielle Revolution! Die gleiche Wirrnis, die gleiche Überforderung, der gleiche Glaube an eine wirtschaftliche Logik, die sich später als großer Irrtum herausstellte: Man darf den Arbeiter nicht als vollwertigen Menschen achten, sondern man muss ihn ohne Rücksicht auf Verluste so schlecht wie möglich bezahlen! Denn nur, wer am billigsten produziert – das heißt die geringsten Löhne zahlt –, kann im Wettbewerb der Volkswirtschaften bestehen. Heute wissen wir, dass der allgemeine Volkswohlstand erst in dem Moment begann, als Gewerkschaften und Arbeiterbewegung die Regierungen zwangen, sie besser zu bezahlen. Der Staat sah sich zu Sozialgesetzen genötigt, die er vorher für überflüssig und wirtschaftsschädlich gehalten hatte. Die Binnenmärkte blühten auf, die Demokratie setzte sich durch, die Bildung stieg und vieles Gute mehr.

Und im Jahr 2018? Heute erzählen uns die digitalen Großmächte und ihre kleineren Nachahmer, dass wir den User nicht als vollwertigen Menschen mit Persönlichkeitsrechten und Privatsphäre achten dürfen, um das »Rohöl« seiner Daten zu Gold zu machen. Das Geschäftsmodell erscheint als *alternativlos* und *unausweichlich,* denn so ist halt die Zukunft. Eine neue Zeit – neue Geschäfte und Gesetze! Und der altmodische deutsche Datenschutz muss sich anpassen. Der Missbrauch persönlicher Daten, in der Realwelt ein Politikum, soll in der Digitalwelt keiner sein. Vielleicht sei unsere gesamte Vorstellung des positiven Rechts in der digitalen Zeit von gestern. Also lasst uns akzeptieren, was unvermeidlich ist.

Aus der Perspektive der Utopie werden wir die 2010er Jahre rückblickend als eine Zeit ansehen, in der erschreckend viele Menschen das Vertrauen in sich, in den Staat und in die Rechtsprechung verloren hatten; eine Zeit, in der Innovation und Effizienz zu Götzen wurden; eine Zeit, die Geschäftsmodelle legitimierte, die später mühsam rechtlich bekämpft werden mussten. Und eine Zeit, in der Topmanager Entwicklungen befeuerten, die ihrem privaten Menschenbild eigentlich widersprachen: Ihre Kunden hielten sie für ungeduldige und faule User ohne ernstzunehmende Rechte an ihren Daten; ihre eigenen Kinder schickten sie auf die besten Schulen, damit sie nicht faul und ungeduldig würden, und achteten sie als Menschen mit Privatsphäre.

Was für eine schizophrene Zeit! Man stelle sich nur einmal vor, die gängige Praxis der Digitalkonzerne, möglichst alle Lebensdaten von Menschen rücksichtslos auszuspionieren und daraus große Geschäfte zu machen, wäre damals über Nacht gekommen! Versetzen wir uns zurück ins Jahr 1998 und malten den Politikern und Verfassungshütern die Realität im Jahr 2018 an die Wand. Jeder, der das Grundrecht auf Schutz der Privatsphäre achtet, hätte 1998 die Hände über dem Kopf zusammengeschlagen, angesichts eines solchen unvorstellbaren Dammbruchs! Und man hätte alles dafür getan, den Damm zu stärken und die Flutung der Gesellschaft zu verhindern. Doch der Wandel kam nicht auf einen Schlag. Er kam in kleinen Schritten und auf ganz leisen Sohlen. Erst eine kostenlose Suchmaschine, dann soziale Netzwerke und schließlich Sprachassistenten. Zunächst war der Anschlag auf den Datenschutz nicht ganz klar, dann wurde er unterschätzt. Und bereits 2018 glaubten die meisten, das Kind sei so tief in den Brunnen gefallen, dass man nun ohnehin nichts mehr ändern könne. Und während den einen oder anderen weiterhin ein leises Unbehagen streifte, erzählten ihm andere von einer digitalen Zukunft aus größerer Sicherheit, mehr Bequemlichkeit und unglaublichem Wirtschaftswachstum. Und wer wollte sich schon gegen Sicherheit und Bequemlichkeit stellen? Wer wollte Menschen wachrütteln, die ganz offensichtlich Tag für Tag bereit waren, ihre Freiheit zu verkaufen? Und wer wollte ernsthaft an einem Geschäftsmodell zweifeln, das Fortschritt und Wachstum ungekannten Ausmaßes versprach?

*

Doch schauen wir uns diese Geschäfte aus dem Jahr 2018 einmal aus der Nähe an. Es gibt viele Formen, mit Daten umzugehen, und es gibt verschiedenen Formen von Daten. Viele Daten haben nichts mit real existierenden Menschen zu tun. Um eine Industrieanlage vollautomatisch zu steuern, Maschinen zu warten oder Kühlungssysteme, Lüfter, Fenster und Server stromsparender arbeiten zu lassen, brauche ich eine Unmenge von Daten, aber keine Personendaten. Innovationen wie diese sind juristisch und philosophisch ziemlich unproblematisch. Eine ganz andere Kategorie von Daten entsteht dadurch, dass mein Verhalten, zum Beispiel im Internet zu surfen, online zu bestellen oder mit dem Smartphone durch die Straße zu laufen, aufgezeichnet wird. Oder dass ein Arzt oder ein Krankenhaus die Daten meines Körpers speichert. Solche Daten sind per se äußerst sensibel und, wie wir sehen werden, grundrechtlich gut geschützt. Eine dritte Kategorie von Daten entsteht dann, wenn Personendaten anonymisiert werden, sodass der, der sie benutzt, nicht weiß, von wem sie stammen. In diesem Fall bleibt die Privatsphäre desjenigen, der seine Daten zur Verfügung gestellt hat, gewahrt. Anonymisierte Daten sind unbedenklicher als normale Personendaten. Allerdings ist der Handel damit – zumindest aus volkswirtschaftlicher Perspektive – nicht immer in allen Fällen wünschenswert und förderlich.

Beginnen wir mit den Personendaten. Wer ein Smartphone benutzt, Geld abhebt oder im Netz surft, hinterlässt überall Spuren: personenbezogene Daten, die etwas über unsere Gewohnheiten, unsere Interessen, unsere Neigungen, unseren Tagesablauf, unsere finanziellen Verhältnisse usw. verraten. All das lässt sich nicht verhindern. Zudem kann meine Bank ihren Service nun besser nach Nutzergewohnheiten einrichten oder ein Online-Händler sein Sortiment auswählen. Bis dahin kein Problem. Unheimlich wird es erst, wenn meine Personendaten dazu genutzt werden, mich gezielt zu bewerben oder meine Daten an einen Dritten weiterzuverkaufen. Das heißt, wenn es darum geht, mich nach allen Regeln der Kunst kommerziell auszuschlachten.

Ein besonders perfides Geschäftsmodell stellt mir dabei etwas kostenlos zur Verfügung: eine Suchmaschine, einen Eintritt in ein soziales Netzwerk oder einen preisgünstigen virtuellen persönlichen Assistenten wie »Alexa«. Solche Geschäftsmodelle kommen in der Realwelt selten vor. Dass der Kunde dafür mit seinen Daten bezahlt, weiß er zwar, aber damit endet im Regelfall bereits seine Vorstellungskraft. Was tatsächlich geschieht und wie hoch die Gewinne bei solchen Spionagegeschäften sind, sieht er nie, oder nur beim Blick auf die rasant steigenden Börsenkurse bestimmter Unternehmen. Er hat auch keinerlei Ahnung, an wen seine Daten verkauft werden. Sie zu sammeln, anzureichern, zusammenzustellen, zu sortieren und Profile daraus zu erstellen ist ein gigantisches Geschäft. Zahlreiche Firmen sind darauf spezialisiert und erwirtschaften enorme Gewinne. Was in der Realwirtschaft extrem mühsam und rechtlich eng eingezäunt ist, gelingt nun nahezu unbehelligt und spielend: Menschen auszuspionieren, um ihnen ihr Geld aus der Tasche zu ziehen.

Für einen demokratischen Rechtsstaat mit hohen Datenschutzzäunen wie Deutschland ist das geradezu ein terroristischer Anschlag! Daran ändert auch die Tatsache nichts, dass die Daten freiwillig hergeschenkt werden – denn vielen digitalen Kommunikationsmitteln wie einem Smartphone, einer Suchmaschine oder einem Instant-Messenger wie WhatsApp kann man sich kaum entziehen. Die Freiwilligkeit ist also so freiwillig nicht, sondern sie geschieht unter sozialem Zwang bei Gefahr sozialer Isolation. Auf die Nutzung solcher Apparaturen oder Dienste komplett zu verzichten ist keine realistische Lösung. Es bleibt einem – ohne große technische Kenntnisse über Verschlüsselungs- und Tarnungsstrategien – nichts anderes übrig, als sich ständig orten, überwachen und ausspionieren zu lassen.

Der normale Bürger kann sich kaum wehren, wenn unbekannte Dritte mit ihm Geld verdienen, seine privaten und beruflichen Netzwerke studieren, beobachten, wo man sich gerade aufhält, und Bewegungs- und Persönlichkeitsprofile erstellen. Sogenannte Third Party Cookies verwanzen meinen Rechner und mein Smartphone, bleiben selbst unsichtbar und bombardieren mich mit gezielter Werbung. Bedürfnisse werden erkannt, bevor ein Mensch oft selbst weiß, dass er sie hat. Und die Gewinne daraus sind gigantisch.

Wer in der Schule mit George Orwells *1984* oder Aldous Huxleys *Schöne neue Welt* aufgewachsen ist, kann sich nicht genug darüber wundern, dass all dies legal sein soll. Hätte man den skrupellosen Datenhandel im Jahr 1998 von einem Tag auf den anderen eingeführt, so wäre er mit Sicherheit in ganz Europa sofort komplett verboten worden. Doch da all dies in nur einem Jahrzehnt in tausend kleinen Schritten geschah und in mindestens gleichem Tempo weiter geschieht, oft verborgen und von Politik und Justiz weitgehend unbemerkt, war die Gegenwehr erbärmlich. Kaum jemand an den verantwortlichen Stellen in Deutschland und Europa erkannte vor lauter vollendeten Tatsachen und permanentem Mitmachzwang, was eigentlich vor sich ging. Und wer die Welt noch aus der Zeit vor dem digitalen Umbruch kannte, der vermag kaum zu fassen, wie wenig wehrhaft die Verteidiger der freiheitlichen Demokratie sind, wenn man sie mit Komfort, Bequemlichkeit und großen Wachstumsversprechen ködert.

Doch wie sieht es mit diesem Wachstumsversprechen aus? Dass es die Produktivität dramatisch erhöht, wenn nimmermüde Computer und Roboter die Arbeit von Menschen erledigen, steht außer Zweifel. Dass Billionen anonymer Daten logistische Prozesse effizienter und effektiver machen, ebenfalls. Das Gleiche gilt, wenn anonymisierte Daten dazu dienen, Verkehrsprozesse und die Müllentsorgung zu optimieren oder Entwicklungen in der Medizin voranzubringen. Doch wo schafft, wer Personendaten kommerziell nutzt und verkauft, um das Konsumverhalten eines Menschen gezielt zu lenken, einen volkswirtschaftlichen Nutzen?

Personendaten lassen sich hervorragend dafür einsetzen, User gezielter zu bewerben. Je mehr ich über jemanden weiß, umso geschickter kann ich ihn verführen, etwas zu kaufen. Doch was wird volkswirtschaftlich dadurch bewirkt? Wer für bestimmte Dinge mehr Geld ausgibt, weil er individuell beworben wird, der muss an anderer Stelle sparen. Denn wie man es auch dreht und wendet, die Wertschöpfung wird nicht erhöht, sondern das Geld wird schlichtweg anders verteilt. Ein Lebensmittelkonzern, der davon träumt, so viel über seine Kunden zu wissen wie Facebook, ein Bundesligaverein, der seine Fans trackt, um ihnen zusätzliche Artikel zu verkaufen, ein Medienkonzern, der die Leser an seine Online-Seite binden möchte, indem er ihnen passende Artikel empfiehlt und nebenbei die Daten noch an Dritte verkauft – all das nützt zwar einzelnen Unternehmen, allerdings stets auf Kosten anderer. Wer seine Werbung auf das Profil eines Kunden zuschneidet, zieht ihm zwar möglicherweise mehr Geld aus der Tasche, aber er vermehrt nicht das Geld, das der Kunde zur Verfügung hat. Der Kuchen wird dadurch nicht um einen Krümel größer!

Besonders schädlich für die Volkswirtschaft ist, dass die großen Datenhändler, die bekannten wie Google, Facebook und Amazon sowie die mächtigen unsichtbaren wie Oracle, Cambridge Analytica und VisualDNA, stets an die Meistbietenden verkaufen. Dadurch werden die Großen gestärkt, und die kleinen Marktteilnehmer verlieren Kunden und Umsatz.[80] So hält der US-amerikanische Marketingdienstleister Acxiom präzise Daten über 96 Prozent der Bevölkerung in den Vereinigten Staaten bereit. Und auch etwa vierundvierzig Millionen Profile deutscher Internetnutzer sind dort gespeichert und in vierzehn Hauptgruppen (»alleinerziehend & statusarm« etc.) und zweihundertvierzehn Untergruppen (»intellektuell«, »hedonistisch«, »konsummaterialistisch«) unterteilt.[81] Erwerben kann diese Daten jeder, der genug dafür zahlt – und das sind die Großen, nicht die Kleinen. Am Ende versteppt die Volkswirtschaft, und eine Unsumme landet bei wenigen Unternehmen und Investoren, die ihre Steuern irgendwo im Nirgendwo zahlen.

All das gilt für den *kommerziellen Gebrauch von Personendaten.* Doch auch hier gilt es zu unterscheiden. Werden Personendaten nur auf Zeit gespeichert? Werden sie von dem, der sie gewinnt, selbst genutzt? Oder werden sie an Dritte weitergereicht und verkauft? Personendaten zu speichern kann sehr sinnvoll sein, zum Beispiel in der Medizin und bei selbstfahrenden Autos. Sie selbst kommerziell zu nutzen ist ein anderer Schritt, der einer genauen und differenzierten Einwilligung in die Reichweite dieser kommerziellen Nutzung bedarf. Sie dagegen *unbegrenzt nutzen* zu dürfen oder gar zu *verkaufen* ist grundrechtswidrig und skandalös.

Das Grundgesetz und die Europäische Charta sind feste Bastionen zum Schutz der Persönlichkeitsrechte und der Privatsphäre von Bürgern. Jedenfalls auf dem Papier. Das Grundgesetz garantiert in Artikel 1 die unantastbare Würde des Menschen. Dabei sichert es jedem Bürger das Recht auf »informationelle Selbstbestimmung« zu. Der Einzelne hat die Befugnis, »grundsätzlich selbst zu entscheiden, wann und innerhalb welcher Grenzen persönliche Lebenssachverhalte offenbart werden«.[82] Und je mehr es um die Privatsphäre geht, umso höher der Schutzzaun. In diesem Sinne spricht das Bundesverfassungsgericht vom »Grundrecht auf Gewährleistung der Vertraulichkeit und Integrität informationstechnischer Systeme«.[83] Artikel 7 der EU-Charta gewährleistet die Achtung des Privatlebens und Artikel 8 den Schutz personenbezogener Daten. In seiner Safe-Harbor-Entscheidung vom Oktober 2015 erlegte der Europäische Gerichtshof den EU-Mitgliedstaaten die Pflicht auf, den Schutz der Privatsphäre natürlicher Personen bei der Verarbeitung personenbezogener Daten zu gewährleisten.[84]

Auf dem Papier ist der deutsche und europäische Bürger also bestens geschützt. Wie soll jemand meine Personendaten kommerziell gebrauchen oder missbrauchen können, wenn ich darüber entscheiden kann, »*wann* und *innerhalb welcher*

Grenzen« persönliche Lebenssachverhalte offenbart werden? Mit einem Häkchen, das ich unter die Nutzungsbedingungen von Google, Facebook, Apple oder Amazon gesetzt habe, dürfte die Frage nach dem »wann« nicht erledigt sein. Denn wenn ich entscheiden darf, *wann* meine Daten benutzt werden, müsste man mich in jedem einzelnen Fall vorher fragen. Und um ermessen zu können, »innerhalb welcher Grenzen« sie benutzt werden, müsste ich wissen, *an wen* sie verkauft werden, um die Grenzen überhaupt zu kennen. Das Allermindeste also wäre, dass ich jeden Monat eine kurze handliche Übersicht erhalte, was mit meinen Daten geplant ist, die ich stets neu unterschreiben müsste.

*

In diesem Sinne ist es erfreulich, dass im Mai 2016 die Europäische Datenschutz-Grundverordnung (EU-DSGVO) verabschiedet wurde, die in allen Mitgliedsstaaten bis Mai 2018 umgesetzt sein muss. Der Idee nach verbietet sie jedem, personenbezogene Daten willkürlich auszuschlachten; allerdings dürfte die Betonung auf »Idee« liegen. Denn, wie Artikel 5 festlegt, handelt es sich um ein »Verbot mit Erlaubnisvorbehalt«. So sollen Unternehmen die Verarbeitung personenbezogener Daten »auf das notwendige Maß« beschränken – was immer das ist. Zumindest ist nun endlich die Beweislast umgedreht. Nicht der, dessen Daten ausgenutzt werden, muss dies beweisen, sondern derjenige, der personenbezogene Daten erhebt und speichert, muss nachweisen, wie er damit umgeht. Blankovollmachten für den Datengebrauch können dadurch ebenfalls nicht mehr erteilt werden.

Von diesem Gesetz ist jeder betroffen, der die Daten von Menschen in der EU erhebt – also auch die GAFAs. Damit zeichnet sich ein Machtkampf ab. Immerhin stellen Google,

Facebook und andere Hightech-Größen ihren Nutzern Betriebssystem, E-Mail, soziales Netz und Shopping-Plattform zur Verfügung, bei denen sie Personendaten nur noch im »notwendigen Maß« nutzen dürfen. Ob die EU diesen Machtkampf mit aller nötigen Härte führt, bleibt abzuwarten. Schon jetzt läuft die Internetwirtschaft in den europäischen Ländern gegen die E-Privacy-Verordnung Sturm, einen Teil der EU-DS-GVO, der grundsätzlich verbietet, persönliche Daten zu verarbeiten – es sei denn, ein Nutzer stimmt ausdrücklich zu. Dafür muss der EU-Bürger mindestens sechzehn Jahre alt sein, und er muss jeder Verwendung seiner Daten in jedem Fall neu zustimmen. Jegliche Marketingmaßnahme muss ihm genau mitgeteilt werden, und wer online einkauft, darf nicht gezwungen werden, seine Daten zu Werbezwecken freizugeben.

Würde die EU-DSGVO einschließlich der E-Privacy-Verordnung genau so umgesetzt, wäre ein wichtiger Schritt getan, um das Recht auf informationelle Selbstbestimmung zurückzuerlangen. Auch das Jammern bestimmter Branchen, allen voran der Deutschen Zeitungsverleger, sollte die Politik hier nicht schrecken – immerhin geht es um nichts weniger als ein verfassungsrechtlich garantiertes Grundrecht! Dass man es bisher umgangen und ausgehebelt hat, rechtfertigt gar nichts.

Der Machtkampf spitzt sich zu, und die Politik zeigt endlich Zähne. Doch die Schlacht ist noch nicht entschieden, denn jeder hält die EU-DSGVO für ein Zwischenstadium. Die einen hätten sie gerne noch etwas schärfer und klarer gefasst, den anderen geht sie zu weit.

Um was geht es? Niemand in Europa möchte die Monopolbildung und die Wettbewerbsverzerrung durch die GAFAs unterstützen. Und nur die wenigsten haben ein großes Herz für internationale Datenkraken, die im Verborgenen wirtschaften. Aber andererseits möchten viele ihrer heimischen Wirtschaft den Zugriff aufs »Rohöl« der Personendaten nicht grundsätzlich verweigern, sondern sie lieber regional oder national als kleine Konkurrenten der Großen sehen. Die Lobbys der großen Wirtschaftsverbände trommeln an dieser Stelle gewaltig – auch wenn der volkswirtschaftliche Nutzen äußerst fraglich ist. Das Resultat der ausgiebigen kommerziellen Nutzung von Personendaten dürfte sein, dass die großen (von denen viele in Europa kaum Steuern zahlen) die kleinen Marktteilnehmer verdrängen. Viele Geschäftsmodelle werden dabei zerstört und viele Menschen entlassen. Die Werbestrategien werden immer perfider – die Kaufkraft geringer. Immerhin können nur wenige und nicht alle vom kommerziellen Datenhandel mit Personendaten profitieren. Vom wechselseitigen Datenverkauf wird keine Volkswirtschaft reich.

Zusammenhänge wie diese werden allerdings kaum diskutiert. Und die Wirtschaftsverbände schauen, wenn sie Druck auf die Politik machen, nicht auf die Volkswirtschaft, sondern auf die Einzelinteressen der starken Marktteilnehmer. Entsprechend verzerrt ist das Bild, das sie von der strahlenden Zukunft des neuen Rohölhandels entwerfen. Gleichwohl schenken ihnen viele Parteien, vor allem die Liberalen, ihr vollstes Vertrauen. Die juristische Frage ist damit weit abhängiger von der wirtschaftlichen, als mancher annehmen würde. Wie streng oder weniger streng man das Grundrecht auf informelle Selbstbestätigung auslegt, steht und fällt damit, für wie nützlich man den Handel mit Personendaten für die Volkswirtschaft beurteilt.

Die Lage wird nicht einfacher dadurch, dass mittlerweile viele große Firmen und auch Staaten in die Geschäftsmodelle von Google, Facebook, Apple, Microsoft und Co. investieren und ihr Schicksal mit den Digitalkonzernen verknüpfen. Länder wie Norwegen, Singapur, Malaysia oder Saudi-Ara-

bien legen enorme Beträge in der US-amerikanischen Digitalwirtschaft an. Und kein anderer Konzern der Welt handelt in
solch großem Stil mit internationalen Firmenanleihen wie Apple. Das Finanzkapital aus aller Welt, Staaten mit eingeschlossen, pumpt so viel Geld ins Silicon Valley, dass Apple, Google,
Facebook, Amazon und Microsoft 2017 ihren Gesamtwert
um eine Billion (!) US-Dollar erhöhen konnten – in nur einem
Jahr! Nicht anders sieht es in China aus, dessen Digitalkonzerne Alibaba und Tencent im vergangenen Jahr um eine hal-
be Billion US-Dollar wertvoller wurden.[85]

Je abhängiger die europäische Wirtschaft oder gar europäische Staaten von den Geschäftsmodellen des Silicon Valley
werden, umso weniger haben sie ein Interesse daran, die europäischen Bürger vor dem Ausverkauf ihrer Daten zu schützen. Dabei gerät völlig aus dem Blick, dass tatsächlich viele
Geschäftsmodelle der Digitalwirtschaft auch ohne kommerzielle Nutzung von Personendaten auskommen könnten. Wenn
Google oder Facebook die Daten europäischer Bürger nicht
mehr kommerziell nutzen dürften, würden sie ihre nur vermeintlich kostenlosen Angebote einfach kostenpflichtig machen. Es gibt schlimmere Entwicklungen, als für eine Suchmaschine oder ein soziales Netzwerk ein paar Euro im Monat zu
bezahlen und dafür nicht mehr hinterrücks verkauft zu werden. Und ist es nicht besser, für ein selbstfahrendes Fahrzeug,
das ich zeitweilig benutze, dem Provider etwas mehr im Monat zu zahlen, aber dafür zu wissen, dass meine Personendaten
nicht unbekannt genutzt werden dürfen? *Solche Geschäfte
hell statt dunkel zu machen hält weder den Fortschritt auf,
noch schadet es irgendeiner Volkswirtschaft! Es überträgt lediglich die wohldurchdachten Spielregeln der Realwirtschaft
in die Netzwirtschaft.*
Bedauerlicherweise gehen viele Politiker noch immer der

Vorstellung auf den Leim, große digitale Geschäftsmodelle ließen sich nur intransparent, im Dunkel betreiben, ob Suchmaschine, soziales Netzwerk, App, Online-Handel oder das Internet der Dinge. Doch das ist nicht mehr als ein von bestimmten Geschäftsinteressen weit verbreiteter Mythos, um dunkle Geschäfte zu schützen. Nichts davon entspricht der »Logik des Netzes«, aber alles der Logik rücksichtsloser Kommerzialisierung.

Dass eine Suchmaschine auch ohne Datenhandel und Profiling auskommt, beweisen die etwa dreißig alternativen Suchmaschinen, von denen die französische Qwant gegenwärtig die beste in Europa zu sein scheint. Wer »qwantelt« statt »googelt«, bekommt einen ähnlich guten Informationszugang, aber mit geschützten Personendaten. Bedauerlicherweise aber ist Qwant nicht entfernt so bekannt wie Google. Daran etwas zu ändern müsste eigentlich auch Sache der europäischen Staaten sein. Der Staat stellt Eisenbahnschienen und Straßen für den freien Verkehr in der Realwelt zur Verfügung und wartet sie. Und er garantiert die Energieversorgung seiner Bürger. All das ist »Gegenstand der Daseinsvorsorge«. Doch warum tut er nicht das Gleiche für den freien Verkehr im Netz? Sollte es 2018 nicht normal sein, *dass die Staaten Europas ihren Bürgern eine Infrastruktur im Netz zur Verfügung stellen, die ihre Daten schützt?* Ob Suchmaschine, E-Mail-Verkehr, soziales Netzwerk, digitale Stadtpläne oder Sprachassistent – all das gehört im digitalen Zeitalter zur Grundversorgung und dürfte nicht in den Händen von Quasi-Monopolisten liegen.

In einer humanen Gesellschaft der Zukunft überlässt der Staat Fragen der informationellen Grundversorgung nicht Konzernen mit undurchsichtigem Geschäftsgebaren. Ein solches Risiko für die Demokratie, den freien Meinungsfluss und die Volkswirtschaft einzugehen muss schnellstens beseitigt werden. Und auch die Zeit, in der wir Geschäftsmodelle in der Digitalwirtschaft zulassen, die wir in der Realwirtschaft ächten und verbieten, muss bald vorbei sein. Denn lassen wir dieses Einfallstor offen, so steht der im ersten Teil geschilderten Dystopie jeder Weg frei. Wer den Anfängen nicht wehrt, der wird mit seinen Forderungen nach mehr Transparenz und gegen Monopolbildungen stets das Nachsehen haben. Die »erhebliche verfassungsrechtliche Gefährdungslage«, von der der ehemalige Verfassungsrichter Udo Di Fabio in diesem Zusammenhang spricht, lässt sich wohl nur an der Wurzel bekämpfen, nicht, wie er meint, an den Zweigen und Verästelungen.[86]

Der Wunsch im Hinblick auf eine positive Utopie ist damit klar formuliert. Sie muss fragen: Wie sieht eine gute menschliche Zukunft aus, in der die Würde des Menschen, seine Persönlichkeitsrechte und sein Grundrecht auf informationelle Selbstbestimmung bestmöglich geschützt sind? Das 19. und das 20. Jahrhundert haben dem Arbeiter Schritt für Schritt eine Handlungsautonomie ermöglicht, indem sie ihn sozial absicherten. Niemand in Deutschland muss arbeiten, um dem Hungertod und der völligen Verelendung zu entgehen. Das 21. Jahrhundert muss ihm nun seine Datenautonomie gegen die »informationelle Fremdbestimmung« durch mächtige Digitalkonzerne und nationale Trittbrettfahrer sichern. Wieder geht es um den Schutz vor rücksichtsloser Ausbeutung. Und wie der grobe Manchester-Kapitalismus der grauen Herren mit den dicken Zigarren, so muss auch der freundliche Palo-Alto-Kapitalismus auf seinen leisen Sneakersohlen als entfesselte Extremform erkannt und entsprechend zivilisiert werden. Ihm blind nachzueifern um den Preis, wertvolle Errungenschaften unseres aufgeklärten Menschenbilds, unsere komp-

233

lexe Vorstellung von Würde zu opfern, führt dagegen unweigerlich auf den abschüssigen Weg der Dystopie. Auch hier ist der kürzeste Weg nicht der beste!

*

Eine humane Zukunftsgesellschaft wägt das Recht auf Privatsphäre nicht mit Wirtschaftsinteressen auf – so wenig, wie wir dies heute in Fragen der Sklaverei oder der Kinderarbeit tun. Grundrechte sind Grundrechte. Man muss sich nur vor Augen führen, was eine legitime Ausspitzelungskultur eigentlich mit der Moral einer Gesellschaft macht! Ist das nicht ein *Anschlag auf die Kultur des Vertrauens,* eine wichtige Grundlage jeder freiheitlichen Demokratie, wenn man weiß, dass es völlig legal ist, dass Unbekannte einen ausspionieren, ausnutzen, hintergehen und ausschlachten? Was macht das mit einer Gesellschaft? Und was soll sie mit Vorschlägen anfangen wie jenen des US-amerikanischen Internetpioniers Jaron Lanier, die Ausgenutzten der Digitalkonzerne mit einem kleinen Entgelt zu entschädigen?[87] Wird damit ihr Verrat an unseren Grundwerten nicht durch ein paar Silberlinge legitimiert? Ein solcher Vorschlag führt absolut nicht dazu, ein großes gesellschaftliches Übel zu beseitigen.

Natürlich kann man in dieser Frage auch die Gegenposition einnehmen. Ist es denn so schlimm, dass es zum Kulturwandel kommt, weg von der Mündigkeit hin zur kybernetischen Technokratie? Nehmen die Menschen in aller Welt die Segnungen der digitalen Welt nicht weitgehend kritiklos an und finden sich mit den Folgen ab? Die Büchse der Pandora ist geöffnet, nichts wird sie wieder schließen. Und alles, was zu tun bleibt, ist, sich anzupassen und seinen Frieden damit zu machen. Die Bürger rebellieren nicht, wenn sie zu Usern degradiert und verkauft werden. Und bislang haben sie noch jedes Angebot freudig genutzt, um sich in eine fiktionale und virtuelle Welt zu verabschieden, solange sie ihnen Spaß bereitet. Vielleicht ist das der Lauf der Welt? Die freiheitliche Demokratie wäre nicht das Endziel der Geschichte, wie der US-amerikanische Philosoph Francis Fukuyama nach dem Zusammenbruch des Ostblocks verkündet hatte. Stattdessen wäre sie nur eine Zwischenstation auf dem Weg zur Technokratie und zum Zeitalter autonomer Maschinen.

Doch naturgesetzlich vorgezeichnet ist dieser Weg, wie gesagt, nicht. Genauso wenig wie alle anderen angeblich vorgezeichneten Wege der Menschheit, etwa Georg Wilhelm Friedrich Hegels Weg hin zum preußischen Beamtenstaat oder Karl Marx' »klassenlose Gesellschaft« als vermeintlichem »Ende der Geschichte«. Doch wenn wir dem freien Gebrauch von Personendaten weiterhin seinen Lauf lassen, so züchten wir die Oligopole des Silicon Valley weiter zu immer größeren Supermächten heran, die unsere soziale Marktwirtschaft und unsere Demokratie auf sanftem Wege außer Kraft setzen werden.

Das Freiheitsparadox unserer Zeit besteht also darin, die Freiheit des Personendatengebrauchs scharf zu beschneiden, um die Freiheit der Bürger weiterhin zu sichern beziehungsweise zurückzugewinnen. Je liberaler sich der Staat in dieser Frage zeigt, umso mehr lässt er zu, dass unsere Werte unterspült und unsere Freiheit abgeschafft wird. Ordnungspolitik zu betreiben und unsere Grundordnung zu verteidigen bedeutet, *die verfassungsmäßig garantierten Persönlichkeitsrechte, vor allem das Recht auf informationelle Selbstbestimmung, zurückzuerlangen!*

Dass Datenmonopole nicht demokratiefördernd sind, sondern ein neues Machtungleichgewicht in Ökonomie und Gesellschaft erzeugen, ist eigentlich den meisten klar. Und wem die bürgerlichen Freiheitrechte wichtig sind, der kann Geschäftsmodelle, die darauf abzielen, Menschen stets präziser zu manipulieren, nicht gutheißen. Dass der Staat in seinem Zugriff auf die Personendaten der Bürger in Schranken gehalten werden muss, ist politisches Allgemeingut. Doch wenn die Gefahr aus der Wirtschaft kommt, ist man oft orientierungslos. Gerade die Liberalen, die klassischen Vertreter der Bürgerrechte, agieren in dieser Frage bislang erschreckend blind.

Natürlich hat auch der »kleine Mann« längst ein paar pfiffige Ideen, wie er seine Daten schützt. Eine ganze Sparte an Ratgeberliteratur mit Titeln wie *Mich kriegt ihr nicht!* berät über Tricks und Technik, um sich vor dem Zugriff von Datenkraken unsichtbar zu machen.[88] Allzu einfach ist das nicht, sondern vielmehr mühsam und aufwendig. Und nur die allerwenigsten lassen sich auf diese Karnevalisierungsspiele ein. Immerhin droht unweigerlich die Gefahr, das Interesse der Geheimdienste an der eigenen Person zu wecken. Hat da jemand etwa was zu verbergen? Es ist bestürzend, dass sich in der Bundesrepublik Deutschland jemand allein schon dadurch verdächtig macht, dass er seine Daten unkenntlich macht. Deutlicher dürfte sich kaum zeigen lassen, wie sehr die Dinge aus dem Lot geraten sind.

Damit der technische Fortschritt sich als Segen erweist, muss er zugleich sozialer Fortschritt sein. Die Gefahren eines Rückschritts müssen da, wo sie bestehen, nicht einfach nur registriert, sondern bekämpft werden. Das betrifft die Bespitzelung der Bürger ebenso wie die Entmündigung und den drohenden Verlust der Urteilskraft durch zu viele sozialtechnische Lösungen für gesellschaftliche Fragen. Das betrifft aber auch – und in diesem Punkt ist die Einigung leichter – die Besteuerung. Dass die Geschäftsmodelle des digitalen Zeitalters ein Umdenken im Steuerwesen verlangen, ist schon lange bekannt. Gleichwohl hat man sich bis 2018 Zeit gelassen, eine grundlegende Reform der internationalen Steuervorschriften umzusetzen. Die Pointe ist, dass die Art der Wertschöpfung und der Ort der Besteuerung eng miteinander verknüpft werden müssen. Mit einem Wort: Die Steuern sollen definitiv dort bezahlt werden, wo man die Gewinne erwirtschaftet. Was die EU dafür braucht, ist eine gemeinsame Bemessungsgrundlage für die Körperschaftssteuer.

*

Es sei noch einmal daran erinnert: 2014 wollte der damalige Justizminister Heiko Maas die Digitalkonzerne zwingen, ihre Algorithmen offenzulegen. Und Sigmar Gabriel, damals Wirtschaftsminister, sprach davon, die großen Plattformbetreiber zu entflechten. Beides ist nicht geschehen. Aber Bewegung gibt es trotzdem. Die EU-DSGVO ist ein wichtiger Schritt. Doch das Rad dreht sich längst weiter. Während deutsche und europäische Unternehmen weiterhin nach Personendaten gieren, die sie eigentlich nicht ausschlachten dürfen, ist das Silicon Valley dabei, sich von diesem Geschäftsmodell zu emanzipieren. Nicht dass man freiwillig auf die Milliarden verzichtet, die die Werbeeinkünfte aus kostenlosen Dienstleistungen abwerfen. Aber all die vielen Ideen im Bereich künstlicher Intelligenz, vom Robocar bis zum Internet der Dinge, benötigen nicht zwingend Werbeeinnahmen; allenfalls wären sie ein Zubrot zu einem ohnehin bezahlten Angebot.

Doch auch diese neuen Geschäftsmodelle sollten Europa zum Nachdenken und Handeln zwingen. Warum hat eigentlich kein Land der Europäischen Union bisher vor, seine gewaltigen Investitionen in den Ausbau von schnellen Netzen von denen gegenfinanzieren zu lassen, die sie nutzen? Muss man für Überlandleitungen bezahlen, für Glasfaserkabel hingegen nicht? Das Gleiche gilt für alle Überlegungen zum »autonomen« Fahren. Wer Straßen nutzt, die der deutsche Steuerzahler bezahlt hat, der sollte dafür entsprechende Gebühren entrichten. Immerhin setzen sich die ausländischen Internetkonzerne auf die deutsche Infrastruktur drauf – aber warum kostenlos? Wenn etwa Google als Provider gegen einen entsprechenden Tarif selbstfahrende Autos in Städten anbietet, warum soll die Firma dann dafür kein Entgelt, keine Maut zahlen? Immerhin halten die Kommunen, respektive der Steuerzahler, diese Straßen in Schuss und bezahlen dafür Milliarden.

Eine andere Herausforderung stellt das Internet der Dinge dar. Der Bürostuhl, der sich anhand von Körperdaten seines Benutzers an ihn anpasst und sich gesundheitsfördernd verstellt, ist ein hübsch harmloses Beispiel eines solchen Zusammenspiels von »Dingen« durch Sensortechnik und Informationsverarbeitung. Doch je mehr Anwendungen es gibt, umso klarer tritt ein Problem zutage: Was für den Benutzer »richtig« und »gesund« ist, entscheidet der Programmierer. Nicht anders beim selbstfahrenden Auto, das programmiert werden muss, wie es im Konfliktfall ausweicht. (Man erinnere sich an meinen Lösungsvorschlag, es »blind« zu halten für die Physiognomien von Menschen.) Doch andere Systeme kann man nicht »blind« halten, weil sie dann nicht funktionieren. Solche Systeme haben eine hohe »Umgebungsintelligenz«, ihre Sensoren nehmen sehr genau wahr und fällen dann programmierte Entscheidungen. Die Juristin und Autorin Yvonne Hofstetter tritt dafür ein, solche Entscheidungen »ethisch« unter Berücksichtigung unserer Grundwerte und Normen zu programmieren, als *value by design*.[89] Es dürfte aber klar sein, dass eine solche Programmierung nie den Grad ethisch differenzierter Abwägungen erlangen kann, die ein Mensch machen würde – und zwar schon deshalb nicht, weil bei Fragen der

Moral rationale Gründe und intuitive Impulse oft untrennbar zusammenspielen. *Der wichtigere Diskurs ist deshalb, in welchen Bereichen wir dem Internet der Dinge Entscheidungen zugestehen und in welchen Bereichen wir niemals einen Programmcode über unser Leben entscheiden lassen wollen.* Die Betrachtung vieler solutionistischer Ideen in den vorangegangenen Kapiteln sollte uns hier weise gemacht haben!

Eine solche Weisheit braucht auch die staatliche Förderung von Start-ups, von der heute breit übereinstimmend die Rede ist. Wer auf der einen Seite reguliert, der muss auf der anderen Seite Anreize setzen für das, was er an Innovation, Entwicklung und Wachstum haben möchte. Clevere Ideen, die dabei helfen, Energie zu sparen, neue Umwelttechnik zu entwickeln, menschenwürdige Unterkünfte für Geflüchtete aus dem 3D-Drucker herzustellen, gute Ideen besser zu vernetzen und bekannt zu machen, kluge Konzepte zu entwerfen, um die Geheimdienste besser zu kontrollieren, echte Bildung zu befördern, statt nur Informationen bereitzustellen – sie sind um einer humanen Zukunft willen dringend zu unterstützen. Und jeder Staat, der den Unternehmergeist und die Kreativität seiner Bürger fördert, sollte gut darauf achten, dass all dies am Ende auch der eigenen Volkswirtschaft nützt. Ein Start-up zu fördern, das bei Erfolg an Google oder Facebook verkauft wird, wäre das genaue Gegenteil. Entsprechend muss die Vertragsgestaltung solcher Förderungen ausfallen.

~

In einer humanen Zukunft ist der Handel mit personenbezogenen Daten verboten; die Nutzung personenbezogener Daten nur in konkreten Anwendungsfällen und mit fallbezogener Zustimmung erlaubt. Das Grundrecht auf informationelle Selbstbestimmung wird hochgeachtet und sichert die Freiheit der Bürger und mit ihr die Selbstbestimmung und die Demokratie. Die digitale Infrastruktur ist Sache des Staats, der seinen Bürgern kostenlos zur Verfügung stellt, was diese brauchen, um sich in der digitalen Welt zu informieren, zu kommunizieren und zu orientieren. Digitale Vernetzungen wie das Internet der Dinge dienen den Menschen und machen vor all jenem Halt, wo Menschen aus guten Gründen selbstbestimmt ethisch handeln.

Eine andere Gesellschaft

Abschied vom Monetozän

Wo wollen wir hin? Die Gesellschaft der Zukunft ist eine Gesellschaft freier, selbstbestimmter Menschen. Eine Gesellschaft von Menschen, die sich an den vielen kleinen Dingen des Lebens erfreuen und ihnen Sinn abgewinnen; egal ob sie als Jäger nach neuen, ungekannten Erlebnissen suchen, sich als Hirten um ihre Angehörigen, Freunde und die Hilfsbedürftigen kümmern oder als Kritiker die Gesellschaft überdenken und weiterdenken. Ganz gleich, ob man seinen Garten bestellt, ein Großprojekt managt, seine Mitmenschen ermuntert und aufheitert, sich um ihre Psyche oder ihren Körper kümmert – das Leben bietet mehr Würde, mehr Freiheit und Entfaltungsmöglichkeiten, als es das heute tut. Gelebt von verantwortungsvollen Menschen, die ihre echten Bedürfnisse von eingeredetem Bedarf unterscheiden können und die alles tun, um nicht auf Kosten zukünftiger Generationen zu leben. Die Medizin hat sich weiter verbessert, die Lebenserwartung steigt, der stinkende Verkehr in den Städten ist einem lautlosen Gleiten gewichen. Mehr Pflanzen, mehr Grün, mehr Ruhe, Stille und Kontemplation haben Einzug in diese Lebenswelt gehalten, während im Hintergrund nimmermüde intelligente Maschinen den Volkswohlstand erwirtschaften. Die Hektik und der Stress der Arbeitswelt sind auf ganz leise surrende Maschinen übergegangen.

Wie wurde das – oder doch ein wichtiger Teil davon – geschafft? Erinnern wir uns an die merkwürdig unruhige Zeit, in der wir 2018 noch lebten. Auf der einen Seite verhieß uns eine aufsteigende Linie, dass die Menschen in den fortgeschrittenen Ländern der Digitalität immer weniger für Geld arbeiten müssen. Dass jener Prozess, der mit der Zweiundachtzig-Stunden-Woche begann und heute in Deutschland bei 37,5 Stunden liegt, weiter fortschreitet und mehr und mehr Menschen davon befreit, aus existenzieller Abhängigkeit, Angst und Erpressbarkeit langweilige und wenig würdige Arbeit tun zu müssen. Die Möglichkeiten sich zu bilden und zu entfalten waren schon damals im historischen Vergleich schier grenzenlos und übertrafen die kühnsten Träume der Aufklärung.

Auf der anderen Seite aber stand 2018 noch gleichzeitig diese ungeheure Bedrohung! Eine Linie, die steil nach unten führte: von der Mündigkeit und Autonomie, die im späten 20. Jahrhundert so weitgehend erreicht war, hin zu einer Gesellschaft, in der das Verhalten der Menschen mehr und mehr manipulativ gesteuert wird; eine Entwicklung, die das Begehren anreizte und einheizte auf Kosten reflektierter Urteilskraft; ein Driften, das kulturelle, ethische und politische Fähigkeiten verkümmern zu lassen drohte. Und das Menschen am Ende sogar dazu bringen sollte, einer Verschmelzung mit Maschinen zuzustimmen, sich Chips zu implementieren, bis alles Menschliche überflüssig sein würde, alle Humanität ersterben sollte in einer Diktatur der Maschinen – der »Singularität«.

Menschheitstraum und Albtraum – im Jahr 2018 standen sie noch so nah beieinander. Aber war das nicht bei der ersten und zweiten industriellen Revolution genauso? Das Schicksal der Arbeiter war entsetzlich, die Kapitalisten aber sahen darin kein Problem. Und selbst Marx glaubte, dies gehe stets so weiter bis zur totalen Massenverelendung. Man denke auch an das zynische Menschenbild des Taylorismus in der zweiten industriellen Revolution, das für den Arbeiter nichts anderes vorsah als einfache Handbewegungen am Fließband in immer schnellerem Takt. Würde sich daran jemals etwas ändern? Die meisten Ökonomen zu Anfang des 20. Jahrhunderts sahen keine Befreiung voraus. Man denke auch an die Sogkraft des Stalinismus mit seinem nicht minder zynischen Menschenbild, der sich selbst als das Ziel der Geschichte missverstand. Warum also sollte der »digitale Taylorismus«, die Reduktion des Menschen auf seine Daten und deren effiziente Ausbeutung, das Ende der Geschichte sein und nicht eine korrigierbare Übergangsphase im Umgang mit neuer Technologie?

Es gibt viele Indizien dafür, dass nicht alles so geschieht, wie das Silicon Valley prophezeit. Denn gleich drei große Krisen zeichnen sich heute am Horizont ab. Ihre Erschütterungen dürften unsere bisherige Art zu wirtschaften nicht auf gewohnte Weise weitergehen lassen. Die erste Krise ist die *Konsumkrise*. Wo heute und in Zukunft die Produktivität der Wirtschaft erhöht wird durch digitales Rationalisieren und logistisches Optimieren, verlieren weit mehr Menschen ihren Beruf als neue Berufe entstehen können und sollen. Die Kaufkraft sinkt. Und da, wo die Konsumtion eingeheizt wird, durch systematisches Abschöpfen der Kunden, entsteht unterm Strich kein Wachstum, sondern nur eine allmähliche Verlagerung von den Kleinen zu den Großen. Weder der Produktivitätsgewinn noch der Konsumtionsgewinn der Großen kommen der Kaufkraft zugute. In diesem Sinne folgt die Digitalisierung jener Entwicklung, die bereits in den Siebzigerjahren eingesetzt hat, und beschleunigt sie: der systematischen Effizienzsteigerung der Wirtschaft ohne entsprechenden Durchschlag in der Nachfrage auf den Binnenmärkten. Was Export, Verschuldung und Finanzkapitalismus lange im Dunkel halten konnten, droht nun offensichtlich zu werden: dass unsere Art zu wirtschaften nicht weiterhin zu einem realen Wachstum in unseren Volkswirtschaften führt.

Schon jetzt nützen die enormen Bilanzgewinne der GAFAs der US-amerikanischen Volkswirtschaft ziemlich wenig. Sollten die auf künstlicher Intelligenz beruhenden zukünftigen Geschäftsmodelle – wie etwa das selbstfahrende Auto – marktreif sein, so versetzt das der darbenden US-amerikanischen Automobilindustrie endgültig den Todesstoß. Das Gleiche gilt für ungezählte andere Disruptionen der Technik. Noch bevor die Situation in Ländern wie Deutschland dramatisch wird, wird sie es in den USA. Phänomene wie Donald Trump verraten schon jetzt das kommende Beben. Die technischen Utopien des Silicon Valley gedeihen nicht im luftleeren Raum. Produzieren sie volkswirtschaftliche Probleme oder gar Katastrophen, werden sie nicht linear oder gar exponentiell weitergehen. Genau das ist das Motiv der Hightech-Konzerne und ihrer Großinvestoren, nach einem Grundeinkommen zu rufen. Aber wird es ihnen ihr Problem lösen?

Das stärkste Argument gegen die schöne neue Welt, die uns die GAFAs und ihre Investoren ausmalen, ist, dass sie ökonomisch, so wie verheißen, vermutlich nicht funktionieren wird. Zum einen sind viele Geschäftsmodelle reine Ankündigungsfirmen. Der Fahrgastvermittler Uber macht jedes Jahr etwa eine Milliarde US-Dollar Verlust, ohne dass es seine großen Kapitalgeber wie Saudi-Arabien oder Goldman Sachs, die die Welt gewiss jeden Tag ein bisschen besser machen wollen, merklich beunruhigt. Der Wert Ubers liegt nicht in seiner Bilanz oder in der veranschlagten Fantasiesumme von 60 Milliarden US-Dollar, sondern in den Hoffnungen der Spekulanten.

Und damit steht Uber in der Digitalwirtschaft nicht alleine da. Der Wert zahlreicher Digitalkonzerne speist sich aus den Träumen von »Vision Fonds« und anderen Venture Capital Fonds, die ihren Verheißungen Glauben schenken. Ob bei Airbnb, Wimdu oder im maßlos aufgeblasenen Bereich des E-Learning – rentable Geschäftsmodelle sind kaum irgendwo in Sicht. Wenn ökonomische Blasen dadurch entstehen, dass leicht verfügbare Kredite übermäßige Investitionen ermöglichen, die anschließend nicht aufgehen – so könnte der Weltfinanzkrise von 2007 bis 2009 schon bald eine gewaltige Digitalkrise folgen.

Umso wichtiger ist es, dass Länder wie Deutschland sich nicht allzu sehr von der digitalen Konsumgüterwirtschaft abhängig machen, insbesondere wenn es um gewinnoriente Dienstleistungen für jedermann geht. Die besten Motorsägen, Schrauben, Industrietextilien oder Rollkoffer herzustellen wird auch in der Zukunft Rückgrat der deutschen Wirtschaft sein. Der vom Silicon Valley vorgezeichnete Weg in die totale Technosphäre hingegen wird vermutlich schon aus wirtschaftlichen Gründen kein gradliniger sein. Zwar kann man versuchen, gut und gerne zwei Drittel der Bevölkerung mit virtueller Unterhaltung ruhigzustellen, um den sozialen Frieden zu sichern. Doch selbst wenn es gelänge, schafft das noch lange nicht genug Konsumkraft, um viele hundert Milliarden schwere Investitionen in die künstliche Intelligenz rentabel zu machen. Die digitale Ökonomie, zumindest dort, wo sie auf Konsum angewiesen ist, hat eine gewaltige Krux. Zu wenige Menschen verdienen in Zukunft noch genug Geld, um das System in bisheriger Weise am Leben zu erhalten. Gerade das dürfte der Grund dafür sein, dass so viele Profiteure des alten Systems die drohende Massenarbeitslosigkeit in den fortgeschrittenen Industrieländern kleinreden. Denn sollte dämmern, dass der bisherige Weg so nicht weitergeht, weckt dies unweigerlich den Sinn dafür, über grundsätzliche Alternativen nachzudenken. Und genau daran zeigen die großen Wirtschaftsverbände auch in Deutschland gegenwärtig wenig Interesse.

Damit ist bereits die zweite Krise angesprochen. Viele Menschen werden ökonomisch in Zukunft zwar noch als Konsumenten gebraucht – aber eben *nur noch* als Konsumenten. Der israelische Historiker Yuval Noah Harari gibt sich in seinem Buch *Homo Deus* viel Mühe zu zeigen, dass sich das freiheitliche Menschenbild der Aufklärung erst dann durchsetzte, als man sich sowohl militärischen als auch ökonomischen Profit davon versprach. Als die Söldnerheere der Wehrpflicht wichen und die Menschen in den Fabriken gebraucht wurden, verlieh man ihnen Rechte und erklärte sie zu Individuen, weil man sie als solche brauchte. Man wird dieser These nicht treu folgen müssen. In den Fabriken des frühen 19. Jahrhunderts wurden nämlich gerade keine Individuen gebraucht, und die Erklärung der Menschenrechte diente gewiss nicht ausschließlich der Motivation des Bürgers in Uniform. Doch hat Harari nicht zumindest in seiner Folgerung recht, dass Moral und kapitalistische Ökonomie im Liberalismus ein Bündnis auf Zeit eingingen, das in der Zukunft so nicht mehr notwendig ist? »Wenn die Massen ihre wirtschaftliche Bedeutung verlieren, mögen Menschenrechte und Freiheiten weiterhin moralisch gerechtfertigt sein, aber werden moralische Argumente ausreichen? Werden Eliten und Regierungen jedem Menschen weiter einen Wert zuschreiben, selbst wenn er sich ökonomisch nicht bezahlt macht? … Menschen stehen in der Gefahr, ihren ökonomischen Wert zu verlieren, weil sich Intelligenz von Bewusstsein abkoppelt.«[90]

Wer sich das Menschenbild des Silicon Valley ansieht, das

Menschen für ein Konglomerat von Daten hält, für einen defizitären Computer auf der Suche nach Schnittstellen zur digitalen Technik, die ihn vom Menschsein erlösen, der wird Hararis Befürchtung schnell teilen. Denn wer unbegrenzten Handel mit dem in Daten gesammelten Leben von Menschen treibt und Politik durch Sozialtechnik ersetzen möchte, dabei noch lächelnd behauptet, die Welt besser zu machen, dem ist im Hinblick auf Humanität und Menschenrechte nicht viel Gutes zuzutrauen. Gut möglich also, dass Harari recht hat. Eine alte Gesellschaft, entstanden in der ersten industriellen Revolution – die Liaison von liberal-kapitalistischer Ökonomie und den freiheitlichen Grundwerten der Aufklärung –, geht zu Ende, weil ihre Grundlage, die bürgerliche Arbeits- und Leistungsgesellschaft, verschwindet. Die These, schon früh in diesem Buch gezeichnet, hat jetzt ihr tieferes Relief erhalten. Doch was kommt danach?

*

Konsumkrise und – nennen wir sie – *Harari-Krise* sind keine kleinen Irritationen auf dem Weg des »Weiter so«. *Sie sind Anzeichen eines Umbruchs entweder in unserem freiheitlichen Menschenbild oder in unserer Art zu wirtschaften.* Erst wenn man erkennt, dass wir vor einer solchen Entscheidung stehen, versteht man die Lage. Der Hyperkapitalismus des Silicon Valley kann nicht länger so funktionieren wie bisher und dabei gleichzeitig die Werte der Aufklärung hochhalten, es sei denn als Maskerade. Die aufsteigende *Befreiungslinie* (der Weg des Menschen vom Lohnsklaven zum selbstbestimmt tätigen Menschen) und die absteigende *Entmündigungslinie* (das allmähliche Ersetzen menschlicher Urteilskraft durch Programmcode) können nicht unbegrenzt in gegenläufiger Richtung weitergehen, ohne dass das System auseinanderfliegt.

Verstärkt werden diese Turbulenzen noch durch die dritte, die *ökologische Krise*, die in ihrer Gesamtdimension die beiden anderen weit übertrifft. Unser gesamtes, inzwischen immer globaleres Wirtschaftsmodell ist noch im Jahr 2018 auf unendliches Wachstum ausgerichtet und nach wie vor auf schonungslose Ausbeutung von Ressourcen und höchste Belastung des Klimas. Dass wir das nicht fortsetzen dürfen, wissen im Grunde alle, aber im Alltag glauben wir es irgendwie nicht, jedenfalls ziehen wir keine ernsten Konsequenzen daraus. Der Kapitalismus, so heißt es, *muss* wachsen. Sollte das stimmen, so wird er wohl noch in diesem Jahrhundert die Erde weitgehend unbewohnbar machen. Das Viertel der Menschen, das in den reichen Industrieländern lebt, verbraucht gegenwärtig drei Viertel der Ressourcen der Welt, und die meisten davon sind endlich. In diesem Sinne verstärkt die Digitalisierung eine unheilvolle Entwicklung. Digitale Technik benötigt meist sehr viel Energie. Allein die Technologie für die Kryptowährung Bitcoin verbraucht im Jahr fast so viel Strom wie der gesamte Staat Dänemark![91] Google, Facebook und Co. können alles – nur nicht den Klimawandel stoppen, den Welthunger bezwingen oder die Bodenschätze und das Trinkwasser vermehren. Sie können nicht mal aus der Wachstumsspirale ausbrechen. Selbst wenn Google inzwischen effizienter mit seinem Energieverbrauch umgeht – gemessen an immer mehr und immer energiehungrigerer digitaler Technik fällt dies kaum ins Gewicht. So treibt die Digitalisierung die Ressourcenausbeutung und den Klimawandel stets weiter voran.

Besonders prekär an den drei Krisen ist, dass man nichts im Gleichschritt gegen sie tun kann. Wenn es richtig ist, dass gemessen an der anwachsenden Produktivität der Konsum zu gering ist, dann wäre die Lösung mehr Konsum. So etwa plädiert der Ökonom Heiner Flassbeck dafür, einfach die Löhne stärker zu erhöhen, und alles sei wieder im Lot.[92] Doch die Rezepte von gestern lösen nicht die Probleme der Zukunft. Sie verschließen die Augen vor dem ökonomischen Umbruch der Arbeits- und Leistungsgesellschaft, den sie gerne kleinreden, weil er nicht in ihr Schema passt. Und sie verfechten weiter jene konsumistische Ideologie, die wir so dringend überwinden müssen. Wie gezeigt, trägt gerade der Hyperkonsumismus, der heute schon die reichen Länder prägt, zu einer mangelnden staatsbürgerlichen Mentalität bei, erzeugt »ungeduldige und faule« Konsumenten und heizt die ökologische Katastrophe immer weiter an! Mit anderen Worten: Um die Konsumkrise zu beheben, müsste man die Öko-Krise verschärfen!

Ist es angesichts solch einer monumentalen Herausforderung zynisch, das im Silicon Valley so beliebte Motto der Stanford University zu zitieren: »*Every problem is an opportunity. The bigger the problem, the bigger the opportunity*«? Wie bei jeder Zeitenwende sind große Unruhen zu befürchten, und bereits bestehende Unruhe wird weiter verstärkt. Wenn der Kitt bröckelt, fliegen die Späne in alle Richtungen. Die Ausschläge werden sich in die Winde verteilen: als Millionen von Menschen, denen der Klimawandel immer rasanter die Lebensgrundlagen entzieht, als riesige Migrationsbewegungen, als blindwütiger völkischer Nationalismus, als Separatismus, als Protektionismus, als Empörungs- und Hasskultur im Internet, als Parteienverdrossenheit, in Ablenkungskriegen, als Zuflucht zu Verschwörungstheorien und als Milizenbildung mit Pogromen (in den USA, aber vielleicht nicht nur dort).

Die Situation deutet auf große Umwälzungen hin. Warum sollte sie auch nicht? Die erste und zweite industrielle Revolution veränderten die Gesellschaften ebenfalls radikal, von der Entstehung des Proletariats über die Arbeiterbewegung bis zum Frauenwahlrecht. Doch ob die Gesellschaft der Zukunft besser oder schlechter wird, ist nicht ausgemacht. Auch ein Rückfall in die Barbarei ist jederzeit denkbar, ausgelöst durch große Volksverführer. Andere schielen nach China, dessen digitaler Kontrollkapitalismus immer weiter voranschreitet und ökonomisch äußerst erfolgreich ist. Brauchen wir das in Europa ebenso, weil wir sonst den Wettbewerb verlieren? Doch dass der sich stets weiter entfesselnde Kapitalismus, der im 21. Jahrhundert mit Billionensummen in Geschäftsmodelle investiert, die unsere Freiheit bedrohen und unsere Umwelt rasant zerstören, nicht das Gute ist, ist heute ziemlich breiter Konsens. Nicht nur im Keller der Unzufriedenen und Arbeitslosen, nicht allein in den Dachstuben der armen Poeten und linken Intellektuellen, selbst in der Beletage der Konzernlenker und »Entscheider« wächst das Unbehagen. Für den US-Großinvestor George Soros sind Google und Facebook Monopolisten, »die Sucht fördern, unabhängiges Denken bedrohen und Diktatoren eine staatlich finanzierte Überwachung ermöglichen«. Die offene Gesellschaft sei in der Krise, die Demokratie bedroht, ja das Überleben der Zivilisation stehe auf dem Spiel.[93]

Seit den Tagen des US-amerikanischen Philosophen John Rawls lautet das Credo der Liberalen, dass Ungleichheit im Staat nur dadurch gerechtfertigt ist, dass die Schwächsten davon noch den größtmöglichen Vorteil haben. Niemand wird das über die GAFAs oder die Profiteure der globalen Finanzindustrie sagen können, niemand über die immer irreren Gehälter von Fußballspielern. Wenn laut Oxfam-Bericht die zweiundsechzig reichsten Menschen der Welt so viel besitzen wie die 3,6 Milliarden ärmsten, dann ist der globale Kapitalismus nicht mehr die beste aller möglichen Welten, sondern befindet sich auf rasant abschüssiger Fahrt. Kein Selbstkorrekturmechanismus hält ihn dabei auf und auch keine nationale Regierung. Doch der hohl drehende Kapitalismus, so wie wir ihn heute kennen, wird nicht durch eine Revolution mit Fahnen und Barrikaden abgelöst. Wenn er zerbricht, dann eher durch die technische Revolution, die ihm sein Fundament entziehen könnte, und durch gute Ideen, die seinen Widersprüchen entspringen. Doch was wird auf ihn folgen?

Die linke Literatur zur Digitalwirtschaft ist voll mit Texten, die Karl Marx' Prophezeiung, dass der Kapitalismus zusammenbricht, in Kürze eintreffen sehen; allerdings nicht jene frühe Vision von der Revolution der Proletarier, sondern die späte aus dem dritten Band des *Kapital*: dass die Profitrate der kapitalistischen Wirtschaft ständig weiter fällt, je effizienter sie produziert, und dass das irgendwann eine Systemkrise auslöst. Das Finanzkapital mag noch so sehr ins Silicon Valley investieren, einen nachhaltigen Durchschlag auf die Konsumwirtschaft hat das nicht. Und je höher technisiert die Digitalwirtschaft wird, umso günstiger würden zugleich ihre Produkte, bis sie am Ende keine Rendite mehr abwerfen. Würde man die Schutzzäune einreißen, die die großen Monopolisten der Digitalwirtschaft um ihre Geschäftsmodelle errichtet haben, so wäre das schon heute der Fall. Warum sollten soziale Netzwerke, Suchmaschinen, Sprachassistenten und auch das Internet der Dinge nicht Gemeineigentum sein? Je mehr alles Wissen demokratisiert wird, umso weniger bedürfe es noch der Kapitalisten, die gewinnorientierte Geschäftsmodelle damit betreiben. Wissen und Kommunikation sollten, so hatte Marx bereits 1858 gefordert, nicht nur »Mittel« des Kapitals sein. Sie müssen allen gehören. Und wenn sie das tun, dann »sprengen« sie den Kapitalismus damit »in die Luft«.[94]

Doch ganz so logisch und sicher, wie manche es sich wünschen, ist das nicht. Denn selbst wenn die Silicon-Valley-Blase, die sich derzeit im Eiltempo bildet, platzt, ist es zunächst nur eine geplatzte Blase unter vielen in der an Blasen nicht armen Geschichte des Kapitalismus. Und gegen den Fall der Profitrate sind die Kapitalisten schon immer sehr kreativ vorgegangen, durch globalisierte Märkte, Kriege und die unerschrockene Vermehrung von realem Geld und fiktivem Kapital.

Die zweite Frage ist, wer im Fall eines Crashs das Heft des Handelns in die Hand nehmen müsste, um kapitalistische Geschäftsmodelle in eine Gemeinwohlökonomie umzuwandeln. Das »Proletariat« sicher nicht. Also die US-amerikanische Regierung oder vielleicht die Europäische Union? Nicht allzu wahrscheinlich. Ein Aufstand der Bürger, insbesondere der gebildeten Mittelschichten? Ja, ganz, ganz vielleicht. Aber was für ein System sollen sie optimalerweise errichten? Einen Sozialismus? Wie die Geschichte lehrt, mündet jeder Sozialismus in Reinform entweder in eine Staatsdiktatur oder in eine Anarchie, in der sich am Ende wieder die Stärksten und Rücksichtslosesten zu neuen Oligarchen aufschwingen.

*

Der realistische Weg ist nicht die Abschaffung des Kapitalismus. Weder existiert dafür ein »revolutionäres Subjekt«, noch ist der Sozialismus als Blaupause eine Alternative für das gesamte Wirtschaften. In den Jahren 1883/1884 hatte Otto von Bismarck mit seiner Sozialgesetzgebung die Nachtseite der ersten industriellen Revolution aufgehellt und den Manchester-Kapitalismus etwas entübelt. Und in den Dreißigerjahren hatten die Denker der »Freiburger Schule« sozialistische Elemente in den Kapitalismus eingebaut, um ihn attraktiver und beständiger zu machen im Systemwettbewerb mit dem Kommunismus – die Geburtsstunde der sozialen Marktwirtschaft. Ihre Konzepte zivilisierten die zweite industrielle Revolution und schufen die Grundlage der höchst erfolgreichen deutschen Ökonomie nach 1948. Im Angesicht der vierten industriellen Revolution stehen wir wieder vor der Aufgabe, unter veränderten Wirtschaftsbedingungen eine neue Ordnung und Balance herzustellen, also einen neuen Gesellschaftsvertrag abzuschließen. Wir werden wieder mehr Sozialismus in den Kapitalismus implementieren müssen, um die aufsteigende Linie von Bismarck über die Freiburger Schule fortzusetzen – oder aber wir riskieren gewaltige ökonomische und gesellschaftliche Crashs.

Ein bedingungsloses Grundeinkommen einzuführen ist dazu ein erster Schritt – auch wenn linke Kritiker, wie der Publizist Mathias Greffrath, darin leider noch immer nur einen Versuch sehen können, wirtschaftlich überflüssigen Menschen die »Würde der Almosenempfänger« zu sichern.[95] Ein solcher altlinker Abwehrreflex springt zu kurz. Tatsächlich nämlich befreit ein angemessen hohes Grundeinkommen viele Millionen Menschen von dem Diktat, nach den Spielregeln einer Gesellschaft zu funktionieren, die ihr Wirtschaften als »Leistungsgesellschaft« tarnt und Menschen psychologisch dazu zwingt, sich in diese Ordnung einzugliedern. Das BGE ist mehr Freiheit *durch* Sozialismus. Mit ihm dürfte sich bei vielen Menschen der Fokus tatsächlich darauf richten, *wie* und *für wen* man arbeitet – der Einstieg in eine Gesellschaft der Jäger, Hirten und Kritiker der Zukunft. Wie die Arbeiterbewegung im 19. Jahrhundert, so muss auch die »Nicht-Arbeiterbewegung« des 21. Jahrhunderts Humanität zurückgewinnen, die im bedingungslosen Effizienzstreben der Wirtschaft bereits Terrain verloren hat und noch viel mehr zu verlieren droht.

Natürlich ist das Grundeinkommen nicht die Lösung, sondern nur ein erster Schritt auf dem Weg zu einer nachhaltigen Marktwirtschaft der Zukunft. Ein anderes Bildungssystem ist ebenso notwendig wie die Zivilisierung der Digitalwirtschaft, die langfristig den Menschen dienen muss und nicht der Mensch ihr. Wenn die Illusion des Perpetuum-mobile-Kapitalismus platzt, wird klar, dass Effizienzsteigerung in der Produktion Wirtschaft und Gesellschaft nicht viel nützen, wenn sich nicht vieles andere auch ändert. Ein Bewusstseinswandel im Umgang mit der digitalen Technik und ihren Geschäftsmodellen ist dabei viel leichter vorstellbar, als viele Pessimisten glauben, die sich in die große Erzählung des Silicon Valley haben einspinnen lassen, dass die Zukunft vorherbestimmt sei. Doch wer sagt, dass uns die Prädestinationslehre vom Weg in die Diktatur der Technik nicht schon bald so albern erscheint, wie sie ist? Man schaue nur einmal, welcher Bewusstseinswandel in Ländern wie Deutschland bereits möglich war. Wie gewaltig haben sich das Bewusstsein und die Weltsicht der Deutschen von den Fünfzigerjahren bis heute geändert! Die Welt der Hosenträger und Heinz-Erhardt-Witze, der Fräuleins vom Amt und der langen Arbeitszeiten erscheint heutigen Jugendlichen als eine Erzählung aus der Zeit von Asterix; nicht anders die Welt der Siebziger und Achtziger. Warum sollte das Bewusstsein in den nächsten Jahrzehnten nicht ähnlich fortschreiten? Wer hatte schon in den Sechzigern ein Gefühl dafür, dass wir unsere Umwelt bewahren müssen? Und wem fehlt es heute – außer den größten Verantwortlichen vielleicht? Wie der Umweltschutz der Bio- und Ökobewegung bedurfte, so bedarf der Umgang mit der Technik einer Bewegung für humane Technologie und humanen Technologieeinsatz.

Gewiss reicht das nicht aus. Gesellschaftliche Umbrüche bedürfen der Katastrophen – aber auf die dürfte auch diesmal Verlass sein. Allen voran die sehr wahrscheinlich anstehende

Massenarbeitslosigkeit. Sie wird die Politik von der Lethargie zur Einsicht und dann zum Handeln zwingen. Wenn die Not groß und die Empörung der Medien gewaltig ist, wird klar, dass Geschäftsmodelle, die vielen alternativlos erscheinen, es nicht sind. Dass es viele Möglichkeiten gibt, mit dem Internet, mit Daten und künstlicher Intelligenz umzugehen, und nicht eine einzige. Dass der Staat gefordert ist, selbst viel aktiver auf den Plan zu treten, zu regulieren, Anreize richtig zu setzen und den Sozialstaat komplett umzubauen. Und dass er die Menschen nicht orientierungslos lassen darf beim Übergang von der klassischen Arbeits- und Leistungsgesellschaft zu einer neuen Gesellschaft.

*

Die Aufgabe der Politik für das Jahr 2018 und darüber hinaus ist damit klar umrissen. Sie muss ihre Selbstverzwergung überwinden, aus ihrem »pragmatischen Schlummer« erwachen und die Dinge wieder unter Kontrolle kriegen, die sie hat schleifen lassen. Der sogenannte freie Markt wird es nicht regeln, und in der Internetwirtschaft ist er angesichts billionenschwerer Monopolisten ohnehin nicht frei. Politiker müssen zeigen, was ihnen das freiheitliche Menschenbild der Aufklärung wert ist, und das Recht aller Bürger auf informationelle Selbstbestimmung entsprechend sicher schützen. Denn fast unbemerkt von unseren Ordnungs- und Verfassungshütern ereignet sich im Silicon Valley, der Brutstätte der Techno-Utopie, ein Prozess, der zuvor bereits den Kommunismus moralisch ruiniert hat. Aus dem solutionistischen Versprechen, die Welt besser zu machen, droht ein unkontrollierbarer Machtapparat zu werden, der alles kontrolliert.

Dagegen müssen wir uns wehren und schützen. Unsere Politiker und Verfassungsrichter müssen ein Menschenbild verteidigen, das Verhalten nicht auf Algorithmen und Leben nicht auf Datenverarbeitung reduziert. Dieser Freiheitskampf wird nicht in Sonntagsreden entschieden, sondern in Regulierungen und in Investitionen in eine Wirtschaft, die nicht auf vergleichbar ideologische Weise mit Menschen umgeht. Die Zeiten des Schlafwandelns und des Mitmachzwangs sind vorbei und das Internet für keinen Politiker mehr »Neuland«. Menschen wie Mark Zuckerberg, der sein Privatleben in Palo Alto hinter einer Firewall aus dazugekauften Grundstücken und Häusern verbirgt, wissen, was sie tun; Menschen, die ihm Glauben schenken, wenn er vom Wert schier unbegrenzter Datentransparenz schwärmt, nicht.

Doch wie zivilisiert man den Digitalkapitalismus ganz konkret? Geht es nach dem US-Ökonomen Scott Galloway, so bliebe heute nichts anderes übrig, als Google, Facebook, Amazon und Apple schlichtweg zu zerschlagen, um wieder echten Wettbewerb herzustellen. Durchaus möglich, dass die US-Regierung in absehbarer Zeit zu diesem Mittel greift. Es wäre nicht das erste Mal. Doch ändert es wirklich allzu viel am Problem, wenn es statt einem Facebook vier und statt einem Google drei gibt? Die Geschäftsmodelle bleiben damit ebenso wenig angetastet wie die Geschäftspraktiken und Ideologien. Auch wenn die Macht im Silicon Valley anders verteilt wird, gibt es die Gefahr, dass solutionistische Lösungen und Programmcodes unser Leben stillstellen, unsere Entwicklungsmöglichkeiten behindern und unsere Demokratie abschaffen.

Die grundlegendere Frage der digitalen Zukunft lautet: Wem gehört was? Und warum? Meine Daten sollten jedenfalls mir gehören. Und die digitale Infrastruktur im Netz ist viel zu wichtig für die Freiheit und Entfaltung jedes Einzelnen, als sie unberechenbaren privaten Unternehmen zu überlassen. Hier ist der Staat gefordert, um eine Grundversorgung zu ermöglichen, die er ähnlich wie unsere Straßen und unsere Energieversorgung nicht den Geschäftsinteressen Dritter ausliefern darf. Was auch immer demnächst an digitalen Agenden verabschiedet wird: Die Freiheit der Bürger im Netz zu gewährleisten muss ihr Mittelpunkt sein. Interessant sind dabei auch die wirtschaftlichen Folgen. Ein freies Internet enthält eine Menge Potenzial, für jeden produktiv zu sein.

Karl Marx hatte in seiner berühmten Unterscheidung von Produktivkräften und Produktionsmitteln gesprochen. Produktivkräfte sind alle die, die etwas herstellen, also die Arbeiter und die Maschinen. Die Produktionsmittel sind die Institutionen, Gesetze und Besitzverhältnisse, die darüber bestimmen, wem was gehört. In der ersten und zweiten industriellen Revolution waren beide streng getrennt. Die Maschinen und Fabriken gehörten nicht den Arbeitern, sondern entweder privaten Profiteuren oder, wie im Staatskapitalismus, dem Staat. In der digitalen Welt hingegen ist ein ganz anderes Szenario möglich. Warum sollte beides weiterhin so klar getrennt sein? Mein Laptop oder mein Smartphone gehören mir, und warum sollte das nicht auch für meine Arbeitsleistung gelten? In einer Welt des allseits verfügbaren Wissens und sehr billiger Maschinen mit enormen Fähigkeiten ist die alte Trennung bei Weitem nicht mehr so naheliegend wie noch in der alten Welt der Dampfmaschinen und Fließbänder.

Wenn man zudem bedenkt, dass in Zukunft immer weniger Menschen fest angestellt arbeiten werden, fragt man sich unweigerlich, warum die Crowdworker der Zukunft ihre Arbeitskraft eigentlich für ein digitales Großunternehmen einsetzen sollen, statt für sich selbst oder eine Gemeinschaft. Kooperationen und dezentrale Netzwerke sind heute auf ganz neue Weise möglich, anders als in den ersten beiden Jahrhunderten seit der Erfindung der Dampfmaschine. Wenn der Staat will, dass die vielen Millionen Menschen, die in Zukunft keiner angestellten Erwerbsarbeit mehr nachgehen, Projekte machen, die ihnen und der Gesellschaft dienen, so muss er alles dafür tun, Open-Source- und Open-Content-Projekte zu ermöglichen, insbesondere jene, die gemeinwohlorientiert sind. Für viele, die in den nächsten Jahrzehnten als Versicherungsvertreter oder Busfahrer ihren Job verlieren, ist das nicht allzu tröstlich. Wohl aber schafft es vielen jungen Leuten eine Perspektive, statt unbefriedigender Arbeit in der herkömmlichen Digitalwirtschaft sich für sich selbst, ihre Community und die Gesellschaft einzusetzen.

Das Zauberwort dafür lautet »Allmendeproduktion«. Die Allmende war das mittelalterliche Gemeinschaftsland, auf dem die Bauern in den Dörfern und Städten arbeiteten, bevor Großgrundbesitzer es ihnen wegnahmen. So ist Wikipedia eine Allmendeweide, auf der jeder seine Schafe weiden lassen kann und auf der zum Nutzen aller gearbeitet wird. Zwar zeigt ein kleiner Blick hinter die Kulissen eine äußerst ungleiche Verteilung der dortigen Deutungsmacht, doch das Prinzip erscheint gleichwohl ehrenwert. Linke Utopisten haben sich inzwischen sehr weitreichend in die Idee verliebt, Allmendewirtschaft gepaart mit einem öffentlichen Internet der Dinge löse alle ökonomischen Probleme. Doch ob das tatsächlich die Matrix künftiger Ökonomie in den reichen Ländern der Erde sein soll, ist bislang ein schöner Traum, geträumt aus rotem Mohn. Gegenwärtig jedenfalls zerstören Geschäftsmodelle des Valleys wie Uber und Airbnb genau jene für die Zukunft so wichtige Welt der unentgeltlichen sozialen Dienste und kommerzialisieren sie bis in den kleinsten Winkel.

So wie der Perpetuum-mobile-Kapitalismus nicht funktioniert, so gewiss auch nicht der Perpetuum-mobile-Sozialismus, von dem schon Oscar Wilde träumte. Irgendwo in der

Welt werden weiterhin Seltene Erden für Smartphones ausgegraben werden und tobt der erbitterte Kampf um Rohstoffe. Captain Picards Welt ohne Geld, in der alles aus dem 3D-Drucker kommt, wird wohl tatsächlich erst im 24. Jahrhundert anbrechen. Und weder Kryptowährungen noch Allmendeproduktion sind der kürzeste Weg dorthin.

All das bedeutet im Umkehrschluss nicht, dass ein Grundeinkommen, gepaart mit mehr und mehr Gemeinwohlökonomie, nicht ein wichtiger Schritt in die richtige Richtung ist – eine Richtung, die schon aus ökologischer Perspektive vorgezeichnet ist. Unsere Gesellschaft muss ihre Wirtschaft und ihre Mentalität so wandeln, dass wir nicht mehr so viel brauchen und mehr teilen, weil unsere Enkel sonst nicht mehr auf diesem Planeten alt werden können. Wir brauchen mehr Bildung in Menschlichkeit. Wir müssen einen klugen Umgang mit der digitalen Technik pflegen, lernen, ihren Stellenwert richtig einzuschätzen, ihre begrenzte binäre Logik verstehen und auch die Grenzen ihrer Übertragbarkeit auf soziale Probleme. Die Parteien müssen »das Andere« der Technik in den Mittelpunkt ihrer Wahlprogramme stellen, um die Werte der Aufklärung zu verteidigen. Der Wandel der klassischen Arbeits- und Leistungsgesellschaft in eine Welt aus Automation und selbstbestimmter Tätigkeit verlangt dem Staat also vieles ab. Zusammengefasst:

- den grundlegenden Umbau des Sozialsystems und die Schaffung eines bedingungslosen Grundeinkommens von mindestens 1500 Euro, finanziert durch Mikrosteuern,
- die Sicherung der Würde der Bürger, insbesondere ihres Rechts auf Privatsphäre und informationelle Selbstbestimmung durch klare Regulierung und eindeutige Gesetze im Sinne von E-Privacy,

- das Bereitstellen einer digitalen Grundversorgung durch staatliche Förderung von Suchmaschinen, E-Mail-Verkehr, Sprachassistenten und sozialen Netzwerken ohne kommerzielle Interessen,
- eine weitreichende Kontrolle von Geschäftsmodellen der künstlichen Intelligenz und ihre Reglementierung unter Einbezug der Bürger – insbesondere dann, wenn Gesellschaftsbereiche durch Programmcodes ersetzt werden sollen, die ethisch sensibel sind,
- die Förderung innovativer Ideen für die zukünftige Gestaltung des Zusammenlebens, sozialer Start-ups, von Kooperationen, Sharing-Economy-Modellen und Ideen zur Nachhaltigkeit und zur Gemeinwohlökonomie,
- eine ernsthafte Verpflichtung zur Nachhaltigkeit und zur Schonung der natürlichen Ressourcen auch und gerade angesichts digitaler Innovationen.

Für all das haben wir nicht Zeit bis zum Jahr 2040. Das meiste davon wird in den nächsten zehn Jahren entschieden werden müssen, um die Utopie eines guten und vielleicht sogar besseren Lebens zu ermöglichen. Noch sind die im Bundestag vertretenen Parteien Schlafwandler, beschäftigt vor allem mit sich und hilflos im Blick auf die Zukunft. Möge dieses Buch ihnen helfen, sich ein wenig besser zu orientieren.

Wir leben heute in einer Zeit, die die Geologen das Anthropozän nennen: das Zeitalter des Menschen. Die Bezeichnung ist irreführend. Unsere Zeit mag jene der Menschen sein, aber sie dient ihnen nicht, sondern sie dient dem Geld, der instrumentellen Vernunft und dem Verwertungsdenken. Noch leben wir nicht im Anthropozän, sondern im Monetozän – dem Zeitalter des Geldes. Doch niemand ist gezwungen, sich damit abzufinden. Das Erbe der Aufklärung ist, sich die Zukunft als vom Menschen gestaltet zu denken und sie nicht in die Hand Gottes oder die Hand einer eigengesetzlichen Evolution von Technologie zu legen. Aufgeklärte Gesellschaften sind selbstbestimmt und nicht fremdbestimmt, ferngesteuert durch Gott, das Kapital oder die Technik. Holen wir uns unsere Autonomie zurück – nicht nur in unserem Interesse, sondern vor allem im Interesse aller künftigen Generationen!

NACHTGEDANKEN

Wir und die anderen

Die Digitalisierung trifft die ganze Welt

Thomas Morus hat seine *Utopia* nicht beendet, ohne auf all die Skrupel hinzuweisen, die er beim Schreiben hatte. So bekennt er, dass ihm zum Schluss »allerlei zu Sinne« kam, was ihm bei allem, was er »geschrieben habe, ungereimt erscheint«. Und sein Büchlein, die modernste und humanste Vorstellung vom Zusammenleben des Menschen, die bis dahin entworfen wurde, endet nicht mit einer Prophetie, sondern mit ehrlichen Worten über seinen Idealstaat: »Freilich *wünsche* ich das mehr, als ich es *hoffe*.«[96]

Wie sehr kann ich mich dem nur anschließen! Wie oft ist das, was in der Maske einer Antwort daherkommt, in Wirklichkeit eine Frage. Und wie oft erscheint in grübelnder Nacht unklar und ungereimt, was am Tag einfach und sonnenklar zu sein scheint. Phasen übler Befürchtungen und großer Niedergeschlagenheit wechselten in diesen grauen Wintertagen des Jahreswechsels von 2017 zu 2018 mit frühlingshaftem Optimismus. Den einen werden meine Vorschläge zu radikal, gar technikfeindlich sein. Unterschätze ich nicht gewaltig, zu welchen Hunderttausenden ungekannten neuen Berufen die Digitalwirtschaft führt? Und übertreibe ich nicht maßlos, wenn ich mir Sorgen um die Freiheit und Autonomie unseres zukünftigen Lebens mache? Den anderen hingegen gehen meine Ideen nicht weit genug. Wo bleibt die Abschaffung des Finanzkapitalismus, wo die zukunftsverändernde Kraft von Krypto- und Regionalwährungen, wo das Ende des Geldes überhaupt oder gar ein bedingungsloses Höchsteinkommen? Wo die Träume der einen einen immer erfolgreichen Kapitalismus sehen, möchten die anderen ihn lieber heute als morgen abschaffen.

Träumen kann man viel. Für dieses Buch war es mir wichtig, den Weg der Utopie mit einem Traktor zu befahren – und nicht mit einem Luftschiff. Und die Befürchtung, nicht weit genug oder zu weit gegangen zu sein gehörte noch zu den kleinen Sorgen. Besonders fatal wurde es stets, wenn die Gedanken in die Weite schweiften, heraus aus dem Wohlstandskokon Deutschlands und der reichen europäischen Staaten. Denn die Digitalisierung betrifft ja nicht nur die technisch am höchsten entwickelten Länder, sondern alle. Regionen wie Südostasien, die in den Siebziger- und Neunzigerjahren zu verlängerten Werkbänken der europäischen und US-amerikanischen Industrie wurden, können in Zukunft nicht mit den weitaus billigeren Robotern in Deutschland konkurrieren. Die ersten Textilfirmen brechen dort bereits ihre Zelte ab und produzieren wieder in Deutschland. Und was machen die Hunderte Millionen Menschen in den Schwellen- und Entwicklungsländern, die weltweit von der Viehwirtschaft und der Tierfutterproduktion leben, wenn wir unser Fleisch in der Petrischale züchten, um die Gräuel der Massentierhaltung zu beseitigen? Ein bedingungsloses Grundeinkommen werden diese Länder sich nicht leisten können.

Während die Industrienationen darüber nachdenken, wie sie weiterhin die Gewinner bleiben können, vergrößern sie den Abstand zu den armen Ländern und produzieren Verlierer. Die Folge sind Migrationsströme ungekannten Ausmaßes, denen gegenüber die Geflüchteten der letzten Jahre ein kleines Vorbeben waren. Über Jahrtausende folgten die Menschen den

266

Tierherden, heute folgen sie den Kapitalströmen. Doch die große Automation wird ihnen voraussichtlich nichts anbieten, wovon sie zukünftig leben können.

Die digitale Revolution birgt so viel Potenzial für viele Menschen, ihr Leben selbstbestimmter, informierter und vernetzter zu entwickeln in einer nachhaltigen Ökonomie, die ökologischer und sauberer produziert und dabei – anders als unsere heute – nicht nur an Innovation denkt, sondern auch an die Exnovation – an die Kosten für die Entsorgung ehemals innovativer Innovationen. Doch werden wir unser Wirtschaftssystem derart grundlegend verändern können? Und werden wir wirklich teilen? Mal abgesehen von der Frage, ob wir glücklich sein werden, wenn wir so leben, wie die optimistischen Visionäre unserer wirtschaftlichen Zukunft es uns verheißen – das 21. Jahrhundert wird vor allem das Jahrhundert sein, in dem wir unseren Wohlstand mit jenen teilen müssen, auf deren Kosten wir ihn zum Teil erarbeitet haben und weiter erarbeiten. Die Menschenrechte wurden im 18. Jahrhundert erklärt, im 19. Jahrhundert wurden sie in Europa partiell akzeptiert, im 20. Jahrhundert hier weitgehend verwirklicht. Das 21. Jahrhundert wird dasjenige sein, in dem wir sie global ernst nehmen müssen. Sich zur Aufklärung zu bekennen darf nicht heißen, bei Europa aufzuhören. Menschenrechte stehen allen Menschen zu.

Mehr teilen und dabei zugleich die Ressourcen schützen – wird das im globalen Maßstab überhaupt möglich sein? Und laufen wir nicht Gefahr, Biologie und Ökologie nicht mehr zu sehen, wenn wir in immer digitaleren Welten leben? Spüren wir diese Verantwortung für uns und die anderen Tiere auf unserem Planeten? Eigentlich müssten Menschen und Tiere in der Zukunft viel näher zusammenrücken, als biologische und emotionale Wesen – als *das Andere der künstlichen*

Intelligenz. Natur und nicht Technik zu sein, ist dies nicht das Gefühl, das einen beschleicht, wenn man das Titelbild dieses Buchs betrachtet? »Die Schlangenbeschwörerin« von Henri Rousseau aus dem Jahr 1907; ein Naturidyll, gemalt zur Zeit der zweiten industriellen Revolution, von einem Bretonen in der Pariser Vorstadt, der nie ein tropisches Paradies mit eigenen Augen sah. Der Traum von einer intakten Natur, einer Symbiose von Mensch und Tier, taucht das Stillleben des Urwalds in ein unwirklich fahles Mondlicht, das den Himmel blass färbt und das Gras hell erleuchtet. Herausgehoben aus der Zeit, lässt es ein altes Gefühl vom Schöpfungsfrieden der Natur erklingen. Hier ist der Mensch nicht Herr und Gestalter. Er verwandelt die Natur nicht und beutet sie nicht aus. Stattdessen ist er ihr urwüchsiger Teil. Der Löffelreiher hat keine Angst vor der dunklen Eva, die eine Schlange beschwört, deren List kein Paradies zerstört.

Wenn eine Gesellschaft der Jäger, Hirten und Kritiker der Zukunft nicht ihre letzte Ahnung von der Natur verliert, wenn sie mit der List ihrer Technologien die Natur nicht zerstört, sondern bewahrt, wenn die Technik ihr gar hilft, die Ausbeutung der natürlichen Ressourcen zu verringern, und mehr Zeit dafür schafft, sie zu schützen – dann hätte sie dem Menschen ihren größten Dienst getan.

Die Wahrscheinlichkeit, dass es gelingt, ist nicht groß. Auch wenn mancher vor der Übermacht der Technogiganten des Silicon Valley in die Knie geht, wenn er dem Fatalismus Glauben schenkt, der Weg zur Diktatur der Maschinen sei evolutionär vorgezeichnet – den digitalen Umbruch ökonomisch und gesellschaftlich zu überleben und auf dieser Grundlage einen neuen Gesellschaftsvertrag zu finden können wir schaffen. Doch um welchen Preis? Dass unser Ressourcen- und Energieverbrauch die Erde im Eiltempo ruiniert, ist damit nicht verhindert. In der Sahelzone wandert die Wüste täglich weiter nach Norden, der Aralsee und der Tschadsee sind nahezu verschwunden, die Pole schmelzen weiter, und der Regenwald stirbt dahin. Der Klimawandel, kaum gebremst durch die Industrieländer, macht schon bald viele Gegenden der Welt unbewohnbar. Und dass es gelingt, hier umzudenken und für viele Milliarden Menschen auf unserem Planeten gute Lebensumstände zu schaffen, ohne gleichzeitig alle Natur, einschließlich unserer Atmosphäre, zu zerstören – dafür stehen die Chancen schlecht.

Der Nährboden für den Pessimismus ist gut und reichhaltig gedüngt. Doch wenn alle Pessimisten sind, darf man sicher sein, dass tatsächlich am Ende die Dystopie steht, weil niemand sich auch nur bemüht, den Lauf der Welt zum Besseren zu wenden. Während der Optimist Mut braucht, kann es sich der Pessimist in seiner Feigheit bequem machen. Er benötigt nur genug von seinesgleichen, um sicher recht zu behalten.

Ein Optimist jedoch, dessen Erwartungen sich nicht erfüllen, hat allemal ein sinnvolleres Leben geführt als ein Pessimist, der sich bestätigt sieht.

Pessimismus ist keine Lösung!

ANHANG

Anmerkungen

1 http://www.youtube.com/watch?v=fw13eea-RFk
2 Wilde (2016), S. 3.
3 http://mlwerke.de/me/me03/me03_017.htm, S. 33.
4 Zit. nach Terry Eagleton: *Kultur*, Ullstein 2017, S. 110.
5 Robert Musil: *Der Mann ohne Eigenschaften*, Rowohlt 1978, S. 40.
6 https://www.oxfordmartin.ox.ac.uk/downloads/academic/
  The_Future_of_Employment.pdf
7 Brynjolfsson/McAfee (2016), S. 249.
8 Ebd.
9 Thomas L. Friedman: *Die Welt ist flach. Eine kurze Geschichte des
  21. Jahrhunderts*, Suhrkamp 2008, 3. Aufl.
10 Die Idee, das »Monster in der Grube« als Metapher zu verwenden,
  entnehme ich dem schönen Aufsatz von Ingo Schulze über den
  Kapitalismus: »Das Monster in der Grube«, in der *FAZ* vom
  5. August 2009, http://www.faz.net/aktuell/feuilleton/debatten/
  kapitalismus/zukunft-des-kapitalismus-16-das-monster-in-der-grube-
  1843083.html
11 https://digitalcharta.eu/
12 http://www.faz.net/aktuell/wirtschaft/netzwirtschaft/
  automatisierung-bill-gates-fordert-roboter-steuer-14885514.html
13 Zit. nach Morozov (2013), S. 9.
14 http://www.sueddeutsche.de/politik/neuer-ueberwachungsstaat-
  chinas-digitaler-plan-fuer-den-besseren-menschen-1.3517017
15 Andreas Geldner: »Google. Zurück zu guten alten Zeiten«. In:
  stuttgarter-zeitung.de vom 22. Januar 2011.
16 Zit. von Christian Stöcker: »Google will die Weltherrschaft«. In:
  spiegel.de/netzwelt vom 8. Dezember 2009.
17 https://en.wikipedia.org/wiki/The_Human_Use_of_Human_Beings
  (Übersetzung R. D. P.)

18 https://t3n.de/magazin/udacity-gruender-superhirn-sebastian-thrun-ueber-bildung-241204/

19 Robert Brendan McDowell und William B. Todd (Hrsg.): *The Writings and Speeches of Edmund Burke*, Oxford University Press 1991, Bd. 9, S. 247.

20 Aristoteles, *Politik* 1253b.

21 Lafargue (2015), S. 42.

22 Wilde (2016), S. 18.

23 Ebd., S. 18.

24 Ebd., S. 9.

25 Ebd., S. 4 f.

26 https://www.heise.de/tr/artikel/Durchbrueche-fuer-sieben-Milliarden-Menschen-1720536.html

27 https://de.wikipedia.org/wiki/Seasteading

28 http://www.zeit.de/2016/24/bedingungsloses-grundeinkommen-schweiz-abstimmung-pro-contra/seite-2

29 Wilde (2016), S. 18.

30 http://www.zeno.org/Philosophie/M/Nietzsche,+Friedrich/Die+fröhliche+Wissenschaft/Viertes+Buch.+Sanctus+Januarius/329

31 http://www.faz.net/aktuell/finanzen/meine-finanzen/vorsorgen-fuer-das-alter/diw-studie-in-deutschland-wird-mehr-vererbt-als-angenommen-15091953.html

32 Michael T. Young: *The Rise of Meritocracy 1870–2033*, Thames and Hudson 1958; dt.: *Es lebe die Ungleichheit. Auf dem Wege zur Meritokratie*, Econ 1961.

33 https://netzoekonom.de/2015/06/18/die-digitalisierung-gefaehrdet-5-millionen-jobs-in-deutschland; https://www.stuttgarter-nachrichten.de/inhalt.digitalisierung-diese-berufe-koennte-es-bald-nicht-mehr-geben.33fe4bad-5732-4c40-ac6f-e77e0335ab27.html

34 http://107.22.164.43/millennium/german.html

35 Siehe Bauman (2005); Sennett (2005).

36 http://www.zeit.de/politik/deutschland/2017-08/angela-merkel-wahl-kampf-bundestagswahl-vollbeschaeftigung-quote-elektroautos

37 http://www.zeit.de/2016/24/bedingungsloses-grundeinkommen-schweiz-abstimmung-pro-contra/seite-2

38 https://www.vorwaerts.de/artikel/bedingungslose-grundeinkommen-zerstoert-wohlfahrtsstaat

39 https://chrismon.evangelisch.de/artikel/2017/36320/anny-hartmann-und-christoph-butterwegge-diskutieren-ueber-das-bedingungslose-grundeinkommen

40 Jakob Lorber: *Das große Evangelium Johannes*, Lorber Verlag 1983, Bd. 5, Kapitel 108, Abs 1.

41 Hannah Arendt: *Vita activa oder Vom tätigen Leben*, Piper 1981, S. 12.

42 http://www.faz.net/aktuell/wirtschaft/arbeitsmarkt-und-hartz-iv/dm-gruender-goetz-werner-1000-euro-fuer-jeden-machen-die-menschen-frei-1623224-p2.html; http://www.unternimm-die-zukunft.de/de/zum-grundeinkommen/kurz-gefasst/prinzip

43 https://www.youtube.com/watch?v=PRtlr1e_UgU

44 http://www.microtax.ch/de/home-deutsch/

45 Vgl. dazu die Argumente des Wirtschaftsforschers Stephan Schulmeister auf https://www.boeckler.de.

46 http://www.handelsblatt.com/politik/deutschland/arbeitsmarkt-jeder-fuenfte-arbeitet-nicht-in-regulaerem-vollzeit-job/11665150.html

47 https://www.vorwaerts.de/artikel/bedingungslose-grundeinkommen-zerstoert-wohlfahrtsstaat

48 http://www.zeit.de/2016/24/bedingungsloses-grundeinkommen-schweiz-abstimmung-pro-contra

49 Bestritten wird es für die USA von Robert J. Gordon: *The Rise and Fall of American Growth. The U.S. Standard of Living Since the Civil War*, Princeton University Press 2017, 4. Aufl.

50 http://worldhappiness.report/

51 http://www.neuinstitut.de/die-fuehrenden-laender-in-der-digitalisierung/

52 http://www.faz.net/aktuell/wirtschaft/menschen-wirtschaft/sebastian-thrun-im-gespraech-ueber-seine-online-uni-udacity-13363384.html

53 Vgl. dazu Eagleton: *Kultur*, S. 35 ff.

54 Ebd., S. 37.

55 Karl Marx an Friedrich Engels, 18. Juni 1862, MEW 30, S. 249.

56 Vgl. Hartmut Rosa: *Beschleunigung und Entfremdung. Versuch einer kritischen Theorie spätmoderner Zeitlichkeit*, Suhrkamp 2013.

57 http://www.deutschestextarchiv.de/book/view/goethe_wahl-verw01_1809?p=81, S. 76.

58 Richard David Precht: *Anna, die Schule und der liebe Gott*, Goldmann 2013.

59 https://www.gruen-digital.de/wp-content/uploads/2010/11/A-Drs.-17_24_014-F-Stellungnahme-Gigerenzer-Gerd-Prof.-Dr.pdf

60 Ursus Wehrli: *Kunst aufräumen*, Kein & Aber 2002.

61 Frederick J. Zimmerman, Dimitri A. Christakis und Andrew N. Meltzoff: »Associations between Media Viewing and Language

Development in Children under Age 2 Years«. In: *Journal of Pediatrics*, 151 (4), 2007, S. 364–368.

62 Robert Nozick: *Anarchie. Staat. Utopia*, Lau Verlag 2011.

63 https://de.statista.com/statistik/daten/studie/2229/umfrage/ mordopfer-in-deutschland-entwicklung-seit-1987/

64 https://www.tagesschau.de/wirtschaft/autonomes-auto-103.html

65 Vgl. Michael Dobbins: *Urban Design and People*, John Wiley 2009; Douglas Murphy: *The Architecture of Failure*, Zero Books 2012.

66 Morozov (2013), S. 25.

67 William Makepeace Thackeray: *On Being Found Out*. In: Ders.: *Works*, Bd. 20, London 1869, S. 125–132.

68 Ebenda.

69 Heinrich Popitz: *Soziale Normen*, Suhrkamp 2006, S. 164.

70 Ebenda.

71 Zum U-Bahn-Vergleich siehe Morozov (2013), S. 317 ff.

72 Popitz: *Soziale Normen*, S. 167.

73 Morozov (2013), S. 16.

74 Di Fabio (2016), S. 39.

75 Sennett (2005), S. 128.

76 Robert B. Reich: *Supercapitalism. The Transformation of Business, Democracy and Every Day Life*, Vintage 2008.

77 http://www.bpb.de/mediathek/243522/netzdebatte-smart-city-special-prof-armin-grunwald

78 http://www.sueddeutsche.de/wirtschaft/montagsinterview-die-grenze-ist-ueberschritten-1.3843812

79 http://www.taz.de/!426234/

80 Zu den kommerziellen Spionagenetzwerken siehe: https://www.privacylab.at/wp-content/uploads/2016/09/ Christl-Networks__K_o.pdf

81 https://www.privacy-handbuch.de/handbuch_12b.htm

82 Di Fabio (2016), S. 46.

83 Ebd., S. 18.

84 Ebd., S. 21.

85 Vgl. Evgeny Morozov: »Silicon Valley oder die Zukunft des digitalen Kapitalismus«. In: Blätter für deutsche und internationale Politik I/2018, S. 93–104.

86 Di Fabio (2016), S. 93.

87 Jaron Lanier: *Wem gehört die Zukunft?* »*Du bist nicht der Kunde der Internetkonzerne. Du bist ihr Produkt*«, Hoffmann und Campe 2014.

88 Heuer/Tranberg (2015).

89 Hofstetter (2018), S. 431.

90 Harari (2017), S. 419 f.

91 http://www.manager-magazin.de/politik/weltwirtschaft/bitcoin-energieverbrauch-beim-mining-bedroht-das-klima-a-1182060.html

92 https://www.youtube.com/watch?v=SLN407nvHwM

93 https://www.welt.de/wirtschaft/webwelt/article172870280/Rede-in-Davos-George-Soros-geisselt-Facebook-Google-und-die-CSU.html

94 Karl Marx: *Grundrisse*. In: MEW 42:602.

95 Mathias Greffrath: »Der Mehrwert der Geschichte«, S. 21. In: Ders. (Hg.) *Re. Das Kapital. Politische Ökonomie im 21. Jahrhundert*, Kunstmann 2017.

96 http://www.linke-buecher.de/texte/romane-etc/Morus--%20Utopia.pdf, S. 211.

Literaturempfehlungen

DIGITALE REVOLUTION

Gleichsam ein Standardwerk über die Herausforderungen der digitalen Revolution ist das Buch der MIT-Experten Erik Brynjolfsson und Andrew McAfee: *The Second Machine Age. Wie die nächste digitale Revolution unser aller Leben verändern wird*, Plassen 2016, 6. Aufl. Etwas vorsichtiger in den Prognosen ist der Präsident des Weltwirtschaftsforums Klaus Schwab: *Die Vierte Industrielle Revolution*, Pantheon 2016, 4. Aufl. Wasser in den Wein kippt der Professor für Produktionsmanagement Andreas Syska: *Illusion 4.0. Deutschlands naiver Traum von der smarten Fabrik*, CETPM Publishing 2016. Ebenso der Soziologe Philipp Staab: *Falsche Versprechen. Wachstum im digitalen Kapitalismus*, Hamburger Edition 2016. Über die Automation der Zukunft siehe die Sprecher des Chaos Computer Clubs Constanze Kurz und Frank Rieger: *Arbeitsfrei. Eine Entdeckungsreise zu den Maschinen, die uns ersetzen*, Goldmann 2015. Die unheimliche Macht des Silicon Valley beschreibt Andrew Keen: *Das digitale Debakel. Warum das Internet gescheitert ist – und wie wir es retten können*, DVA 2015. Mit den philosophischen und kulturellen Aspekten der Digitalisierung befasst sich der Schweizer Kultur- und Medienwissenschaftler Felix Stalder: *Kultur der Digitalität*, edition suhrkamp 2017, 2. Aufl. Eine Einordnung der Digitalkultur in die Geschichte unternimmt Bernd Scherer (Hrsg.): *Die Zeit der Algorithmen*, Matthes & Seitz 2016. Zu den Schattenseiten der digitalen Kultur siehe das Buch des Sozialpsychologen Harald Welzer: *Die smarte Diktatur. Der Angriff auf unsere Freiheit*, Fischer 2017.

KÜNSTLICHE INTELLIGENZ
Zu den Möglichkeiten und Risiken künstlicher Intelligenz siehe das Buch des Philosophen und Wissenschaftstheoretikers Klaus Mainzer: *Künstliche Intelligenz – Wann übernehmen die Maschinen?*, Springer 2016. Ähnlich der Wissenschaftsjournalist Ulrich Eberl: *Smarte Maschinen. Wie Künstliche Intelligenz unser Leben verändert*, Hanser 2016. Deutlich kritischer sind die Bücher des US-Journalisten Jay Tuck: *Evolution ohne uns. Wird Künstliche Intelligenz uns töten?*, Plassen 2016; des *taz*-Journalisten Kai Schlieter: *Die Herrschaftsformel. Wie Künstliche Intelligenzen uns berechnen, steuern und unser Leben verändern*, Westend 2015; des Wissenschaftsjournalisten Lars Jaeger: *Supermacht Wissenschaft. Unsere Zukunft zwischen Himmel und Hölle*, Gütersloher Verlagshaus 2017.

ZUKUNFT DER ARBEIT
Die im Text erwähnten Klassiker zur Zukunft der Arbeit sind: Paul Lafargue: *Das Recht auf Faulheit. Widerlegung des »Rechts auf Arbeit«* (1880), Holzinger 2015; Oscar Wilde: *Der Sozialismus und die Seele des Menschen* (1891), Holzinger 2016, 4. Aufl. Das Ende flächendeckender Erwerbsarbeit in den Industrieländern prognostizierte Jeremy Rifkin: *Das Ende der Arbeit und ihre Zukunft. Neue Konzepte für das 21. Jahrhundert* (1995), Fischer 2016, 4. Aufl. Das Gleiche meint der US-amerikanische IT-Spezialist Martin Ford: *Auf-*

stieg der Roboter. Wie unsere Arbeitswelt gerade auf den Kopf gestellt wird – und wie wir darauf reagieren müssen, Plassen 2016. Die Ansicht, dass Arbeit im digitalen Kapitalismus immer unwürdiger werde, vertritt Richard Sennett: *Die Kultur des neuen Kapitalismus,* Berlin Verlag 2005. Um die Verlierer sorgt sich Zygmunt Bauman: *Verworfenes Leben. Die Ausgegrenzten der Moderne,* Hamburger Edition 2005. Einen Überblick mit verschiedenen Meinungen über die Entwicklung und den künftigen Zuschnitt der Arbeit haben die Journalisten Marc Beise und Hans-Jürgen Jakobs zusammengestellt: *Die Zukunft der Arbeit,* Süddeutsche Zeitung Edition 2012. Zur Auflösung klassischer Arbeitskonzepte siehe das Buch des Mathematikers Thorsten Hübschen: *Out of Office. Warum wir die Arbeit neu erfinden müssen,* Redline 2015; desgleichen die Gewerkschafter Reiner Hoffmann und Claudia Bogedan (Hrsg.): *Arbeit der Zukunft. Möglichkeiten nutzen – Grenzen setzen,* Campus 2015.

MESSEN UND ÜBERWACHEN

Vor der Gefahr des Solutionismus warnt ausführlich und kenntnisreich Evgeny Morozov: *Smarte Neue Welt. Digitale Technik und die Freiheit des Menschen,* Blessing 2013. Zahlreiche Bücher warnen vor dem Datensammeln und der Überwachung durch Digitalkonzerne und Geheimdienste, etwa die Juristin und Autorin Yvonne Hofstetter: *Sie wissen alles. Wie Big Data in unser Leben eindringt und warum wir um unsere Freiheit kämpfen müssen,* Penguin 2016; der Soziologe Christoph Kucklick: *Die granulare Gesellschaft. Wie das Digitale unsere Wirklichkeit auflöst,* Ullstein 2016; der Wissenschaftsredakteur Christoph Drösser: *Total berechenbar. Wenn Algorithmen für uns entscheiden,* Hanser 2016, der Informatiker Markus Morgenroth: *Sie kennen dich! Sie steuern dich!*

Die wahre Macht der Datensammler, Knaur 2016, die Journalisten Stefan Aust und Thomas Ammann: *Digitale Diktatur. Totalüberwachung. Datenmissbrauch. Cyberkrieg,* Ullstein 2016; die US-Mathematikerin Cathy O'Neil: *Angriff der Algorithmen. Wie sie Wahlen manipulieren, Berufschancen zerstören und unsere Gesundheit gefährden,* Hanser 2017. Den Kampf gegen Facebook und für die eigene Datenautonomie führte Max Schrems: *Kämpf um deine Daten!,* edition a 2014, 2. Aufl. Mit der Allgegenwart des Messens befassen sich der Soziologe Steffen Mau: *Messen, Werten, Hierarchisieren,* Suhrkamp 2017, und der Soziologe Simon Schaupp: *Digitale Selbstüberwachung. Self-Tracking im kybernetischen Kapitalismus,* Verlag Graswurzelrevolution 2016.

RECHT
Über das Unrecht des Datenmissbrauchs informiert der Jurist und Grünen-Politiker Jan Philipp Albrecht: *Finger weg von unseren Daten! Wie wir entmündigt und ausgenommen werden,* Knaur 2014. Die rechtliche Situation reflektiert zudem der ehemalige Verfassungsrichter Udo Di Fabio: *Grundrechtsgeltung in digitalen Systemen,* C. H. Beck 2016.

TARNEN UND TÄUSCHEN
Steffan Heuer und Pernille Tranberg: *Mich kriegt ihr nicht! Die wichtigsten Schritte zur digitalen Selbstverteidigung,* Murmann 2015, 3. Aufl.

BEFÜRCHTEN
Zu den Fantasien um eine mutmaßliche »Superintelligenz« und das denkbare Ende des Menschen siehe den schwedischen Philosophen Nick Bostrom: *Superintelligenz. Szenarien einer kommenden Revolution,* Suhrkamp 2016; den US-Fernseh-

journalisten James Barrat: *Our Final Invention. Artificial Intelligence and the End of the Human Era,* Griffin 2015; den israelischen Historiker Yuval Noah Harari: *Homo Deus. Eine Geschichte von Morgen,* C.H. Beck 2017, 9. Aufl.; den MIT-Professor Max Tegmark: *Leben 3.0. Mensch sein im Zeitalter Künstlicher Intelligenz,* Ullstein 2017. Zu den mutmaßlichen Folgen künstlicher Intelligenz für die Demokratie siehe Yvonne Hofstetter: *Das Ende der Demokratie. Wie die künstliche Intelligenz die Politik übernimmt und uns entmündigt,* Penguin 2018.

TRÄUMEN

Von der »Singularität« träumt der technische Entwicklungsleiter bei Google, Raymond Kurzweil: *The Singularity is Near. When Humans Transcend Humanity,* Penguin 2006. Von einer nicht kapitalistischen Gesellschaft auf Basis der Digitalkultur träumt Jeremy Rifkin: *Die dritte industrielle Revolution. Die Zukunft der Wirtschaft nach dem Atomzeitalter,* Fischer 2014; ein weiteres Mal mit sehr vielen Hoffnungen auf das »Internet der Dinge«: *Die Null-Grenzkosten-Gesellschaft. Das Internet der Dinge, kollaboratives Gemeingut und der Rückzug des Kapitalismus,* Fischer 2016. Das Ende des Kapitalismus prophezeien auch der englische Fernsehjournalist Paul Mason: *Postkapitalismus. Grundrisse einer kommenden Ökonomie,* Suhrkamp 2018, und der österreichische Journalist Robert Misik: *Kaputtalismus. Wird der Kapitalismus sterben, und wenn ja, würde uns das glücklich machen?,* Aufbau 2016; desgleichen Nick Srnicek und Alex Williams: *Inventing the Future. Postcapitalism and a World Without Work,* Verso 2016. Das Spektrum an Veränderungsmöglichkeiten der Gesellschaft loten aus: Paul Buckermann, Anne Koppenburger, und Simon Schaupp (Hrsg.): *Kybernetik, Kapitalismus, Revo-*

lutionen. Emanzipatorische Perspektiven im technologischen Wandel, Unrast 2017. Von mehr Sozialismus im Kapitalismus und einem schrittweisen Wandel träumt der US-Soziologe Erik Olin Wright: *Reale Utopien. Wege aus dem Kapitalismus,* Suhrkamp 2017. Von einer besseren und gerechteren Gesellschaft auf der Basis von »Big Data« träumen der Journalist Thomas Ramge und der Jurist Viktor Mayer-Schönberger: *Das Digital. Markt, Wertschöpfung und Gerechtigkeit im Datenkapitalismus,* Econ 2017.

Dank

Mein großer Dank gilt allen, die auf ihre Weise zum Gelingen dieses Buchs beigetragen haben. Dabei denke ich auch an die ungezählten Gespräche und Anregungen auf Veranstaltungen, bei Vorträgen und Kongressen. Ich danke Manfred Broy, dem Direktor des Zentrums Digitalisierung.Bayern, mit dem ich gemeinsam in der ZEIT über die Herausforderungen der digitalen Zukunft nachgedacht habe. Ganz besonders danken möchte ich meinen Erstlesern Hans-Jürgen Precht, Martin Möller, Fritz Fasse und Marco Wehr.

Richard David Precht
Wer bin ich und wenn ja, wie viele?

400 Seiten
ISBN 978-3-442-15528-6
auch als E-Book und
Hörbuch erhältlich

Bücher über Philosophie gibt es viele. Aber Richard David Prechts Buch ist anders als alle anderen. Denn es gibt bisher keines, das den Leser so umfassend und kompetent – und unter Berücksichtigung naturwissenschaftlicher Erkenntnisse – an die großen philosophischen Fragen des Lebens herangeführt hätte: Was ist Wahrheit? Woher weiß ich, wer ich bin? Was darf die Hirnforschung? Prechts Buch schlägt einen weiten Bogen über die verschiedenen Disziplinen und ist eine beispiellose Orientierungshilfe in der schier unüberschaubaren Fülle unseres Wissens vom Menschen: Eine Einladung, lustvoll und spielerisch nachzudenken – über das Abenteuer Leben und seine Möglichkeiten!

www.goldmann-verlag.de
www.facebook.com/goldmannverlag

GOLDMANN
Lesen erleben

Unsere Leseempfehlung

576 Seiten
Auch als Hörbuch und E-Book erhältlich

672 Seiten
Auch als Hörbuch und E-Book erhältlich

Richard David Precht erklärt in seiner auf drei Bände angeleg-
ten Geschichte der Philosophie die großen Fragen, die sich die
Menschen durch die Jahrhunderte gestellt haben.
Im ersten Teil beschreibt er die Entwicklung des abendländischen Denkens von der Antike bis zum Mittelalter. Im zweiten
Teil entführt der Autor den Leser tief in die Gedankenwelt der
Renaissance und der Aufklärung. Spannend und anschaulich
vermittelt er die zentralen Konzepte und Ideen der abendländischen Philosophie und bettet sie ein in die wirtschaftlichen,
sozialen und politischen Hintergründen ihrer Zeit. Tauchen Sie
ein in die schier unerschöpfliche Fülle des Denkens!

www.goldmann-verlag.de
www.facebook.com/goldmannverlag

GOLDMANN
Lesen erleben

Unsere Leseempfehlung

450 Seiten
Auch als E-Book
und Hörbuch
erhältlich

Ist unser Umgang mit Tieren richtig und moralisch vertretbar? Richard David Precht untersucht mit Scharfsinn, Witz und Kenntnisreichtum quer durch alle Disziplinen die Strukturen unserer Denkmodelle. Ist der Mensch nicht auch ein Tier – und was trennt ihn dann von anderen Tieren? Precht schlägt einen großen Bogen von der Evolution und Verhaltensforschung über Religion und Philosophie bis zur Rechtsprechung und zu unserem Verhalten im Alltag. Am Ende dieses Streifzugs steht eine aufrüttelnde Bilanz. Ein Buch, das uns dazu anregt, Tiere neu zu denken und unser Verhalten zu ändern!